LA CARROZA DE BOLÍVAR

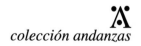

colección andanzas

Libros de Evelio Rosero
en Tusquets Editores

ANDANZAS
Los ejércitos
Los almuerzos
La carroza de Bolívar

FÁBULA
Los ejércitos

EVELIO ROSERO
LA CARROZA DE BOLÍVAR

1.ª edición: enero de 2012

© Evelio Rosero, 2012

Diseño de la colección: Guillemot-Navares
Reservados todos los derechos de esta edición para
Tusquets Editores, S.A. - Cesare Cantù, 8 - 08023 Barcelona
www.tusquetseditores.com
ISBN: 978-84-8383-356-8
Depósito legal: B. 40.297-2011
Impresión: Reinbook Imprès, S.L.
Encuadernación: Reinbook
Impreso en España

Índice

Primera parte 11

Segunda parte 145

Tercera parte............................. 259

para Gertrudis Diago

Primera parte

Ayúdame a desenterrar la sombra del doctor Justo Pastor Proceso López, a descubrir la memoria de sus hijas, desde el día que la menor cumplía siete años y la mayor era desflorada en el establo de la finca, hasta el día de la muerte del doctor, pateado por un asno en plena avenida, pero háblame también del extravío de su mujer, Primavera Pinzón, canta su amor insospechado, dame fuerzas para buscar el exacto día nefasto en que el doctor se disfrazó de simio, a manera de broma inaugural, resuelto a sorprender a su mujer con un primer susto de carnaval de Blancos y Negros, ¿qué día fue?, 28 de diciembre, día de Inocentes, día de bromas, día de agua y baño purificador, año de 1966, 6 de la mañana, todavía una delgada niebla se negaba a abandonar las puertas y ventanas de las casas, se enredaba como dedos blancos a los sauces que delimitaban las esquinas, las almas dormían, menos la del doctor —girando en su amplio consultorio, probándose un disfraz de simio al natural que había mandado traer en secreto de una famosa tienda del Canadá: ya se había ajustado la parte del simio correspondiente a piernas y tronco, sus brazos se inflaron de músculos y pelos, un pelo hirsuto, de auténtico orangután, y le faltaba por ceñir la enorme cabeza peluda que sostenía indeciso contra su corazón.

Con la cabeza de simio en las manos fue a mirarse al espejo del baño de visitas, en el primer piso de su casa de tres pisos, pero antes de enfrentar otra vez ante el espejo su cara amarilla de cincuenta años prefirió embutirla de un tirón en el felpudo interior de la otra cabeza negra de simio y lo que encontró lo dejó casi feliz, al descubrir un simio perfecto, los enrojecidos ojos —un velo rojizo cubría los hoyos de los ojos, de manera que los ojos del doctor parecían enrojecidos de furia y veían todo como entre nubes rojas—, y lo sedujo más la dentadura de simio que asomaba excesiva y peligrosamente puntuda, y de nuevo el pelaje, que se podía decir de genuino pelo de gorila, incluso le pareció que se alcanzaban a respirar las emanaciones de un recalcitrante olor a simio, y esa certidumbre pestífera, de macho simiesco, lo hizo transpirar con el abatimiento de un macho humano, dijo «Hola» y de inmediato un dispositivo en la garganta del simio transformó el saludo, lo tergiversó, hizo sonar gutural una queja o amenaza simiesca, algo así como un *hom-hom* que asustó por un segundo al doctor, al creer que a lo mejor un legítimo simio se hallaba dentro de su casa, o dentro de él, «podría ser», pensó, avergonzado.

Pues no acostumbraba bromear de esa manera. En realidad no bromeaba con nadie ni con nada en esa ciudad suya que era una sola broma perpetua, donde vivieron y murieron riéndose de sí mismos sus ancestros, en ese país suyo, que también era otra broma atroz pero broma al fin, su ciudad repartida entre cientos de bromas pequeñas y grandes que a diario, sin quererlo o queriéndolo padecían entre sí los habitantes, los ingenuos y los procaces, los lúbricos y los áridos, los ahora acostados habitantes que acaso en este mismo momento despertaban consternados en sus lechos a encarar no solamente la broma de la vida sino las otras bromas del día de Inocentes, en especial las mojadas, cuando todos en Pasto tenían la libertad de lavar al vecino, amigo y enemigo, ya con un baldado de agua fría, con manguera o a bombazos —los duros globos lanzados de frente o por las espaldas, con o sin el beneplácito del afectado—, y aceptar además resignados las otras bromas, las trampas y las gracias de tremendo calibre a que estarían expuestos desde el más sabio hasta el más cándido, niños y viejos, como preámbulo del carnaval de Blancos y Negros.

Algún 28 de diciembre, Alcira Sarasti, esposa de su vecino Arcángel de los Ríos, lo invitó a un festejo de Inocentes en su casa, y ofreció unas *empanaditas sorpresa*, rellenas de algodón, que él comió golosamente incauto, a diferencia de los demás convidados, único inocente, para después sufrir de un atroz dolor de estómago la noche entera, ¿de qué veneno estaría empapado ese algodón?, ¿un revulsivo?, ¿un astringente?, cianuro casero, la devota Alcira Sarasti había ideado esa burla a la medida de él y para él —que era un hombre alto y digno, pero gordo y rozagante como un lechón: su panza prominente defraudaba lo que muy bien podía ser la agraciada figura de un cincuentón: con seguridad la devota me odia desde que dije que Dios era otro mal invento de los hombres, pensó.

15

Más bien aborrecía las bromas, la gente bromista, ¿o les tenía miedo?, los consideraba seres raros que venían a interrumpir el sosiego, eran por lo general hombres y mujeres con algún rasgo pérfido en la cara, el entrecerrar de un ojo, por ejemplo, en el instante preciso de la broma —o la burla, que es lo mismo—, no existe broma sin burla para este pueblo sin imaginación, pensó, eran hombres y mujeres que debieron padecer alguna desolación en la infancia, los identificaba cierto fruncimiento salvaje en las cejas, ese achicamiento en los ojos, la lengua mojando los labios sibilinos, la voz adecuadamente maligna, porque la broma vuela cerca de la maledicencia, es el viento con su mentira cargada de acusación, una broma —o su burla— podía resultar más despiadada que un susto de muerte, era preferible un susto cualquiera a una broma cualquiera, pensó. Y, sin embargo, meses antes también él había empezado a fraguar su broma, la broma del simio, igual que todos en Pasto, pues cada uno planeaba su broma durante el año para empezar a aplicarla el 28 de diciembre, celebrarla con sus variantes durante los días carnavalescos, 4, 5 y 6 de enero, sufrirla, exhibirla, recrearla en el paroxismo del juego, del talco y las serpentinas, de las carrozas monumentales, del aguardiente a mares y los amores tan conocidos como desconocidos del carnaval de Blancos y Negros.

La broma simple del simple simio lo enaltecía hasta la liberación de figurarse un auténtico simio aterrador, la madrugada de ese 28 de diciembre, despertando con su negra presencia y sus ojos enfierecidos y sus saltos simiescos a su mujer y sus dos hijas, espantándolas de la cama una por una, al final correteándolas por toda la casa, pateando muebles y tumbando porcelanas y desbarajustando el orden de las cosas como sólo un simio puede hacerlo, justamente lo que él jamás habría hecho de no encontrarse disfrazado de simio, asustando a las dos niñas, acaso hasta las lágrimas —sin poderlo evitar, Floridita y Luz de Luna perdónenme—, y luego, en la intimidad del aposento, cuando todo indicara el final de la broma y él aparentara despojarse de su disfraz de simio, violentando a su mujer, pero violentándola a la fuerza, la más dulce fuerza, algo que no repetía desde hacía años: el doctor Proceso volvió a sobresaltarse de sí mismo ante el espejo, ante la idea, el espectáculo de representarse echado encima de su propia mujer, disfrazado de simio, pugnando por rendirla, a la dulce fuerza, ¿cuál dulce fuerza?, esa dulce fuerza ya había desaparecido, y se preguntó si no habría sido mejor beber con la debida anticipación un vaso doble de aguardiente para acometer esa broma ridícula, realmente estúpida, pensó, que incluía además violación conyugal, se trastornó, ¿qué sucedía con él?, él y su mujer no tenían que ver ni en la cama ni en la tierra ni en el aire: el más penoso aburrimiento, el que soporta cargas de odio se cernía sobre ellos, hacía tiempos. Pensando en eso, frente al espejo, se había manoteado el pecho como suelen hacer los simios en plan de contienda, pero lo hizo de manera tan lenta y como apenada que el simio en el espejo le dio risa y después tristeza, un simio, pensó, cagado del susto.

Pero se reanimó el simio al suponerse ahora saliendo de su casa a congraciarse con el mundo —a través del susto de su broma—, abrazarse con las gentes que solía no determinar, no por tonto orgullo sino porque no se acordaba del mundo desde que resolvió —recién graduado de médico, a los veinticinco años— escribir en sus horas libres la demostrada y auténtica biografía del nunca tan mal llamado Libertador Simón Bolívar.

Ya tenía cumplidos cincuenta años y no terminaba la biografía, ¿moriría en el intento?, era imprescindible esa broma ingeniosa que lo amigara con el mundo —y, de paso, lo entusiasmara a culminar *La Gran Mentira de Bolívar o el mal llamado Libertador*—, yendo por ejemplo disfrazado de simio a saludar al mismo Arcángel de los Ríos, su vecino y rival del ajedrez, fructífero lechero, uno de los más ricos de Pasto, «don Furibundo Pita» lo apodaban, borracho pendenciero pero un buen hombre cuando estaba en sus cabales —¿no fueron muy amigos cuando jóvenes?—, metiéndose en las casas de puertas abiertas y golpeando a las puertas cerradas y asomando su cara de simio por las ventanas, persiguiendo señoras y niñas y ancianas, erizando gatos, desafiando perros, fraguando en definitiva la historia de una broma impecable en Pasto, ciudad cuya historia se forjaba de bromas, ya militares o políticas o sociales, de cama o de calle, ligeras como plumas, pesadas como elefantes, transitaría intimidando mártires por sólo un instante efímero, pero un instante de preciso escalofrío: ¿será de verdad un simio que se fugó de algún circo y puede matarme?, pensarían, ¿acaso no se volcó un camión repleto de toros un día y el más colérico se abalanzó cuerno en ristre contra la puerta de una notaría que se abría justo en ese momento con Jesús Vaca en medio, el viejo secretario que usaba sombrero y se jubilaría al tercer día y del que no quedó ni el sombrero?, sí, también como el toro furioso un gorila era posible en esta vida a la vuelta de la esquina, se aterraría más de uno, se compungiría como un niño ante un final cruento a manos de un hermano antepasado.

Y así, espeluznando ciudadanos por las calles, trazaría su camino famoso hasta el centro álgido de Pasto: las altas puertas de la catedral, y ante ellas se arrodillaría y rezaría como sólo un simio entrenado suele hacerlo, convencido de la palabra de Dios, arrepentido, maravillando fieles, escandalizando curas, porque ni siquiera el obispo de Pasto —monseñor Pedro Nel Montúfar, más conocido como «el Avispo», amigo y condiscípulo desde niños— se vería excluido de la broma, lo visitaría en su palacete, lo asediaría, lo embestiría, y, si lo dejaran, vestido de simio, meterse al palacio de la gobernación, también fastidiaría al gobernador Nino Cántaro, otro condiscípulo de la primaria, pero nunca un amigo, el primero del colegio, «el Sapo», sería soberbio corretearlo por los predios del poder, pero no se lo permitirían los soldados que custodian la gobernación, a lo mejor uno de esos mentecatos consideraría seriamente la realidad de un simio enloquecido por las calles de Pasto y dispararía no una sino tres y cinco veces para asegurarse de no dejar vivo al simio feligrés —que se atrevió a arrodillarse.

No: resultaba inseguro un simio rebelde, era un peligro asaltar disfrazado la gobernación.

Se resolvería a ser sólo el inmortal simio arrodillado ante las puertas de la catedral, y allí sucedería el minuto culminante, el elegido para coronar la broma: se despojaría de la cabeza de simio mostrándose a la posteridad con su verdadera cara, el doctor Justo Pastor Proceso López, ginecólogo eximio, recibidor de la vida, historiador a escondidas, «Es el doctor Proceso», exclamarían los testigos, «disfrazado de gorila», y dirían: «El honorable ginecólogo asustó a medio mundo, su humor no es sólo negro sino multicolor, tiene don, escandalizó a monseñor Montúfar, es uno de los nuestros», y como por arte de fábula se convertiría en un ciudadano querido para siempre por su broma: el memorable simio rezando arrodillado ante las puertas de la catedral, parábola con muchas interpretaciones, pensó, la docilidad del animal salvaje a la bondad de Dios, el violento plegado a la autoridad celestial, el simio, antecesor de la raza humana, postrado a las puertas de Dios, un ejemplo a seguir por la misma raza humana, siempre más estúpida, Dios, Dios.

Dios.

Pero semejante postración —se previno el doctor—, un chimpancé orando a las puertas de Dios, sería considerada por muchos como grave ejemplo de impiedad, puntapié al catolicismo, rastrera chanza que debía ser multada no sólo con un dinero imposible de pagar sino la excomunión y el insulto verbal de una banda de representantes de las buenas costumbres, no importa —concluyó—: la sabiduría de la broma terminaría imponiéndose sobre la barbarie de los embromados, la noticia de su disfraz saldría en primera página del único periódico de Pasto, muy bien interpretada por la firma sesuda del filólogo Arcaín Chivo —otro de sus amigos antepasados—

sociólogo y paleontólogo y más conocido como «el Filántropo», ex titular de una cátedra de Historia en la universidad, y titular de otra que él mismo denominaba con elemental ironía: *Filosofía Animal,* y una foto del doctor disfrazado de simio o una foto del simio arrodillado a las puertas de la iglesia daría idea explícita del histórico acto, era seguro que su mujer y sus hijas lo considerarían seriamente por primera vez en la vida, existiría para ellas, se reconciliarían, el mundo lo convocaría a la hora de la charla cotidiana, era posible que el alcalde de Pasto, Matías Serrano, «el Manco de Pasto» —que no era ningún manco, y sí amigo suyo, a diferencia del gobernador— le exigiera por decreto repetir su inocentada en el desfile de disfraces individuales, y ninguna murga, ninguna comparsa, ninguna carroza sería más digna de memoria que su disfraz de chimpancé orando arrodillado a la hora del carnaval de Blancos y Negros.

El doctor Proceso abandonó el espejo como si abandonara la jaula.

Fue a la espaciosa sala, donde la brasa de la chimenea todavía calentaba, y lo juzgaban, perplejos, desde las paredes doradas, los ojos de sus abuelos en la misma fotografía, sentados alrededor de un piano, bajo la atmósfera en sepia de una casa antepasada. También él se acomodó en su poltrona, especie de trono en mitad de la sala, y quiso cruzar las piernas pero se lo impidió el disfraz abultado, de manera que volvió a recordar que era un simio, y se lo recordó otra vez su propio reflejo en el vidrio de una acuarela al natural que representaba a su mujer, Primavera Pinzón, como la campesina del cántaro de leche, la exacta fábula de la Lechera, muchacha pensativa y lozana urdiendo castillos en el aire, los pies descalzos, las gordas y rosadas pantorrillas, la gastada falda trizada al azar por las espinas de un arbusto, en realidad despedazada por las sabedoras manos del acuarelista, que trizó la falda en la casi entrepierna, al inicio de la vuelta de una nalga, cerca de las caderas espléndidas, así se erigía la bella Primavera, más baja que alta, las trenzas doradas, en su oreja dos cerezas unidas por el tallo a manera de candonga, la boca artificiosa, el hombro inclinado bajo el cántaro, la sombra escurridiza a punto de recorrer el camino de quimeras que la conduciría al pueblo a vender la leche y comprar los pollitos y venderlos y comprar la gallina y luego el cerdito y venderlos y poner un establo con dos vacas y ganar más dinero del que soñó —antes de que el cántaro se rompiera.

La acuarela de Primavera Lechera —el vidrio que la guardaba— reflejaba su catadura real, un simio de carne y hueso arrellanado en la poltrona, meditabundo animal con la cabeza apoyada en una mano a manera de pensador, qué estoy haciendo de orangután —se dijo alarmado—, y se incorporó, sufriendo la premonición de una catástrofe, la futura ridiculez ante los suyos: su Luz de Luna de quince años y su Floridita de siete y sobre todo su mujer que se aprovecharía de la broma simiesca para recordársela durante el próximo año, estregársela día y noche, y no a modo de celebración sino de escarnio, recalcándole que lo abominaba, es muy posible que no me encuentre preparado para un disfraz de simio, mejor despojarse cuanto antes de cuerpo y cabeza y arrojar este pobre intento de conquista en el bote de basura, aunque sería mejor quemarlo para que no quede ni el rastro, ¿cómo explicar un flamante disfraz de gorila en el bote de basura?, ¿quién trajo semejante desparpajo?, ¿qué se proponía?, preguntas que se harían en voz alta su mujer y la pequeña Floridita, que ya empezaba a aborrecerlo: la última vez que intentó besarla en la noche a modo de paternal despedida hizo a un lado la cara y dijo puaf con razón mamá nos dice que hueles a calzón de embarazada, ¿pero qué sabía esa niña del olor de un calzón de embarazada?, ¿qué era ese vocabulario?, por Dios Justo Pastor —se dijo—, urgía quemar el disparate y empiyamarse a las carreras y volver a cama con Primavera, que sin duda se enfadaría por despertar en plena madrugada pero que de todos modos se encontraría más caliente que nunca debajo de las cobijas, la musgosa entrepierna casi abierta, y que volvería a dormir profunda, permitiendo que el dedo sabio del ginecólogo se abanicara suave por sobre la punta de cada vello y luego de una hora de vuelo leve descendiera hasta un labio y lo repasara y de inmediato como al desgaire al otro labio y después de otra hora de esforzado y casi doloroso escarceo empezara a hundirse en aquel principio y precipicio de lava en que se convertía su mujer cuando dormía, su amada —amada de semejante manera, un pedazo en la realidad y otro en los sueños— hasta el paroxismo final, el de ella y el de él, el nunca más solo que nunca doctor Justo Pastor Proceso López masturbándose sin ruido junto al cuerpo en llamas de su mujer, la mujer que de despertar ante semejantes atrevimientos con seguridad gritaría, pensó, adónde hemos llegado.

Subió las escaleras, simio meditabundo, irresoluto, una mano en la barbilla y otra rascándose la pelambrada cabeza, todavía más asombrado de sí mismo que cuando se hallaba al espejo, subió como si cayera al segundo piso de la casa, donde quedaban el cuarto de huéspedes, el de planchar, el de juguetes y el más alejado, su biblioteca, que era también rincón del ajedrez, con su mesita de palo de rosa, las piezas de mármol y dos sillas solitarias.

Allí entró y se detuvo ante el tablero, donde había jugado por última vez hacía años con su vecino Arcángel de los Ríos, don Furibundo Pita, ganándole una apuesta que ahora no podía recordar. Recordaba, sí, que empezaron enseguida otra partida, pero no la terminaron porque los interrumpió el temblor, el breve aunque angustioso temblor que recorrió la ciudad, escalofrío terrenal que hizo oscilar las lámparas y crujir los asideros de las casas: eran frecuentes los temblores en Pasto, ciudad cuidada sabiamente por su volcán en combustión —el Galeras milenario, que asomaba sus narices al momento menos pensado por debajo de tus sábanas—, los estorbó el temblor, que en ocasiones resultaba largo, demasiado, y dejaba su rastro derruyendo casas mal construidas, pero Dios sabe cómo distribuye sus temblores, pensó, cómo los adjudica, cómo reparte sus víctimas, cómo acaba con los que tienen que acabar y cómo deja a quienes falta empezar, pero ¿Dios es justo de verdad?, se preguntó, Dios, Dios, el temblor —como el corazón del volcán— te remellaba a las horas más íntimas del alma, se trataba de un visitante insospechado inesperado inoportuno y nunca deseado que aterraba como la broma peor, o el peor susto de la ciudad: *de Pasto con amor para mis hijos: un volcán es mi corazón*, su broma inmemorial, susto y broma al tiempo, estatizaba corazones mientras duraba, el pensamiento se dividía al tiempo que transcurría el vaivén, se erizaban los pelos de tu nuca, encanecías, en una ocasión, la última ocasión, debieron truncar el abrazo final con Primavera, el casi dulce final al unísono, por la extraña culpa de un temblor, así de grande resultó el susto de morir, más grande que el abrazo culminante, los despedazó en el auge del abrazo restaurador y no se acomodó al compás desesperado de sus cuerpos —como pensarían los más inocentes— sino que los suspendió del solo miedo a morir, que es más grande que cualquier amor.

Había sido su último intento de amar y enamorarse otra vez.

Por fin el simio decidió afrontar el tercer piso de la casa, el piso octagonal de paredes enchapadas en madera, con grandes cuadros de Cristos y Marías colgando aquí y allá, íntimo y familiar, donde se hallaban las habitaciones de sus hijas y su propia habitación matrimonial, las tres puertas abiertas de par en par.

Se había prometido que incendiaría el disfraz de inmediato, que se metería en la cama a otra sesión de amor en sueños con Primavera Pinzón, pero se detuvo absorto ante la habitación de la mayor de sus hijas, Luz de Luna —nombre impuesto por su mujer, que se consideraba todavía poeta al llegar al matrimonio y que dictaminó que si daba a luz a una niña se llamaría como el poema que escribió la noche de bodas, Luz de Luna: «hoy viene la pura luz de luna hasta mi tálamo / y libera mi alma del oscuro circo en que deambula / la ilumina y la redime del embiste del jumento que atraviesa / con su bruta lanza conquistadora / mi doncellez». El doctor Proceso se lo sabía de memoria; era el último poema de su mujer porque, según ella, la noche de bodas no sólo perdió la virginidad sino su vena poética, para desgracia no sólo de los suyos sino de la humanidad, tú fuiste el culpable doctor Jumento —decía su mujer, que nunca lo llamó por su nombre sino «doctor Jumento» a secas, con irónica afección, a diferencia de las demás mujeres que visitaban el consultorio del doctor, sus fidelísimas pacientes de todas las edades que lo llamaban, como una atención, y en femenina represalia: *doctor Tierno.*

Ante el paisaje cotidiano pero entrañable de Luz de Luna durmiendo, el simio en suspenso, boquiabierto, se pasó una mano por la quijada; era de verdad un simio en la puerta, reflexionando: examinaba los quince años que habían pasado desde esa tan original noche de bodas, la noche que habría causado con seguridad a Luz de Luna, porque pasarían muchas noches antes de que volvieran a trenzarse en la cama con Primavera Pinzón. Cuando se casaron el doctor tenía treinta y cinco años y su mujer veinte: ahora ella era una mujer de treinta y cinco años, y él un cincuentón. Recordaba esa primera noche como si esta noche: tan pronto él acabó su mujer se desprendió de él con un gemido que podía ser asco o rebeldía y saltó del tálamo a la mesa a escribir aquel poema a la luz de la luna —y, en efecto, avanzaba la luz de luna por la ventana—, ese poema, pensó, donde él terminaba asimilado, de manera tan peregrina, a un jumento.

Quince años tenía entonces su Luz de Luna.

La ventana de la habitación estaba abierta; daba al huerto de la casa, por donde asomaban las brillantes ramas del capulí; el simio fue a la ventana y la cerró. Después, inclinado a su hija que dormía bocabajo —el largo pelo negro, el pálido perfil—, la reconoció: era ya una señorita, la boca pintada de un colorete azul, abierta, como si hablara sin voz. Extendida a la orilla de la cama, uno de sus pies surgía por debajo de las cobijas, colgando como algo rosado y sin forma, no exactamente un pie, pensó, sino un pedazo de algo aparte de su hija. Pensó que la vista del simio horrible sería un horrible despertar para Luz de Luna, y se alejó en punta de pies: era mejor volver a su habitación y despojarse del disfraz y echar la broma al olvido, la broma que durante noches de insomnio había reconsiderado hasta el cansancio y que cada día lo exaltó más. No. No servía para bromas, ¿o ninguna broma servía para él?, ¿qué clase de tipo era él?, ¿realmente un tipo normal, o un espíritu indefenso expuesto a la travesura universal que hace de los débiles su víctima? Entonces, cauteloso, alarmado porque su hija pronunció una palabra en sueños, una palabra que no pudo entender, ¿*establo*?, se retiró.

Y ya se dirigía a su aposento cuando descubrió, a la medialuz de una lámpara, en el cuarto de la menor de sus hijas, Floridita, que un niño dormía allí, en la misma cama de su hija, ¿qué sucedía con el mundo?, ¿quién podría ser?, ese 28 de diciembre Floridita cumplía siete años, y el niño, ese niño, ¿quién?, parecía algo menor, unos seis, ¿no era el hijo de Matilde Pinzón, hermana de Primavera?, sí. Ya sabía Primavera que él no aprobaba la excesiva camaradería entre el niño y su hija, ese perpetuo ir y venir juntos por la casa. Y ahora tenía que encontrarlos durmiendo en la misma cama. Ya desde hacía años Primavera lo tenía atribulado por completo, y las tribulaciones que recordaba resultaban más graves que dos niños abrazados en la cama, Primavera Primavera, se gritó, ¿quién no quiso un día convertirse en tu asesino?

Y entró por fin al dormitorio matrimonial. Se olvidó del simio en que se encontraba metido, y ver pasar un simio en el espejo le hizo dar una imprecación y un salto atrás: se había asustado de sí mismo, pues allí seguía, vestido de simio.

Siguió avanzando, urgente, para no verse más. Flotaba su corpulenta silueta en la luz azul del amanecer. Ya desde la puerta había empezado a despojarse de la cabeza de simio, decidido a esfumarla, cuando oyó el quejido de la mujer dormida, el húmedo quejido de Primavera Pinzón que brotó delicado en mitad de la cama, su afelpado acento, su indescifrable canto y, de inmediato, se olvidó del disfraz: observaba a Primavera con delectación: ¿soñaba que amaba?, ¿soñaba el amor?, ¿o no amaba?, y, por experiencia propia, al oírla murmurar «aquí, aquí» se decidió por el amor, y se asomó al lecho como a un abismo, el lecho que era su propio lecho, en donde esta vez sólo dormía su mujer, o dormía a solas con su sueño de amor: la colcha de alpaca moldeaba su posición supina, un brazo doblado debajo de la cabeza, la cara de ojos cerrados dirigida al techo, los labios abiertos, húmedos, enrojecidos, las piernas separadas a plenitud, el inmanente olor del calor que sólo podía desprenderse de su cuello, del rubio cabello desparramado en la almohada, el doctor Proceso López ya no se gritaba Primavera Primavera quién no quiso un día convertirse en tu asesino sino se prometía únicamente volver por un minuto a enamorarla, o morir, Dios, Dios.

Dios.

Se juraba que daría la vida sólo por un abrazo y una caricia excesiva con Primavera en ese justo momento de desolación, por lo menos meterse en la cama con ella y no importa que despierte a la fuerza y de mal humor, pensó, de todos modos la tendría allí, de cuerpo entero, y cuando se diera vuelta, exasperada, para dormir lejos de él —su cara orientada a la otra orilla de la cama, su alma mucho más lejos de él—, la luz del amanecer lo ayudaría a estimar con holgura el portentoso trasero de la arisca Primavera, la redonda blancura de visos rosados, y acaso más tarde su mano de médico —su mano medicinal, su mano sabia en la desesperación— la acariciaría con esa levitud parecida al terror, persistente al fin y al cabo, avanzando de vello en vello hasta el más oculto de los vellos de Primavera, así se figuraba el doctor otro rito de sueño de amor cuando despertó Primavera Pinzón, para desgracia de ella y de él, abrió los ojos y vio primero la sombra del horror, la sombra en carne propia de un simio en su habitación, los dos brazotes peludos levantados sobre ella, dispuestos a ir a su garganta, Primavera gritó sin sonido, sus manos defendieron su rostro, intentó levantar las rodillas debajo del pesado cubrelecho pero no lo consiguió, sus piernas eran de mantequilla, ahora vio que el inmenso simio se agarraba la cabeza, se la apretaba como si padeciera, los ojos de Primavera se desorbitaron, no podía creerlo pero había que creer, era un simio en su habitación, y en un vértigo de pánico alcanzó a recordar que los simios se robaban a las nativas y las llevaban a sus nichos en los árboles y allí las poseían como a simias, seguramente éste no sería la excepción, la cargaría hasta el huerto de la casa, la subiría a la copa del capulí y una vez allí —enfrente no sólo de sus hijas sino de sus criados y uno que otro vecino— la convertiría en simia gritando ¿de terror o de placer? —se alcanzó a preguntar arrepentida de su misma pregunta—, la usaría quién sabe si al derecho o al revés, eso se alcanzó a preguntar Primavera en su desfallecimiento, ahora todavía más espeluznada al constatar incrédula que el simio se quitaba la cabeza y aparecía la cabeza de quién puede ser Dios mío mi marido —se gritó.

Con la cabeza de simio en las manos el doctor sólo se atrevió a sonreír al rostro estupefacto de su mujer como para un beso y rogar perdóname voy a explicarte cuando ella lo interrumpió balbuceando «Pero qué bruto eres, Dios» y ya no pudo balbucear ni respirar —¿del miedo o la indignación?, se preguntó el doctor—, porque la boca de Primavera se abría por completo en demanda de aire, su pecho se apretaba por dentro, la vena del cuello palpitaba, los ojos desorbitados finalmente se cerraban y el rostro se ladeaba derrotado, el doctor Proceso arrojó sobre la almohada la cabeza de simio y alargó los brazos a su mujer: pretendía tomarle el pulso pero las manazas de simio se lo impidieron.

Con gran esfuerzo se despojó de las manos de simio, las tiró al piso como si quemaran, palpó a su mujer en el cuello y dio un respingo, era necesario pedir ayuda —comprendió—, traer un médico del corazón, y corrió como si huyera de la habitación, se precipitó a las escaleras y, entre el tercero y segundo piso, mientras se gritaba «Primavera pudo morir del estupor» se paralizó al recordar que el médico era él, de modo que se dirigió otra vez a la habitación para dar a Primavera respiración boca a boca, cruel sarcasmo besar a su mujer de semejante manera, pensó, un beso de apuro y desesperación, es muy posible que Primavera esté ya muerta, pensar que tendremos que velarla en pleno día de Inocentes, y fue durante ese brevísimo trayecto, mientras subía penosamente las escaleras, que se convenció en efecto de que su mujer moría, era cierto, Primavera Pinzón desaparecía de la tierra, víctima inocente de una broma más inocente todavía, y la noticia de su broma no sólo echaría a volar por la ciudad sino que se adueñaría del país entero y a lo mejor del mundo, no es muy frecuente que un hombre mate a su mujer con un disfraz de simio a la hora de despertar.

Y después de esa muerte azarosa, en la que se refrendaría por supuesto la crueldad de la vida, su fatalidad, su ironía, un hombre quiere hacer reír a su mujer y la mata, él «se entregaría al dolor» y acudiría al sepelio «vestido de negro, aunque debería ir vestido de simio», pensó, considerando de pronto, durante el breve tiempo de subida por las escaleras, la otra posibilidad: que la muerte de Primavera le dejara campo libre para esposar a otra mujer, bulliciosa y cálida, más dispuesta que Primavera Pinzón a la hora de entregar la caricia, más clemente y generosa que Primavera Pinzón —fría, amarga, infiel a perpetuidad, y era eso lo más temible de soportar, pensó, su fealdad es la fealdad que atemoriza, la que está detrás de la belleza, es todavía más espantosa —se gritó imaginando en su cama a otra mujer, pero no parecía prudente desear otra mujer a estas alturas, se dijo con remordimiento, y prefirió considerar otra posibilidad, se imaginaba que después de tanto dolor, justo en el entierro, en pleno cementerio, sus dos hijas y demás parientes comenzarían inesperadamente a reír, señalándolo a él como víctima de su propio invento: la muerte de Primavera Pinzón había sido una broma redonda a continuación de su propia broma fallida: se abriría la tapa del ataúd, surgiría de allí con un salto elástico Primavera vestida de novia —como ella habría querido que la entierren si moría—, un salto de danzarina, más apetitosa que nunca —consideró el doctor, que solía asimilar la belleza de su mujer al degustamiento de un delicado plato—, y, mientras tanto, él, víctima, sería congratulado por el obispo de Pasto, también partícipe eficaz de la broma, y lo saludarían sus amigos el catedrático Arcaín Chivo y el alcalde Matías Serrano y hasta el sepulturero y los demás enlutados, media ciudad lo rodearía, a fin de cuentas qué magnífica fue la broma, empezada por él, continuada sabiamente por su mujer y después por la ciudad, la broma duraría mil años, se dijo, y ahora deseaba intempestivamente que su mujer viviera, que no la encontrara muerta —como la dejó.

Entró al aposento, intimidado, sumido en la angustia —era muy posible que Primavera se hallara muerta de un ataque de indignación—, entró corriendo, vestido de simio a medias, y se detuvo tambaleando: allí, sentada a la orilla de la cama, ese miércoles 28 de diciembre del 66, día de Inocentes, preámbulo feliz del carnaval de Blancos y Negros, Primavera Pinzón, la boca abierta, la punta de la lengua repasándose los labios, contemplaba con gran curiosidad la negra cabeza de simio que descansaba en sus rodillas, le daba vueltas, descubría las costuras, rozaba temblorosa con la yema de sus dedos la película roja de los ojos, comprobaba la consistencia de los colmillos, acariciaba el pelo de alambre y, después, sin un gesto, poniéndose de pie, depositando con extraordinario cuidado la peluda cabeza encima de la cama, en el sitio mismo donde el doctor solía dormir, *su sitio,* le dijo, señalando la gran cabeza de simio, mientras pasaba como una ráfaga a su lado:

—Me gusta más él.

2

Se despertó solo, ¿a qué horas sucumbió al sueño?, no oía el grito de su hija menor, que era la costumbre, un alborozo de escándalo infantil por todas partes, pero recordó como entre brumas que Floridita y Luz de Luna, en compañía de su madre, viajarían esa mañana a la finca a ultimar detalles del cumpleaños, ¿a qué horas lo celebrarían?, lo tenía olvidado, multitud de niños acudirían, la compañía de payasos, las marionetas, el trío de músicos. Había comprado a Floridita como regalo un caballo pony que aguardaba escondido en el establo, con un gran moño amarillo en el cuello.

No había nadie en la casa, o sí, había alguien: existía muy a su lado, en la cama, casi que respirando, el simio separado por la mitad: el traje peludo extendido a lo largo, las patas y manos; la gran cabeza negra parecía olfatearlo, ¿a qué horas se despojó del disfraz?, ¿o lo desdisfrazó Primavera Pinzón, apiadándose?, el doctor Proceso lanzó un suspiro tan desgarrador que él mismo se compadeció como sólo un simio suele hacerlo, pensó, y lanzó una carcajada inverosímil, de amarga tristeza y extraña alegría, una desolada celebración: recordaba a Primavera cuando esa madrugada descubrió al simio asomado a su cara: qué bien fingió su susto de muerte, qué gran broma de inocentes hilvanó en un instante —a partir de su broma—, qué vertiginosa imaginación! Incluso aprovechó para decirle «Pero qué bruto eres, Dios», y lo convenció a él, médico, de la posibilidad de una muerte por ataque al corazón, sí: se burló de él majestuosamente, como sólo puede hacerlo una mujer: su mujer. Su mujer era como para reír y llorar y morir y resucitar, una mujer como Primavera jamás, pensó, ¿pero en dónde había acabado su amor, si existió?, ¿qué fue de su amor?, palabra tonta entre las más, engaño pueril, sólo una atracción física, carnal, que demoró lo que la siembra y la cosecha del maíz, nada más.

Desde la cocina de la casa lo llamó con un grito la cocinera, Genoveva Sinfín, la vieja que lo acompañaba hacía años: «Doctor, ¿ya despertó?, ¿puede usted bajar?». Un llamado inusitado en la historia de la casa: algo grave debía suceder. Se puso la bata y abrió la ventana que daba al huerto: «Qué sucede», gritó.

«Baje usted, por Dios.»

Corrió a las escaleras llevándose la cabeza de simio y el resto del disfraz: quería ordenar que desaparecieran ese esperpento, y olvidarlo para siempre.

En la cocina lo esperaba la Sinfín, los brazos en jarra, el rostro más arrugado que nunca, la consumida boca doblada hacia abajo —una gran mueca de tribulación. Furiosa ¿o parecía?, la Sinfín traspiraba, los ojos encharcados detrás de la mesa donde reposaba una opulenta lechona asada, acostada bocabajo en una bandeja; moscas azules revoloteaban alrededor de las anchas orejas.

La cocinera esgrimió una cuchara de palo y la enterró

en un costado de la lechona: la sacó, humeante, y la extendió: el doctor vio el relleno de arroz tostado, la carne de puerco desmenuzada entre alverjas y habichuelas. Entonces oyó gemir a la cocinera:

—Vidrio molido, señor.

Sí. Las vetas azules del vidrio destellaban en los bordes de la cuchara.

—Fue Floridita. Me mató el trabajo de una semana. Y pensar que esta lechona iba para su mismo cumpleaños.

—No puede ser —dijo el doctor.

Examinó el interior de la lechona, esculcando con la cuchara de palo: ahora distinguía grandes pedazos de vidrio de botella. El olor de la longaniza le provocó náuseas. Había, cerca, otra bandeja repleta de cuyes asados, mazorcas y yucas hervidas.

—Los cuyes también —dijo la Sinfín—. Los engordaron con alfileres. No sé cuándo me descuidé. Yo los sentía rondándome, aquí, allá; me acechaban riéndose: eran la niña Floridita y su primo, ese diablito del Chanchán. Que me perdone Dios, pero usted tenía que saberlo.

—Encargue pollos asados para la fiesta —dijo el doctor—. Chorizos, papas, chicharrón. Y no se preocupe más, Genoveva.

—¿Y qué va a hacer usted ante la chanza, si me perdona averiguarlo, doctor? Me da vergüenza con usted, pero las cosas no paran aquí, ¿o es que no va a reclamar?

—Por supuesto, Genoveva. Ya hablaré con Primavera: si Floridita y su primo son responsables tendrán su debido escarmiento, no lo dude. Ahora, si me permite...

—Doctor, las cosas no paran aquí. Siga conmigo, por favor.

La siguió, a disgusto, al huerto de la casa. Cruzaron en silencio una gran puerta despintada. Allí, donde paseaban los pavos y gallinas, en una banca de madera que se apoyaba al tronco del capulí, se hallaba sentado el jardinero, el torso desnudo y una camisa blanca anudada a la cabeza, a modo de venda. Todavía desde lejos el doctor pudo distinguir la camisa ensangrentada.

—Homero, qué sucede —preguntó.

—Nada, señor —respondió el jardinero, enrojeciendo. Era un hombre pálido, enfermizo, de unos cuarenta años, famoso por su silencio a perpetuidad, y porque vivía desde hacía tiempos en una cabaña solitaria a la vera del cementerio de Pasto. Decían algunos que había matado a su mujer, enterrándola debajo del lavadero; otros que su mujer lo había matado a él, en vida, porque se fugó con el sepulturero, causándole por eso la casi mudez, esa especie de pereza de vivir que se reflejaba, justamente, en su modo de vivir, como de muerto —decían—: muerto de hablar, muerto de caminar, muerto simplemente de existir.

—¿Nada? —se indignó la cocinera—. Alguien puso en equilibrio un cántaro en el borde de arriba de la puerta, por donde Homero entra cada mañana. Abrió la puerta y el cántaro cayó y le abrió la cabeza.

El doctor se acercó:

—¿Por qué no me contó primero de esto, Genoveva?

—Porque ya dejó de sangrar —dijo la cocinera.

El doctor desanudó cuidadoso la camisa. Observó la herida, la palpó.

—Leve —dijo—. Ya coaguló. No hay que suturar, Homero.

—Claro que no, señor. No era obligación que viniera —repuso el jardinero, ofuscado, sin perder de vista a la Sinfín.

Entonces un fuerte olor a mierda humana, que provenía de la cabeza del jardinero, repelió al doctor: dio un paso atrás.

—El cántaro estaba lleno de eso —explicó la Sinfín—. Otra broma de la niña Floridita y su Chanchán, que celebran a su buena manera este día de los Santos Inocentes, patrón.

El doctor recordó la cabeza de simio que llevaba bajo el brazo, y el resto del disfraz: desde antes percibía la mirada interrogadora de sus empleados.

—Hoy Floridita cumple siete años —dijo, sin mirar a ninguno—. Hoy no diré nada. Mañana. Usted perdone, Homero, ya lo resarciré de ese golpe, verá que sí. Por ahora le voy a pedir un favor.

Y extendió el costoso disfraz de simio que había mandado traer desde Canadá.

—Queme esto —le dijo—. No se lo regalo. Tampoco le ordeno que lo esconda. Quémelo ya.

El jardinero recibió el disfraz sin decir palabra. Salió del huerto por la puerta trasera, que conducía al garaje. Se veía insólito, avanzando entre los tiestos de geranios y azaleas con el peludo traje sobre sus hombros y esa enorme cabeza de gorila colgando de su mano: la había medio disimulado con la camisa que antes cubría su herida, de modo que ahora parecía la ensangrentada presa de un cazador.

Frente al espejo del baño de su cuarto, al empezar a afeitarse, el doctor pudo constatar otra inocentada: había, colgado de la pared, a sus espaldas, reflejado en el espejo, el cadáver calcinado de un gato negro atisbándolo a perpetuidad. Le pareció absurdo que su hija menor —que cumplía siete años— se ocupara en semejantes detalles del horror.

Desayunó más solo que nunca, servido por la Sinfín, que lo acechaba en silencio. Y se puso, agobiado todavía por la inocentada del gato, la gabardina que colgaba del paragüero. Así se dirigió a la puerta que daba a la calle, inmerso en oscuros presentimientos.

—¿No salimos en su campero, doctor? —preguntó la Sinfín, a punto de ir a abrir el garaje.

—No —dijo—. Voy a caminar.

—¿Caminar adónde? En la finca lo esperan para el cumpleaños. Se hace tarde, tendrá que llevarme a mí, ¿quién les va a cocinar?, en eso quedamos con la señora. Acuérdese que Floridita y su Chanchán envenenaron la marrana: debemos comprar los pollos, señor, y los kimbolitos de los niños, las espumillas, las melochas, los alfajores, los suspiros.

—Sólo voy a caminar. Un rato.

—Lo van a mojar, doctor. Recuerde que es Inocentes. Esos que juegan afuera no respetan a nadie, ¿no los oye bolear agua? Se resfriará.

Pero él cerró la puerta a sus espaldas.

Y se quedó ensimismado —como si no reconociera el mundo— ante la cuadra solitaria de su casa, en ese barrio residencial llamado justamente Las Cuadras, de casas tan amplias como despintadas, cada una con su terraza y antejardín.

Entonces una camioneta azul pasó volando frente a su cara; llevaba en su platón un montón de duendes que arrojaban con sus puntudos sombreros olas de agua a izquierda y derecha: ninguna ola lo alcanzó; pero una muchacha que bailaba en mitad de los duendes despidió de pronto contra él, en un segundo, desde su roja boca abierta, desde su garganta —como si se tratara de un delgado surtidor—, despidió contra su boca abierta por la estupefacción una corriente azul de agua, una pequeña ola contra su rostro: sintió precipitarse las gotas más que tibias por sus pestañas y nariz y después apresurarse entre sus labios —reconocía el agua amarga y dulce a la vez, íntima, venida de quién sabe qué profundidades femeninas, pensó, alcanzó a pensar.

La camioneta desapareció en la esquina, con un chillido de ruedas.

Se preguntaba demasiado tarde si no habría sido mejor acatar el consejo de la Sinfín. Lo reanimó el viento de Pasto, silbando helado, alrededor. No había más gente en la calle, excepto las cabezas —los ojos y risas de quienes se asomaban a las terrazas para espiarlo, víctima cándida del día de Inocentes. Pero caminó en cualquier dirección, como si no le importara.

Contra su tranquilidad, ya en la esquina, halló a boca de jarro un transeúnte de Pasto que se llevaba o se conducía o se trasladaba a sí mismo tirándose de la nariz; por lo menos eso fue lo que vio, o entendió: que era un hombre que se acarreaba a sí mismo de la nariz: una de sus manos apretaba la punta de la nariz, y se arrastraba él mismo quién sabe hacia dónde. «Debe ser otra broma de pásala por inocentes» pensó, a medida que veía desaparecer al transeúnte por la orilla, «O acaso» se dijo en voz alta, «es cualquier imbécil que me conoce y decidió burlarse de mí». Oyó, en eso, un pito, y otro pito: era su vecino Arcángel de los Ríos, don Furibundo Pita, que acababa de salir del garaje en su Willys, y le pitaba, tres, cuatro veces. El campero de Furibundo Pita, de una sola cabina, llevaba esa mañana en su platón seis gallinas atadas y una cantina de leche.

—Súbete, Pastor —lo oyó gritar—, sube rápido o te bañan.

El doctor se preguntó si debía arrojarse de un salto al platón, entre las gallinas. La duda lo perdió: la puerta de una casa vecina se abrió de sopetón y apareció una cuadrilla de frailes con sendos baldes de agua que rodearon al doctor y lo ducharon. A pesar de que tenía puesta su gabardina sintió que el agua penetraba por la abertura del cuello y descendía escalofriante por su espalda. Don Furibundo ya había abierto la portezuela y el doctor se metió a la cabina perseguido por más golpes de agua en su nuca.

—Atrás, carajos —se oyó el grito formidable de Furibundo Pita. Pequeño de cuerpo, su voz, aunque chillona, hacía la de tres hombres. Como por arte de magia los monjes retrocedieron: don Furibundo Pita era el único de Pasto capaz de atravesar a pie la ciudad un 28 de diciembre sin que nadie se atreviera a mojarlo, lanzarle una pizca de harina, cantarle un epigrama o bailarle alrededor.

A salvo, calado hasta la médula, el doctor Proceso agradeció a su vecino.

—Lo peor —dijo Furibundo—, es que ésos usan agua sucia. Son los hijos de Martínez, bien disfrazados, a lo mejor te bañaron con sus orines, los infelices, ¿te orinaron, Justo Pastor?, pobre doctor Justo.

Y rió, acelerando su Willys por las calles, pitando a diestra y siniestra, sin motivo.

—No —respondió el doctor, acordándose de la cabeza del jardinero—. Es agua pura.

Por lo menos eso quería creer, sin fe.

Furibundo Pita era uno de los hombres más ricos de Pasto. No guardaba su dinero en el banco; lo tenía enterrado en el patio de su casa, donde criaba sus cuyes; se atribuía el origen de su fortuna a las carreras de caballos: había apostado todos sus ahorros al veloz *Cincomil,* y ganado. No volvió a apostar, y multiplicó el dinero. Era dueño de una compañía de camiones y cuatro fincas productoras de queso, y no perdía la costumbre de escaparse a descansar cada mañana en la más modesta de sus fincas, en Genoy. Pero esa mañana no iba a Genoy, y fue lo primero que contó al doctor:

—Hoy no voy a Genoy. Voy a salvar el honor.

El doctor no respondió, ¿qué era eso de salvar el honor? Ya sabía de la estrambótica manera de pensar de su vecino, de su carácter pendenciero, sobre todo cuando sucumbía a la borrachera semanal.

—Si quieres que te lleve a cualquier sitio —siguió don Furibundo—, no tengo problemas en retrasar la salvación de mi honor.

—No voy a ninguna parte —dijo el doctor.

—Saliste a que te mojaran, y te mojaron, doctor.

El asiento de la cabina, forrado en piel de becerro, escurría agua por todas partes.

—Olvidé qué día era hoy —dijo el doctor.

—¿Vamos?, ¿me acompañas?

—¿Adónde?

—A salvar el honor. Voy donde Tulio Abril, el maestro, ¿lo distingues?

El maestro Tulio Abril era uno de los más famosos artesanos de Pasto, que cada año dedicaba su esfuerzo a la construcción de una carroza de carnaval que compitiera en las justas del 6 de enero. El doctor Proceso lo recordaba: un hombre bajo de estatura, robusto, que debía andar por los setenta años y que una medianoche de hacía diez años acudió a su casa a demandar sus servicios: llevaba a su mujer, Zulia Iscuandé, acostada en una carretilla: su noveno parto se había complicado a manos de la comadrona. El doctor Proceso logró salvar a Zulia y al bebé. En agradecimiento Zulia Iscuandé bautizó con los nombres del doctor al recién nacido: *Justo Pastor,* añadiéndole un tercero: *Salvador.*

—Vamos —dijo el doctor—. Quisiera saber cómo se salva el honor.

Ya en la avenida de los Estudiantes vieron pasar igual que un bólido enrojecido el carro de los Bomberos de Pasto, con los bomberos encaramados como equilibristas borrachos, no a extinguir incendios y atascar inundaciones sino participando de la fiesta: contra una fila compacta de festejantes que bailaban en el frontón del obelisco arrojaron grandes chorros de manguera, todavía más compactos, como puños, empujándolos al piso, barriéndolos entre alaridos de felicidad; uno de esos chorros blanquísimos, peor que un mazazo, fue a dar al platón del campero de Furibundo Pita, ahogando en el acto las seis gallinas que llevaba: don Furibundo quiso frenar, pero se arrepintió: «Ya cobraré mis gallinas a los Bomberos» dijo, «ya me las pagarán, pluma por pluma, carajo», y lanzó una carcajada colosal y aceleró pitando a diestra y siniestra.

Salieron de la avenida en dirección a Chachagüí, cerca del aeropuerto, pero pronto abandonaron la vía principal y subieron por una carretera destapada, orillada de largas casas de ladrillo, hundidas en niebla, ante el abismo. Niños descamisados jugaban en el lodo, celebrando los Inocentes a su manera: se arrojaban pedazos de barro a la cara; huían; volvían a la carga. El campero de Furibundo Pita no escapó a los ataques: era difícil distinguir los vericuetos a través del sucio parabrisas; don Furibundo lanzaba imprecaciones por la ventanilla; pitaba sin cesar; en alguno de esos recovecos debió apearse a limpiar el parabrisas: fue cuando los niños, una docena o más, lo rodearon perplejos. «Es él», gritaban, «el mismo.» Ninguno arrojó más lodo; contemplaban a don Furibundo en un silencio de pánico. Y cuando Furibundo reemprendió la marcha echaron a correr detrás, escoltándolo; lograban rebasar la ventanilla, lo señalaban y gritaban: «Es él, el mismo».

El doctor consultó con la mirada a Furibundo, pero éste no se dio por aludido. «¿A quién me recuerda este hombre?» se preguntó entonces el doctor, intrigado, y era que en ese instante Furibundo Pita, su rostro aguzado, los ojos oscuros y hundidos, los pómulos prominentes, las cejas espesas, el cabello ensortijado, la pequeñez de su cuerpo —de hombros estrechos y puntudos y rodillas descarnadas— le recordaba a alguien o al retrato de alguien muy próximo a él, muy conocido, pero ¿quién?, no adivinó.

Empezó a lloviznar.

A un campesino que venía montado en su asno le preguntó don Furibundo —alargando la afilada cabeza por la ventanilla— que en dónde quedaba el taller del maestro Abril. «Tulio es posible que siga existiendo detrás de la iglesia» respondió el campesino, la boca abierta por la sorpresa de encontrar, frente a él, la inconfundible cara de Furibundo Pita. Los ojos del campesino, su voz, parecían envueltos en un disimulo insondable. Don Furibundo aceleró sin decir gracias, dejando atrás la cara curtida y risueña que se burlaba a escondidas, quién sabe de quién, y por qué —se preguntaba el doctor.

Subieron por la trocha enfangada hasta coronar la cima, ya rezagados los niños que los seguían, y empezaron a descender patinando en el barro, pitando estridentes a cada curva. Así irrumpieron, pitando, en una vereda como de hielo, de casas desmanteladas alrededor de una plaza redonda, donde se erigía una iglesia diminuta.

—Sólo cuando lo vea voy a creerlo —dijo don Furibundo.

El doctor Proceso empezaba a arrepentirse del bullicioso paseo. Ya no sentía curiosidad por descubrir las querellas de honor de su vecino, «¿Cómo vine a dar aquí?, ¿no debería encontrarme celebrando el cumpleaños de Floridita?».

Debajo de la llovizna que crecía, y que allí parecía eterna, a un costado de la iglesia, pudieron vislumbrar como entre un nido de niebla el taller del maestro Abril, en la calle estrecha. Don Furibundo detuvo el campero a la vera del ancho portón de latón, mojado por la lluvia, casi un espejo: por un boquete en la mitad, donde sobresalía una cadena con un viejo candado, les pareció que asomaba instantáneo un rostro, un rostro como de madera que los vio y se esfumó: don Furibundo dio dos, tres, cuatro pitos, pero todo siguió igual, nadie acudió a nada.

En ese brevísimo tiempo los niños los alcanzaron corriendo, pero sin lanzar una voz, sin un ruido.

El doctor y Furibundo se apearon.

A ambos lados del portón había un muro largo y descascarado que rodeaba el taller donde el maestro Abril trabajaba. Y se distinguía, sobresaliendo por encima del muro, recortado contra el cielo, el formidable esqueleto velado de una carroza de carnaval, su confuso perfil, el misterio que el maestro Abril cimentaba, paso a paso, desde hacía meses, para llevarlo a concursar al desfile de carrozas del 6 de enero. Sólo era posible advertir el monumental tamaño de la figura, no su alma, cubierta por grandes pedazos de tela impermeable que la protegían de la lluvia y de las miradas. De un momento a otro oyeron el martilleo, adentro, de gente que se atareaba, algunas voces y risas, reclamos de una mujer. El maestro Abril trabajaba en compañía de su inseparable Martín Umbría —también maestro artesano—, y lo ayudaban Zulia Iscuandé, sus hijos, nueras y nietos, y otros del barrio, esporádicos aprendices que año tras año apostaban a la imaginación del maestro. Muchos años antes Tulio Abril había resultado victorioso, y eso fue orgullo suficiente para alentarse a crear carrozas los demás años de la vida. Invertía todo su tiempo y ahorros en la construcción de la carroza anual; y la seguía construyendo en la salud como en la enfermedad, con terquedad irrebatible; de vez en cuando Zulia Iscuandé amenazaba con abandonarlo —porque los premios que entregaba la gobernación, mezquinos y amañados, no reponían ni la mitad de lo invertido—, y, sin embargo, luego de la discusión anual, de los reveses domésticos, a ninguno le interesaba otra cosa que las justas del 6 de enero, y continuaban cada año apuntalando lo que soñaban: otra carroza de carnaval. Lo mismo ocurría con los demás artesanos, solos o acompañados, vivos o muertos —pensó el doctor—, porque desde que se tenga memoria, aún después de la muerte continuarían compitiendo, forjando carrozas para un carnaval de muertos —pensaba al contemplar, vendada por telas de colores, esa osamenta de carroza a medias.

Recuperó la curiosidad cuando oyó los golpes que Furibundo Pita daba con el candado en el portón.

Las voces, adentro, cesaron.

—Soy Arcángel de los Ríos —dijo don Furibundo—. Necesito al maestro Abril.

Siguió el silencio, y después más golpes de candado.

—Que venga el maestro Abril —volvió don Furibundo.

La llovizna se acrecentó. De la cima del Galeras una franja de niebla revuelta con hielo pulverizado parecía empezar a caer.

—Abran, vergajos, que es el mismo don Furibundo Pita —gritó al fin el mismo don Furibundo Pita.

—Es el mismo —ratificaron los niños a coro—. El de verdad.

Don Furibundo se volvió a los niños, que retrocedieron, sobresaltados: en todo caso encubrían, igual que el campesino que iba en su burro, una burla oscura, afilada. Era seguro —descubrió el doctor— que aquella burla subterránea recordaba a Furibundo Pita algo que había llegado a sus oídos, una murmuración: la noticia del alma de la carroza que el maestro Abril preparaba. Iba don Furibundo a golpear otra vez cuando una mano robusta asomó por entre el hueco del portón, atrapó la cadena y el candado y abrió sin titubear: el portón rechinó sobre sus goznes: del otro lado apareció el maestro Tulio Abril, de espesos bigotes, tan bajo de estatura como don Furibundo, pero animoso y erguido. Llevaba puesto un overol, una oscura pañoleta en la cabeza, y sostenía entre sus manos lo que parecía la puerta, seis veces más grande, de un campero, en papel maché.

Al fondo, como sombras dispersas debajo de un techo de zinc, trabajaban artesanos jóvenes y viejos, además de Zulia Iscuandé, todos sentados en troncos y piedras, dedicados a pulir las partes de un campero descomunal: uno tenía una llanta, otro el espejo retrovisor, aquél una farola encendida en láminas de aluminio, ése el tubo de escape, otro el parachoques, el guardabarros, las enormes ventanillas.

El maestro y Furibundo Pita se contemplaron durante un instante que debió resultarles eterno, porque ambos se mostraban dolorosamente estupefactos; era como si se encontraran frente a frente por primera vez —después de estarse pensando día y noche durante años.

Y ambos, al final, parecían decepcionados.

—Permítenos entrar —dijo don Furibundo.

—Sigan nomás —repuso el maestro Abril.

Puso a un lado la puerta del campero en papel maché, y extendió la mano encallecida a los dos hombres. No reconoció al doctor Proceso, hundido en su gabardina, cabizbajo, pero lo saludó con deferencia.

Eso sí, antes de que los hombres siguieran, los niños, a una sola, y sin que nadie los invitara, se precipitaron al taller y se diseminaron como aves vigilantes por todos los rincones.

Y vieron correr de pronto, en la llovizna oscura, a Furibundo Pita, irse hasta las faldas de la carroza y tirar de una de las telas con urgencia, como si alguien pretendiera impedírselo, y nadie se lo impedía, pero no le fue posible apartar la tela: después de varios tirones sólo pudo separar un pliegue, ¿qué descubrió?, únicamente lo que parecía una blanca y voluminosa pantorrilla de mujer, en papel maché, todavía sin pintar. La siguiente tela estaba enredada en una de las puntas. La imposibilidad de desnudar de un tirón la carroza hizo palidecer a don Furibundo: dudaba penosamente, averiguando el mejor modo de descubrirla, y ya parecía dispuesto a acometerla a mansalva, con uñas y dientes, cuando, a una señal del maestro, los niños se encaramaron a ella y en un dos por tres la desvistieron, revelaron su esbozo infinito, trasparentaron al mundo el alma de la carroza, blanca como la escarcha, que don Furibundo contempló boquiabierto, los ojos desquiciados, igual que su acompañante el doctor Proceso y los demás presentes —como si también ellos la vieran por primera vez.

Allá arriba, más blanco y cien veces más inmenso se hallaba empotrado el mismo Furibundo Pita, sentado al volante de su todavía incompleto campero —un campero de un platón impresionante, repleto no sólo de cerdos y gallinas sino de tigres mordiendo brazos y piernas de icopor; había dragones que echaban fuego entre cantinas de leche de cartulina que se regaba; era un artefacto dotado de vida que brincaba más que rodaba sobre cuatro patas monstruosas, la mano colosal de Furibundo lo guiaba, la otra mano aplastaba el pito o corneta o bocina como una gigantesca trompeta unida al cielo, y, enfrente de Furibundo y su Willys, huyendo aterrada —la desesperación en la cara, la exorbitante falda volando hasta más arriba de la cintura, las nalgas exageradas—, la propia esposa de Furibundo Pita, la devota Alcira Sarasti, la bondadosa y lánguida señora que cada tarde iba a misa a la iglesia de las Franciscanas y que, cualquier día de la semana, a la salida del templo, tenía que vérselas con su marido, el bochinchero Arcángel de los Ríos, «Padre de mis hijos», como ella misma decía, que la merodeaba, la perseguía en su campero, la alcanzaba, la rebasaba, se devolvía y la enfrentaba, la rodeaba, y pitaba y aceleraba y desaceleraba y pitaba y la correteaba hasta arrinconarla, después de una larga persecución de vergüenza, contra la puerta de su casa.

No había nadie en todo Pasto que no lo hubiese presenciado un día.

Tulio Abril y Zulia Iscuandé conocían muy bien a la devota Sarasti, y no solamente la compadecían sino protestaban —como muchos— de ese maltrato semanal, pero también visitaban de tarde en tarde los predios de la iglesia de las Franciscanas, al finalizar la misa, a ver si por si las moscas se topaban con la devota perseguida, sufriendo al trote las estaciones de su calvario, las doce cuadras funestas y escandalosas que la separaban de la salvación.

—Así querías sorprenderme, Tulio —dijo con lentitud don Furibundo Pita, ahora la vista fija en el piso de tierra, mientras meneaba la cabeza—, y no sólo a mí, sino a Pasto, a todo Pasto, pero a costillas mías, ¿no?

Dio una patada en el barro.

Nadie repuso nada. Martín Umbría y los artesanos más viejos se apostaron en torno al maestro, igual que si lo protegieran. Sólo Zulia Iscuandé había abierto la boca, y ya se acercaba con la sonrisa muda cuando la interrumpió don Furibundo: «Yo con mujeres no vine a hablar».

Y se plantó frente al maestro.

—No puedes hacerme este mal —dijo—. Ni a mí ni a mi mujer. ¿Quién te da derecho a burlarte de los demás, Tulio? ¿Quién te crees que eres, Dios?

El maestro no respondió.

—Cediste a la tentación. Yo sé que me llaman el Furibundo Pita porque me gusta pitar más de la cuenta, ¿y qué? ¿A quién hago daño? ¿Alguna vez atropellé a mi mujer?

Se volvió a mirar a todos y cada uno, en derredor, como si los retara. Ahora gritó:

—¿Quién me dice que a ella no le gusta? ¿Quién me dice que para ella no es un juego que yo la persiga? Es un juego, señores, un juego entre ella y yo, un juego entre los dos, pero ustedes no se metan, grandísimos cabrones, perros.

El doctor Proceso se admiró de esas palabras, y don Furibundo lo encaró también, como si lo fulminara.

—¿Qué sería del carnaval —preguntó— si nos dedicáramos a publicar los pecados de los demás? ¿O sus infamias? ¿O sus vergüenzas?

El doctor pensó de inmediato en Primavera. Don Furibundo volvió a patear el piso.

—Yo vine aquí como amigo —dijo—. En el Willys traigo media docena de gallinas, Tulio. Las ahogaron los bomberos de un manguerazo, pero sirven: se puede hacer un buen sancocho con ellas. Comamos y bebamos como amigos.

Volvió a mirar de reojo la carroza.

—Pero antes —dijo recalcando las palabras—, antes quiero que destruyas esta burla con tu propio martillo, por Dios, Tulio, o me emborracho ya mismo, aquí mismo, Tulio.

Estas últimas palabras como una terrible amenaza los congelaron a todos. Don Furibundo enronquecía, sin más aire en los pulmones:

—Te consta que conmigo borracho las cosas son a otro precio —pudo decir—. Quién sabe qué me dé por hacer.

Tragó aire, lo expulsó:

—¿Entonces? ¿Amigos?

—Amigos —dijo el maestro con un suspiro.

Y miró al cielo grisoso de niebla, y se metió las manos en los bolsillos y agachó la cabeza.

—Pero mi carroza yo la termino —dijo.

Don Furibundo se desencajó. El maestro siguió sin inmutarse:

—No soy enemigo de nadie. Muestro lo que este año

vi, lo que todos vimos en Pasto durante años. Para eso se hacen las carrozas, para recordar los años, señor.

Don Furibundo se acercó todavía más al maestro.

—No me has entendido —dijo. Y ordenó a los niños que trajeran las gallinas. En un santiamén las seis gallinas yacían a los pies del maestro.

—Ésas no valen ni el pito de la carroza —dijo Zulia Iscuandé.

—Qué bien, señora Zulia —repuso don Furibundo—. Debí dejarla hablar a usted desde el principio. Tiene razón. No son estas gallinas las que vengo a ofrecer a cambio de su buena voluntad. Estas gallinas son para que usted las prepare y nos sentemos a comer y hablar como amigos, y negociemos. Ahora —dijo rascándose la cabeza—, si no son tan decentes para negociar de esa manera, voy a ahorrarles el tiempo: o desbaratan la carroza o me emborracho y la desbarato con mis propias manos y después los desbarato a ustedes, a tiros. Sé muy bien que han trabajado en esta burla todo el año, pero ¿qué culpa tengo de haberme enterado ahora? Sólo hasta ayer un pajarito fue a mi ventana y me dijo que por favor me asomara al taller del maestro Abril, que me preparaban una bonita sorpresa de carnaval. Yo no creí, al principio, pero vine, ¿y qué veo?, veo que todo es posible en Pasto cuando hay que burlarse del prójimo, y soy yo la víctima. No, Tulio. No lo voy a permitir. Te desmigajo a tiros con todo y carroza, yo solito, ya mismo, sin que me ayude nadie.

—Ni usted ni nadie me obligarán a deshacer esta carroza —dijo impasible el maestro Abril.

Y luego:

—Eche los tiros que quiera.

Fue como si diera por terminada la charla.

—Tu mujer tiene más sentido común —repuso don Furibundo—. Ella ha dicho que seis gallinas no valen lo que el pito. Y tiene razón.

Zulia Iscuandé abrió la boca, pero no pronunció palabra.

—¿Cuánto gana la primera carroza del carnaval? —preguntó don Furibundo a todos.

Nadie respondió.

—¿Cuánto gana este enero la carroza vencedora? —preguntó de nuevo, alentándolos. Y como seguían sin responder añadió—: Aquí estoy jugando mi última carta, señores, ¿cuánto?

—Muchos pesos —se oyó la voz sobresaltada de uno de los que trabajaban con el maestro Abril.

—¿Muchos pesos? —se rió don Furibundo—. Pues averigüen cuánto es muchos, y yo les firmo un vale por lo mismo, ya mismo, y santo acabado, todos felices a comer perdices.

Tulio Abril miró con reconvención al artesano que había hablado. Después buscó a su mujer, y, por último, a don Furibundo. Le dijo, con una gran tristeza en la voz:

—No se puede, señor, y perdóneme.

—Se puede, Tulio. Se puede. Todo se puede en esta vida. En la otra yo no sé. En ésta sí. Acordémonos de lo que dicen los abuelos: *Ayer nos tocó el peluquero, mañana el sepulturero.* Eso quiere decir, en pastuso puro: *Entonces no nos preocupemos y bailemos.* Piénsalo mejor, Tulio. Aquí, enfrente de mi amigo el doctor Justo Pastor Proceso López, doy mi palabra de honor que recibirás el dinero que corresponde a la primera carroza del carnaval, ¿no te basta? Es el dinero que yo pago por el trabajo que te tomaste este año para burlarte de mí, soy yo quien sale perdiendo, carajo, ¿es que no lo comprendes?, ¿dónde se ha visto eso?, ¿pagar para que no se burlen de uno? En Pasto, claro. Eres vos quien debería pagarme, so gran vergajo, por burlarte de mí.

No logró hablar más. No podía. Pero salió del taller sin prisa, como quien va de paseo, y se subió en su Willys. El doctor Proceso se preguntó si debía acompañarlo, hablar con él, calmarlo, irse con él, pero don Furibundo no encendía su Willys: simplemente se sentaba detrás del volante, suspiraba, se rascaba una mejilla, se alisaba los cabellos, se inclinaba a la guantera.

—Ha sacado una botella de aguardiente —informó uno de los niños, trepado en el muro, justo en la esquina del portón—. Se la bebe, se la sigue bebiendo, se la está bebiendo toda, se ha empezado a emborrachar.

—¿Es usted el doctor Justo Pastor? —preguntaba mientras tanto el maestro Abril. Su mujer y los artesanos ya habían rodeado al doctor.

—Dios lo bendiga de nuevo —dijo la mujer—, perdone que no lo reconocimos, ¿quiere que le sirva un cafecito?

—Salvador, Salvador, ¿dónde está Salvador? —preguntaba a todas partes el maestro Abril.

Uno de los niños se adelantó; era igual que los demás niños, desarrapado, el rostro negro de barro.

—Saluda al doctor Justo Pastor, que te ayudó a venir al mundo —dijo el maestro, y Salvador extendió la mano. En ese mismo momento oyeron la voz del niño que se hallaba en el muro. Un asombro feliz marcaba su acento:

—Ahora se está bebiendo otra botella. Se va a emborrachar peor.

Todos voltearon a mirar al Willys: Furibundo Pita terminaba de tomarse a pico, como si se tratara de agua, lo que quedaba de una segunda botella de aguardiente.

—Si sigue bebiendo a ese compás se va a morir —dijo Zulia Iscuandé.

—¿Y ahora qué vamos a hacer? —preguntó el maestro a su mujer—, ¿qué vamos a hacer con ese putas? Por Dios que yo no voy a arruinar mi carroza, Zulia, ni por todo el oro del mundo.

—Es mejor que lo pienses —dijo la mujer.

Los ojos certeros de su marido la disuadieron.

Se oyó el estruendo de una botella contra el andén: era don Furibundo, que acababa de estrellar la botella y salía de su Willys. La naciente borrachera ensombrecía sus ojos: se vino directamente hasta el maestro, de nuevo frente a él:

—¿Entonces?

Después de un silencio esperanzado se oyó la voz del maestro:

—No.

Y, con toda sinceridad:

—Devuélvase por donde vino, señor. Si no quiere ver la carroza, no la vea: no salga a la calle ese día, como si usted no existiera. Tarde o temprano el mundo entero se olvidará.

—Púchica —se aturdió don Furibundo—. Te estoy ofreciendo lo que ganarías con el mejor premio, y todo porque te burlas de mí. Qué más quieres, Tulio, dime qué más puedes querer. Dímelo.

Se oyó el gran suspiro de Zulia Iscuandé.

También los otros artesanos se notaban descompuestos: y era que, con la mano en el corazón, nunca, durante todo ese año de trabajo, habían considerado que *Don Furibundo Pita persiguiendo a su mujer* —que así se llamaba la carroza— lograra el máximo premio. A lo mejor un tercer premio, si los ayudaba Dios. De modo que la oferta los trastornaba hasta la exasperación.

—Convenzan al testarudo —los convocó don Furibundo.

—No —replicó el maestro—. Aquí nadie me va a convencer, y nadie tampoco me viene a gritar.

—Entonces no grito más —gritó don Furibundo. Le había cambiado la voz. Era otro.

Y volvieron a verlo correr, hacia su carro.

Todos, instintivamente, retrocedieron.

«Este hombre está realmente loco» pensaba el doctor, presenciando la carrera de Furibundo Pita, que se metía al campero y hurgaba de nuevo en la guantera. Creyeron que a lo mejor buscaba otra botella. No fue así.

—Ha sacado un revólver —exclamó el niño centinela, ahora ya feliz a plenitud.

Y sí: contra ellos se venía Furibundo Pita a toda carrera, esgrimiendo el arma en la mano, el rostro encendido. El maestro Abril echó también a correr, y no se le ocurrió otra dirección mejor que el sitio donde se erigía la carroza: desapareció detrás de la figura monumental, seguido de cerca por Furibundo.

Y fue mientras miraba pasar precipitado a Furibundo Pita que el doctor Justo Pastor Proceso López acabó de entender a quién se le parecía:

—Simón Bolívar —dijo en voz alta—. Es idéntico.

Pudo corroborarlo levantando los ojos a la ciclópea figura de la carroza: «Es Simón Bolívar, el mismo», porque, en efecto, cien veces más grande, el Furibundo Pita de la carroza se mostraba todavía más parecido a Simón Bolívar, realmente idéntico a como lo retrataron los artistas de la época, el mismísimo mal llamado Libertador Simón Bolívar —pensó.

Pero de ese estupor pasaría a otro, cuando empezaron a sucederse los instantes fatales, los brevísimos segundos que los dos hombres llevaban desaparecidos detrás de la carroza: mientras Zulia Iscuandé empezaba a gritar «Virgen del Perpetuo Socorro protégelo» oyeron un disparo, y dos, y tres. Fue como si el silencio se hiciera frío.

—Dios mío me lo mató —gritó ahora la mujer, alzando los brazos al cielo.

Don Furibundo surgió entonces de lo profundo de la carroza, pasó corriendo al lado del doctor, se subió como una exhalación al campero, arrancó y se fue pitando por la vereda.

Todos corrieron a asomarse detrás de la carroza.

Allí estaba el maestro Tulio Abril, más vivo que muerto, sin un rasguño.

3

La visión de Simón Bolívar empinado en la carroza era lo que el doctor Proceso necesitaba para encontrar una razón de vida mejor que la crianza de dos hijas adversas y el desamor de una mujer. Tenía ante él la extraordinaria posibilidad de mostrar en un soplo de papel maché lo que se había propuesto revelar infructuosamente desde hacía 25 años, cuando empezó a escribir *La gran mentira de Bolívar o el mal llamado Libertador, biografía humana*.

Cimentaba su obra en la del historiador nariñense José Rafael Sañudo, nacido en Pasto en 1872 y muerto en la misma ciudad en 1943. Era Sañudo el primer historiador del país y acaso del continente —como solía resaltar con vehemencia el doctor Proceso— que se atrevió a descifrar de manera irrefutable la catadura histórica de Bolívar, sin falsas emociones patrioteras, sin depender de la corte exagerada de halagos (ojos ciegos y oídos sordos) que la gran mayoría de historiadores concede a Bolívar como una tradición desde su muerte.

«Valerosa biografía —escribió el doctor a propósito de José Rafael Sañudo—: *Estudios sobre la vida de Bolívar*, publicada en 1925, le significó el desdén y la condena de los suyos, no sólo del país sino de sus mismos coterráneos, que acusaron "profunda sorpresa e indignación por su nefando libelo". En Manizales pidieron a gritos que lo llevaran a la horca, en Bogotá se le declaró traidor a la patria, la Academia de Historia de Colombia lo llamó hijo ingrato, la Sociedad Bolivariana volvió a llamarlo hijo, pero indigno de Colombia, y si su obra halló en su alborada uno que otro intérprete medianamente serio, todos, sin excepción, lo comentaron con absoluto pánico, y uno de ellos, a pesar de reconocer que Sañudo no calumniaba y que cada una de sus aseveraciones estaba perfectamente fundamentada, no dudó en calificarlo de pastuso retrógrado, teólogo hirsuto, prosador enrevesado y vejete casuístico. Calificaciones que no hicieron mella en el ánimo del historiador pastuso, que era además matemático y filósofo, conocedor en su propia lengua de griegos y latinos, y que de antemano conjuró la tempestad aplicando como epígrafe en su obra las palabras de Luciano de Samosata, en griego: "No debes escribir para el momento presente, ni para ser alabado y honrado de tus contemporáneos; fija, al contrario, tus miradas en el porvenir; escribe para la posteridad, pídele el precio de tus trabajos y haz que diga de ti: éste era un hombre libre, lleno de franqueza, ni adulador ni servil. La verdad está en sus obras"».

«Con triste razón», escribió el doctor Proceso, «la estatua de José Rafael Sañudo no preside, como debería, el pórtico de la Academia Nariñense de Historia, que él fundó: la estatua de José Rafael Sañudo ni siquiera existe.» Pero añadía: «¿Y qué importan las estatuas? Queda la obra».

Lo único que admitía el doctor Proceso de los detractores de Sañudo era que su estilo resultaba verdaderamente enrevesado —mezcla del filósofo, matemático y políglota que era—, más apto para que lo degustaran otros historiadores que el gran público, por infortuna. Y por eso mismo el doctor Proceso se había propuesto una obra que describiera con claridad meridiana no solamente las actuaciones políticas y económicas y militares del mal llamado Libertador, sino las otras, de orden humano, que acabarían de esclarecer el monumental error histórico que constituía conceder a Bolívar un noble protagonismo en la independencia de los pueblos, protagonismo que sí tuvo, desde luego, consideraba el doctor, pero el más nefasto.

Ese propósito, sin embargo, el libro en cuya lucha de escritura llevaba la mitad de su vida, había resultado demasiado grande para sus fuerzas. El doctor Justo Pastor Proceso López, cuyos trabajos embargaban la mayor parte de su tiempo (la atención de su consultorio, las dos o tres señoras que además de pacientes eran sus amantes ocasionales, la administración de su finca en Sandoná, las nutridas lecturas, las obligaciones de hogar o sus dos hijas, y las auténticas preocupaciones, las de Primavera Pinzón, que no dejaba de asaltarlo con gastos descomedidos y embestirlo con otras peores tribulaciones), el doctor Justo Pastor Proceso López reconocía consigo mismo que nunca logró mayor perfección con su *Gran mentira de Bolívar*, que un Sañudo no nace sino cada cien años, y que él no era escritor ni historiador ni músico ni poeta ni loco.

Pero guardaba ciertas expectativas en lo que él llamó *Búsquedas Humanas*, entrevistas que logró a lo largo de los años con gentes de todas las condiciones en Pasto y diferentes municipios del departamento de Nariño, alrededor de la ignominiosa travesía del mal llamado Libertador por el sur de Colombia. De esas entrevistas, algunas en papel, otras grabadas, tenía cifradas sus esperanzas en las que efectuó, grabadas, con dos de los descendientes directos de quienes padecieron la saña de Bolívar: una mujer, Polina Agrado, muerta recientemente en Pasto a la edad de 93 años, y el todavía vivo Belencito Jojoa, anciano de 86, que residía en el barrio Obrero en compañía de su tercera mujer y muchos hijos y nietos.

Algo que despertaba la curiosidad del doctor, y lo inquietaba, era que ambos testimonios tenían que ver con la concupiscencia del mal llamado Libertador, y no con otras de las pasiones —ira, cobardía, ambición, vanidad— en las que tan prolijo resultaba. Pero testimonios así de veraces no era posible encontrar en racimo, de modo que los transcribió al papel tal y como los grabó, aunque parecieran voces disonantes en la obra que él tenía proyectada, obra que limpiara de falacias y aridez la cara de la historia —o de los historiadores, decía—, y guiara a los jóvenes de hoy por entre las guerras de la independencia bajo la antorcha de la verdad.

Y ahora, ante la carroza baleada del maestro Tulio Abril: *Don Furibundo Pita persiguiendo a su mujer,* el doctor Proceso, entusiasmado como un niño, se lanzaba a imaginar representadas en tres o cuatro carrozas de carnaval —o una sola, gigantesca— todas y cada una de las más fastidiosas epopeyas de Bolívar, fastidiosas por lo falsas, y porque siendo falsas seguían desbordándose en escuelas y colegios igual que el manantial de la verdad. Con la carroza de marras, pensaba, Simón Bolívar, simple y llanamente, resultaría divulgado como una fábula, pero una fábula de verdad, hilvanadas cada una de sus más infames y evidentes maniobras, Simón Bolívar, se dijo, revelado al fin, Simón Bolívar tal cual: su extraordinaria capacidad para convencer a sus contemporáneos y de paso a las generaciones venideras (con cartas y proclamas ampulosas, intrigantes, delirantes y tramposas, pomposas y pedantes, ditirámbicas, simulacros de Alejandro Magno y Napoleón) de que era alguien que no era, que había hecho lo que no hizo, y pasar a la historia como el héroe que no fue.

Al maestro Tulio Abril todavía le castañeteaban los dientes, y no tanto por el frío sino por lo acabado de vivir. Sentado en un butaco se tomaba una taza de aguadepanela caliente, y lo mismo hacía el doctor Proceso, a su lado, mientras Zulia Iscuandé repartía más aguadepanela entre los artesanos.

—Ni un rasguño —dijo el doctor—. Por lo visto ese furibundo Arcángel disparó más al cielo que a usted.

—¿Al cielo? —se enojó el maestro—, me tiró a mí, sentí una bala calentándome el oído.

—Pues agradezcamos a la Virgen del Perpetuo Socorro que sólo te calentó el oído —dijo Zulia Iscuandé—. Borracho como estaba era posible que no sólo te diera a vos sino a nosotros o se diera él mismo en su misma maldita mala jeta.

—Revisen la carroza —ordenó el maestro. Se estremecía de ira y estupefacción—. Revísenla centímetro a centímetro, a ver qué daños hizo el mandinga. Salvador, revisa la carroza.

Salvador corrió a la carroza seguido por los demás niños.

—Jamás voy a destruirla —dijo el maestro—, aunque me den el paraíso.

—Usted no la va a destruir —repuso el doctor Proceso. Y añadió, luego de un silencio expectante:

—Usted la va a convertir.

Lo miraron sin entender, sin reconocerlo. Y era que el doctor parecía otro, muy distinto al que llegó (empapado y de mal humor y con todas las ganas de irse): ahora tiritaba, y no de frío sino de emoción; constantemente elevaba los ojos a *Don Furibundo Pita persiguiendo a su mujer,* y se extasiaba: ¿se había vuelto loco? Farfullaba y susurraba, lanzaba y mordía exclamaciones como alguien asomado a sus más profundos espejismos.

—¿Y cómo quiere que la convierta? —preguntó el maestro. Lo preguntó por condescendencia, porque no dejaba de agradecer la ayuda recibida del doctor hacía diez años; pero tenía su orgullo ofendido: nunca le gustó que cualquier aparecido propusiera cambios a sus carrozas. De no tratarse del doctor hacía tiempos que lo hubiese sacado a trancazos del taller: al fin y al cabo había llegado en compañía del diablo borracho.

El doctor recompuso la voz. Ahora o nunca, pensó. Se daba buena cuenta de que acechaban su respuesta. Tenía que ir con cuidado.

—Maestro Abril —empezó—: haremos que Arcángel de los Ríos pague lo que prometió, pero tres veces. Aquí fuimos testigos: intento de homicidio, ¿o no? Mañana, después de la borrachera, el furibundo Arcángel despertará ablandado como un pan. Yo hablaré con él, le diré que presentaré mis buenos oficios para que ningún artesano lo denuncie ante la ley, pero advertiré, de parte de ustedes, que tendrá que pagar tres veces lo que prometió, es decir tres veces el premio de la carroza ganadora.

Hubo un silencio sobrenatural.

Y se oyó el estruendoso silbido de la Iscuandé.

—Suena bien —dijo.

—Del dicho al hecho mucho trecho —dijo Martín Umbría. Era el maestro artesano que más años llevaba trabajando con Tulio Abril, y lo oían con respeto—. El asunto es que el borracho pague, y no venga otra vez, borracho, a balear aquí y balear allá.

—Yo me encargaré —dijo el doctor—. Le diré que ya no saldrá en la carroza persiguiendo a su mujer, pero tendrá que pagar tres veces para no resultar encausado.

—Hay algo que no me convence —dijo el maestro Abril—, ¿cómo que no va a salir él en mi carroza?

Zulia Iscuandé escuchaba contrariada a su marido. Prefirió fijarse únicamente en el doctor.

—Proponga usted —dijo. Y aun así le parecía que el doctor Justo Pastor Proceso López se había definitivamente enloquecido, o casi: los miraba sin pestañear, le temblaban las manos.

Ahora o nunca, se repetía mientras tanto el doctor. Era la oportunidad de su vida. Tenía el rostro iluminado, como cuando hizo la primera comunión, como cuando recibió su grado de médico, como cuando asistió a la iglesia a casarse con la mujer de quien estaba enamorado, como cuando la descubrió desnuda, al fin. Y tenía el rostro así de espléndido porque miraba y volvía a mirar la figura monumental mientras decía:

—Furibundo Pita es idéntico a Simón Bolívar.

Nadie dijo nada. Los niños dejaron de buscar en qué lugar de la carroza habían pegado los tiros del Furibundo y contemplaron por primera vez con atención la inmensa figura que se encumbraba ante ellos, ahora provista de otra identidad.

—Es igualito —dijo por fin el niño que sirvió de centinela—. Es el mismo Libertador de la cartilla.

—Simón Bolívar se deja allí tal cual —siguió el doctor—. La mujer del Furibundo podrá servir más tarde, ya veremos cómo y dónde: con ese rostro aterrado, y huyendo como huye, se parece a este país.

Nadie pareció entender, o admitir, su comparación.

—Allí lo único inservible es el campero —siguió el doctor, precipitado—. Afortunadamente no se terminó, lo transformaremos. Pondremos en su lugar un carro de vencedor, especie de carromato del siglo XIX, donde irá ese mismo Bolívar, pero uniformado y con una corona de laurel en la cabeza, sentado en su cojín de terciopelo; y del carro tirarán doce niñas, dije niñas no muchachas, con guirnaldas en el pelo y breves túnicas, como ninfas. Así le gustaban a Bolívar.

Bajó los ojos alucinados y enfrentó por primera vez los otros ojos atónitos de los artesanos.

—¿De qué Simón Bolívar habla? —preguntó al fin el maestro Abril—, ¿el mismo de la independencia?

—El mismo —contestó el doctor.

Ya era tarde para echarse atrás.

Pero, ¿cómo explicar en un solo momento y con semejante público, la historia?

La carroza que proponía ocurrió tal y como dijo, en Caracas, el 6 de agosto de 1813, cuando los mismos que celebraron meses antes la entrada del español Monteverde celebraban ahora la entrada de Bolívar, recibiéndolo como a un héroe por lograr victorias que no eran de él

—los héroes auténticos de las primeras jornadas habían sido Piar, Mariño y Girardot—, las «victorias» de Bolívar sólo fueron escaramuzas, pero los pueblos a su paso engrosaban exaltados sus filas y Bolívar aprovechó y entró a Caracas y él mismo se llamó a sí mismo *Libertador.*

Libertador: título que después le acreditaría el Cabildo de Caracas.

El *hombrecillo* no perdía tiempo, pensó el doctor. Con ese apelativo llamaba a Bolívar, cuando cavilaba en él y se imbuía en su pasado histórico como en una pesadilla que se volvía más pesadilla porque no le era posible despertar.

El hombrecillo, que venía de traicionar al general Francisco Miranda, jefe supremo de las fuerzas revolucionarias de Venezuela, de entregarlo él mismo a los españoles en la Guaira, luego de convencerlo con artería de posponer su viaje a Inglaterra, capturándolo a las tres de la madrugada, mandando que le pusieran grillos y cadenas y ofreciéndolo a Monteverde para lograr a cambio un salvoconducto y el beneplácito de las autoridades españolas, el hombrecillo que había sido en realidad la causa de la caída del general Miranda al abandonar la fortaleza de Puerto Cabello —la mejor equipada de los revolucionarios—, abandonándola a pesar de que contaba con fuerzas más que suficientes para contrarrestar una espontánea rebelión de prisioneros españoles desarmados, el hombrecillo que huyó en la noche con ocho de sus oficiales a su hacienda de San Mateo, sin alertar a sus soldados que terminaron sin jefe y mucho menos sin órdenes que cumplir, ese mismo hombrecillo era ahora recibido en Caracas como si un Napoleón.

Sí, se decía el doctor, fue la entrega de Puerto Cabello la que obligó a Miranda a suscribir un tratado que restablecía el dominio de España en Venezuela, y la causa del descalabro fue Bolívar: se necesitaba mucha falta de vergüenza para que Bolívar prendiera a Miranda acusándolo de traición, la traición que Bolívar sí cometía al rendir a su jefe a los españoles.

Jamás nadie lo podrá entender, seguía interrogándose, y sacudió descompuesto la cabeza, cómo le dieron crédito, cómo logró imponer su mentira. A qué culpar de esto, ¿a la ignorancia?, ¿a la zafiedad de los cabecillas de la época? ¿Por qué lo enviaron a negociar ayudas con los ingleses, con tan malos resultados?, ¿por qué nombrado coronel, por qué elegido comandante de la fortaleza de Puerto Cabello? Por su riqueza, ¿por qué más? Francisco Miranda, como cualquier otro líder, daba la importancia que se merecía a la compra de armamentos y municiones, a la manutención de la tropa; por eso debió inscribir en sus huestes a ese burgués a todas luces inepto.

Y su asombro amargo era sincero: Bolívar, estratega inventado, forjador de victorias que no eran victorias, o, peor: victorias que no eran suyas.

Entonces procuró no mostrar su propia zozobra en su voz.

—La carroza que les digo —explicó—, sucedió tal y como la oyeron, hace ciento cincuenta y tres años, en Venezuela.

De nuevo un silencio pasmado lo rodeó.

El doctor Proceso cayó con estrépito en la dura realidad: allí nadie sabía de Bolívar, excepto las mentiras oficiales aprendidas en la escuela.

—¿Qué saben ustedes de Bolívar? —se atrevió a preguntar, y sintió su propia incertidumbre como un gran muro de hielo alrededor.

—Fue el Libertador —dijo el niño centinela.

—El padre de la patria —dijo el maestro Abril como si sembrara un punto final: no se prestaría a burlar la memoria de Bolívar.

Ya el doctor Proceso creía derrumbada su visión, la carroza del Libertador. Resultaría sobrehumano, pensaba, luchar en un minuto contra la elemental ignorancia de las gentes ante la verdadera cara de Bolívar, ¿qué hago aquí?, ¿qué me propongo?, ¿no es inútil, y todavía más que inútil, degradante?

Los artesanos se replegaron: había sido una rara interrupción la de esa mañana: primero un borracho, después un loco: mejor continuar con el trabajo. Entonces oyeron a Zulia Iscuandé, que en todo ese tiempo no pronunciaba palabra.

—Mi abuelo siempre habló de Bolívar —dijo.

Entrecerró los ojos, como si se acordara:

—A mí misma me habló de Bolívar —dijo.

Y luego, decidida, encontrando el recuerdo, asiéndolo:

—Se la pasaba hablando de Bolívar, pero decía que ese Bolívar había sido un gran hijueputa.

Tembló el taller con la explosión de una risotada. Al doctor Justo Pastor Proceso López se le aguaron los ojos.

«Dios», pensó, «todavía hay memoria entre nosotros.»

—Y no sólo en Pasto sino en todo país —siguió la Iscuandé, acicateada—, el abuelo nos decía que Bolívar siempre fue un gran hijueputa, en cualquier tierra que pisara.

El doctor, que era sobrio y parco, pidió una copa de aguardiente, no para celebrar la burla sino las palabras de Zulia Iscuandé. Fue cuando descendieron Salvador y los demás niños de la carroza. La habían acabado de revisar centímetro a centímetro.

—Los tres tiros pegaron en la señora —se apresuró el niño centinela—: uno en la frente, otro en una nalga y otro en una teta.

De nuevo otra carcajada. Con un chiflido el maestro Umbría recordó que era día de Inocentes, «Que viva la vida», gritó. No quiso interrumpir la bulla el doctor Proceso. Sólo veía, frente a él, la inmensurable figura del Libertador.

Igual que aquí —se decía maravillado—, tampoco Bolívar sufrió una herida, ni una sola en su vida de guerrero, siempre supo esconderse, nunca mostró la cara.

Muy al atardecer lo llevaron a su casa los artesanos. Lo «cargaron» en el camión de Martín Umbría —el camión donde después se empotraría al Bolívar para su desfile. Acompañaron al doctor hasta los niños; el día de Inocentes los heló desde el principio: brindaban de esquina en esquina y las gentes que festejaban se trepaban a bañarlos en más agua, saltando no sólo al platón sino al estribo de la cabina donde bebían, con el doctor en medio, Zulia Iscuandé, Tulio Abril y el maestro Martín, que conducía. Atrás, en la bandeja sin carpa, jugaban los artesanos y los aprendices, además del montón de niños que respondían a los ataques de agua con más agua: llevaban una tinaja repleta de bombas que arrojaban en duro racimo contra la multitud. Por todas partes el clamor del juego los remecía: se oía el fragor del agua que reventaba, su topetazo como de olas hirvientes contra el parabrisas, el agua como blancos ramalazos que se encumbraban, gritos como pitidos, ¿risas o lamentos?, suspiros descomunales, la música de las orquestas vibraba al fondo, los *Viva Pasto Carajo* de los jugadores.

Surgió, en plena avenida de los Estudiantes, con el peligro de ser atropellado, un viejo de blanca melena a horcajadas de una marrana preñada que chillaba: niños felices los azuzaban a toda carrera, y los perseguía una mujer gorda, seguramente la dueña de la marrana, para atajarlos. Una vaca, enteramente mojada, pastaba como aterrada a un borde del obelisco. También empapado como la vaca, pero feliz, mucho más que cuando era niño y jugaba, el doctor Proceso descendió a la soledad de su casa, feliz porque se llevaba la promesa de los maestros: harían la carroza de Bolívar.

Pues mucho antes del aguardiente, para corroborar su compromiso de artesanos, los dos maestros habían trepado a la carroza y arrojado de allí a la devota Alcira: derrumbaron su mole a tierra sin un titubeo: erigirían en su lugar las doce niñas tirando de un carro de vencedor donde iría sentado Bolívar con su corona de romano en la cabeza. Y decidieron ellos mismos —para sorpresa del doctor— que alrededor de la carroza irían, en planchas de madera, talladas, las escenas culminantes de la guerra de independencia que el doctor eligiera: para eso tendría que hablar con el Cangrejito Arbeláez, propusieron, uno de los más reconocidos escultores de Pasto, que esculpía en madera hombres y mujeres y árboles y animales como si los soplara. Era el único que podría derrotar el tiempo que faltaba para el desfile del 6 de enero: nueve días exactos.

71

Con la promesa de los maestros, el doctor Justo Pastor Proceso López se despidió balanceándose frente a su casa, borracho por primera vez en años: hacía unos treinta que no tomaba para columpiarse en sí mismo de semejante manera, pero el motivo bien valía la pena, pensó, y no escatimaría: pagaría a los artesanos tres veces el premio de la carroza: no perdería su tiempo denunciando a Furibundo, tan próspero como avaro: ¿no lo oyó jurar que cobraría a los bomberos las seis gallinas que le ahogaron?, la oferta de Furibundo era una patraña: había querido engañar y después asustar a los artesanos, una fanfarronada. El doctor tendría que financiar por sí solo la carroza de Bolívar. Lo descorazonaba reconocer que si los artesanos acordaron respaldar su idea era simple y llanamente por dinero, tres veces el premio de la carroza ganadora, ¿por qué otra cosa trabajarían?, se dijo, por nada más, bendito seas, no soñemos.

Porque, a fin de cuentas, ¿a qué horas iba él a sentar cátedra sobre la verdadera historia de la independencia, y entre artesanos? Faltaban nueve días. ¿No era prudente buscar otros aliados? Una carroza como la que se avecinaba podía despertar resquemores, se trataba de la carroza de Bolívar, con toda su historia a cuestas. Tenía que recurrir a sus amigos —a los que fueron sus amigos, hacía años, ¿pero quiénes?, en eso empezaba a meditar el doctor Proceso, realmente alarmado.

Por ahora, se dijo, culminar la carroza, exhibirla el 6 de enero, pero más que eso dejarla viva en el mundo, igual que si guardara la memoria en cualquier esquina pública de Pasto, el primer bastión de la verdad, del auténtico pasado. A partir de la carroza algo tendría que suceder, crucial, definitivo. Ah, se dijo, si pudiera exponerla para siempre en pleno parque Infantil, para información de niños y abuelos, pero ¿cómo la instauraría?, ¿qué recoveco de la ciudad permitiría su eterna presencia? Por ahora pagar su construcción a los artífices, iluminar el trabajo: tendría que elegir con detalle las escenas —de entre los tantos sucesos macabros que repletaban la vida de Bolívar.

Vendería su finca. Desde mucho antes lo tenía dispuesto: vender esas cuantas hectáreas de trigo mal administradas, la casa solariega pero derrumbándose, el trapiche vacío, la piscina sin azulejos, el establo sin animales, los jardines sin flores —Primavera debía ser la única mujer del mundo, y poeta, además, que no sabía que las flores existían. Eso sí, pensó, a la poeta trunca le encantaría recibir en efectivo la mitad del precio de la finca: no rechistaría: planearía de inmediato qué vestidos compraría, qué zapatos, adónde viajaría. Pero él no escatimaría para pagar al maestro Abril lo que se merecía, a Martín Umbría, al escultor Cangrejito Arbeláez, a todos y cada uno de los artífices. Ya después entenderían ellos qué obra levantaron. Zulia Iscuandé había demostrado que subsistía aún en los pastusos suficiente memoria. La carroza de Bolívar, la carroza de la historia, de la rabia legítima, estaba a punto. Nadie iba a detenerlo, nadie.

Entonces estornudó.

—Si antes no me muero de un resfrío —dijo.

Porque escurría agua, un rastro de agua a medida que avanzaba por su casa solitaria, vacía de voces —no sólo de su familia sino de los empleados: la Sinfín no se encontraba. Encontró su nota urgente con letra de niño: «ya compramos los poyos me iré con la señora ahora es mediodía dotor no se demore».

Al margen descubrió la letra redonda de Primavera y entonces se le espantó la borrachera: «Espero que vengas al cumpleaños y te quedes en la finca con tus hijas, si es que te acuerdas, gorila».

Gorila.

No era tarde todavía.

Se tomó una jarra de café negro y se puso ropa seca. Un viaje de una hora lo aguardaba hasta la finca, cerca de Sandoná: su clima caliente lo resucitaría del resfrío, no iba a morirse.

Pero antes de salir se resolvió y llamó por teléfono al filósofo y catedrático Arcaín Chivo, cincuentón como él, amigo de infancia, que le preguntó sobresaltado si era que el mundo se estaba acabando para que él llamara. No se hablaban desde hacía años, cuando su mutuo interés por Simón Bolívar los empujaba a coincidir en la cafetería Guadalquivir del parque Nariño y recrear los pormenores, los dimes y diretes, tormentas y apatías de la independencia colombiana. De eso hacía ya años, cuando Arcaín Chivo era catedrático de Historia; ahora sólo de vez en cuando se reconocían, a lo lejos, en la única librería de Pasto, o en la fila de una de las tres salas de cine, o en una esquina —pasando la vida como si se pasara la calle.

—Lo espero en mi casa este viernes, siete de la noche —acabó su invitación el doctor Proceso.

—¿Pasado mañana, 30 de diciembre? Aguantemos un día más y nos damos el abrazo del 31, fin de año.

—El abrazo puede anticiparse.

Así quedó con Arcaín Chivo, más conocido como el Filántropo —por su famosa avaricia—, emérito dómine de la Universidad de Nariño, ¿un amigo, o un conocido?, lo que sea, debía contar con un lugarteniente en toda esa conflagración carnavalesca que se avecinaba.

Y consideró además la participación de monseñor Pedro Nel Montúfar, obispo de Pasto, el Avispo, que, si bien era cura —pensó—, al menos era cura inteligente, representante del poder eclesiástico, y la participación del alcalde Matías Serrano, el Manco de Pasto —sin que le faltara ninguno de sus brazos—, representante del poder civil, ambos conocidos suyos desde el colegio —aunque eso no significara mayor cosa, pero en ellos podía confiar, a diferencia del gobernador Nino Cántaro, el Sapo, que siendo del mismo colegio podía resultar un enemigo, pensó, y no tanto por su inteligencia sino por su nunca bien ponderada imbecilidad.

Llamó al alcalde y al obispo y ellos aceptaron la invitación, más intrigados que contentos: no era corriente que el doctor Justo Pastor Proceso López, ginecólogo historiador, se acordara de alguien en el mundo, ¿qué se traía entre manos?

Y llegó a su finca de Sandoná después de un viaje tortuoso por la carretera destapada: llegó empezada la noche, haciendo planes como se hacen sueños, lidiando consigo mismo. Estacionó el Land Rover al lado de los demás autos de los invitados: no distinguió el Volkswagen de Primavera, y eso lo contrarió. Olía la tierra húmeda, la corteza mojada de los árboles. Cuando avanzó a la casa, las manos en los bolsillos, el rostro ensimismado, su sombra encorvada entre arbustos y gavillas de trigo, oyendo sin oír el ladrar de los perros, parecía un solemne desconocido.

Primavera no se encontraba en la finca.

Se lo hizo saber Genoveva Sinfín, rodeada de una baraúnda de niños y payasos, entre los que descollaba su hija Floridita, montada en su caballo pony.

—La señora regresó a Pasto —explicó la Sinfín—. Dejó dicho que quería estar sola, y que aquí usted se ocuparía de las cosas hasta mañana.

Conversaban a medio centenar de metros de la entrada principal de la casa, en mitad de un bosque de eucaliptos. La luz que provenía de las ventanas los iluminaba de amarillo. Floridita ni siquiera lo determinó: cuando quiso saludarla volteó la cabeza, irritada. No intentó acercarse a ella: de sobra intuía que huiría de él, ¿y por qué?, no lo sabía, ¿qué hizo él?, su hija de siete años lo abominaba, acaso aleccionada por su madre: iba de un lado a otro en su pony, seguida permanentemente por su Chanchán y el tropel de niños admiradores: al fin y al cabo cumplía años: podía hacer y deshacerlo todo.

—¿Y Luz de Luna? —preguntó.

—No la he visto hace tiempos —respondió la cocinera, luego de un silencio circunspecto—. Debe andar por ahí.

Se rascaba la canosa cabeza, ¿deseaba cambiar de tema?

—Yo aquí he tenido que servir como Dios manda

—dijo—. Me ayudan seis muchachas, pero se están muriendo. Y pensar que esto dura hasta mañana, señor.

El doctor saludó al mayordomo, viejo y huraño, que seguramente aguardaba su turno para poner sus quejas. Se oía el rasgueo de varias guitarras en la casa, tiples, una bandola. La voz de una mujer desentonaba. Aplausos. Taconeos en el piso de madera. Era la familia de Primavera, los Pinzones —suspiró el doctor—, que no faltan jamás a bautizo o velorio que se celebre en Pasto.

Se detuvo a medio camino entre el bosque de eucaliptos y la puerta de la casa. Otros autos estacionados avisaban de la numerosa concurrencia. Pidió a la Sinfín que le trajera una taza de café, y se dirigió al lado opuesto de la casa, donde quedaba la piscina, seguido de cerca por el mayordomo. No oía con detalle sus quejas: demandaba dinero para pagar a los peones; el tractor necesitaba un repuesto imposible de hallar en Pasto, tendrían que encargarlo a Bogotá; se estaban robando los postes de las cercas; el corral de las ovejas amaneció sin ovejas, nos incendiaron los pinos, señor.

—Tranquilo, Seráfico, ya vamos a vender todo esto —dijo el doctor, deteniéndose. El viejo mayordomo lo escudriñó atónito y marchó a su cabaña sin despedirse: no sólo daba imprecaciones, también parecía sollozar, pero el doctor no se dio por aludido.

Iba a la piscina porque el agua lo redimía; la piscina carecía de azulejos y el agua se veía negra: era un espejo negro al que él se asomaba antes de partirlo con su cuerpo desnudo. Quería darse un chapuzón, y luego pensar en la vida. Pero ya cerca de la piscina oyó voces y risas. Se apartó, ocultándose en la fronda, y desde allí presenció cómo se divertían Matilde Pinzón, su esposo y varias parejas desconocidas, en trajes de baño, acostados al borde de la piscina. Fumaban y bebían en el esporádico esplendor de las luciérnagas. Uno de ellos dejó caer una botella de aguardiente en el agua. El doctor volvió por donde vino.

Era un contratiempo este asunto del cumpleaños, pensó. Habían acordado con Primavera que después de la fiesta dormirían en la finca sólo él y sus hijas, ¿eso realmente acordaron?, y ahora, por lo visto, se quedarían a dormir los invitados, gente que él no toleraba. «Primavera debería hacerse cargo de su familia», pensó, pero intentó comprenderla: a lo mejor tampoco ella pudo soportarlos, y huyó a Pasto. Era él quien tendría que hacerse cargo, en justicia. No. No podría. También él regresaría a Pasto, y aprovecharía para describir en el papel las escenas relevantes de la independencia que el escultor Arbeláez tendría que vivificar en madera. La perspectiva de una noche en sosiego, trabajando en lo suyo, alentó al doctor Proceso. Recibió el café de manos de la Sinfín.

—También yo me regreso a Pasto —dijo—. Cuide a las niñas, que se duerman temprano, y usted con ellas. Y si quiere echar a esa gente, échela, tiene mi permiso, dígales que yo se lo mandé.

—¿Cómo, doctor?, ¿no entra a saludar a los invitados? ¿Se va así como así?, ¿no se lleva a las niñas?

—Usted sabe muy bien que conmigo no querrán venir.

La Sinfín hizo una mueca de disgusto, pero se resignó enseguida: no era la primera vez que el doctor y su señora dejaban en sus hombros la responsabilidad de una fiesta.

El doctor acabó de un tirón su café. Rechazó los humeantes pedazos de puerco asado que le ofreció la

Sinfín en una bandeja, y repitió que no entraría a saludar a los invitados. El cielo, estrellado, fosforecía encima de sus cabezas. Mientras caminaban por la sinuosa vereda, entre el susurro de grillos y la oscuridad vegetal de la finca, la Sinfín recomendó al doctor que volviera temprano al día siguiente a recoger a las niñas, para evitar que los invitados siguieran derecho hasta el almuerzo.

—Se lo han comido todo —dijo en confidencia—. Y bien borrachos están: mandaron matar los tres puerquitos de don Seráfico, y después de asados y comidos nadie los quiso pagar. Por eso don Seráfico se enojó.

El doctor ya no quiso replicar.

Se disponía a abordar su campero cuando la Sinfín volvió a interponerse:

—Su hija —le dijo.

—¿Mi hija?

—Su hija.

—¿Cuál hija? Floridita no quiso saludarme.

—Luz de Luna.

—¿Dónde está ella, Genoveva?, ya se lo había preguntado, ¿es que no se acuerda?

—Me parece que en el establo, doctor. No se le ha ocurrido salir del establo en toda la tarde.

Se dirigió al establo, a zancadas.

Pero hasta allá la cocinera no quiso acompañarlo.

—Siempre que veas las estrellas yo también las estaré viendo, Luz de Luna, y así nos seguiremos viendo toda la eternidad, estemos donde estemos, tú en Pasto y yo en Bogotá.

Eso fue lo que oyó el doctor al entrar al establo: desde la alta ventana sin vidrio las estrellas del mundo se asomaban, ¿quién hablaba?, no reconoció al muchacho en la penumbra, pero lo vio intentar incorporarse y desistir, azorado, y también lo oyó llamarlo «Tío». Era otro de los hijos de Matilde Pinzón.

Los dos primos estaban sentados en el piso de tierra, las espaldas recostadas contra un bulto de tamo, hombro con hombro, las manos enlazadas. Su hija de quince años tenía el largo pelo negro alborotado, moteado de briznas de trigo, y había tierra en su blusa. Todo eso lo examinó el doctor de un vistazo, pero también los ojos iluminados, y oyó la voz que temblaba, tan espantada como firme:

—Papá, ya llegaste.

—Y ya me voy —dijo el doctor—. Tengo que hacer en Pasto.

—Sí, papá.

—Tu madre se fue a Pasto, por si no sabías. Tendrás que hacerte cargo, acompañar a Genoveva, cuidar de tu hermanita.

—Sí, papá.

—No quiero que sigas más en el establo, ¿de acuerdo?

—Sí, papá.

—¿Me has oído?

—Sí, papá.

Los dos primos se levantaron sin soltarse de las manos, como un reto en pareja: parecían querer gritar al mundo que eran novios. Orgullosamente comprobaron que el doctor no protestaba; al contrario, los seguía en silencio, a distancia. El doctor se preguntaba qué debía hacer. Sufría por el estado de cosas —o de mundos— a que había llegado con sus hijas, esa tremenda lejanía donde él, únicamente, era el forastero, el entrometido. Ah, si no las tuviera, pensaba, si no se encontrara uncido a Primavera, si viviera solo, con lo suyo: sería libre: se hubiese quedado con los artesanos la noche entera, celebrando el destino como tiene que celebrarse. Ahora es tarde, pensó, tarde para este padre de familia.

—Adiós, hija. Ven a despedirte.

Luz de Luna le dio un beso en la mejilla:

—Adiós, papá.

El muchacho también se despidió, de lejos:

—Adiós, tío.

Y el doctor estuvo a punto de explicarle: «No soy tu tío, soy esposo de tu tía Primavera, nada tengo que ver con tu familia», pero se contuvo. Recordó que hacía años había considerado que el muchacho mostraba indicios de retraso mental, y estuvo a punto de advertirlo a Primavera, para que ella a su vez advirtiera a su hermana.

«Pues no», pensaba mientras conducía el Land Rover por la carretera, «no es ningún retrasado, es otro poeta hablando de estrellas y ya desfloró a Luz de Luna, carajo —gritó en la noche—, espero que su madre la tenga bien aconsejada por lo menos sobre cómo no quedar embarazada, Primavera Primavera ¿quién no quiso un día convertirse en tu asesino?»

4

Sólo segundos antes de abrir la puerta de su casa comprendió que Primavera no lo esperaba: realmente no lo esperaba, pensó. Iba a sorprenderla, entonces. De hecho, le había parecido extraordinario que el Volkswagen se encontrara afuera, ¿por qué no lo entró al garaje?, Primavera saldría esa noche, ¿y adónde? Tampoco él abrió el garaje, y estacionó el campero a la otra orilla.

Ya empujaba la puerta cuando lo detuvo una voz de mujer en la calle, «Doctor», que lo sobresaltó: no había percibido su cercanía. «¿Quién?», dijo, pues no reconocía a la mujer de velo oscuro en la cabeza —el velo de las devotas de la iglesia que medio ocultaba su rostro. «Soy Alcira Sarasti» dijo ella.

Era la mujer de Arcángel de los Ríos.

El doctor la saludó con impaciencia: no quería saber ya nada de nada, y mucho menos de Furibundo Pita y su revólver.

—Me lo ha contado todo —dijo ella.

Tenía la voz a punto de llorar. El doctor la recordó: había sido una trigueña escuálida y muy tímida que se paseaba sola y leía la Biblia sentada en un banco del parque Infantil: y todavía es bella, pensó, de una belleza nativa, quién sabe qué expiación la arrojó a las fauces del Furibundo Pita, ¿pero no intentó matarme con esas empana-

ditas envenenadas un día de Inocentes?, y, ¿no estuvo él
enamorado de ella cuando niños?, ¿no era la misma niña
asomada a un balcón, una Biblia negra en las pálidas manos?, ¿la misma Biblia que releía de joven?, era ella.

Ella tragaba aire como si se alentara a hablar:

—Me dijo que disparó contra un hombre, y que no
sabe cómo.

Esperó unos segundos a que el doctor respondiera,
pero él no podía, de la sorpresa. Sólo pensaba: «Yo tampoco sé cómo».

—Me dijo que disparó contra el maestro Abril y que
no sabe cómo, está arrepentido.

El doctor siguió mudo.

—Arcángel no es como lo pintan. Se bebe sus copas,
es cierto, y nada más: a mí misma me ha hecho daño,
pero es un hombre bueno, a fin de cuentas.

El doctor Proceso la contempló maravillado: allí estaba Alcira Sarasti, mostrando la cara por Furibundo Pita.

—Me habló de la carroza, de lo que esa carroza significa. Yo misma —dijo venciendo un sollozo y elevando
la voz— sería la primera ultrajada, ¿cómo se le ocurre
semejante carroza a un hombre como el maestro Abril, a
quien yo conozco? Cuántas veces fui a su casa con las señoras del día del Pobre a confortar a sus hijos, dejar un
mercado, lápices y cuadernos, ropa, medicinas, ¿para que
nos pague de semejante mala manera?, ¿cómo se le ocurrió
provocar a mi marido?, conoce bien a mi marido, Pasto
entero lo conoce cuando se bebe sus tragos. Don Tulio
Abril sabía muy bien a qué se exponía.

Y se resolvió, aterrada:

—Dígame doctor por lo que más quiera sólo dígame
que no lo mató.

Había empezado a llorar.

—No lo mató —dijo el doctor.

Ella se hizo la señal de la cruz.

—Gracias a la Santísima Virgen de la Playa —dijo, y se levantó el velo de la cara: aparecieron los ojos lumbrosos, la voz restablecida—. Yo sabía que Dios nos protegería, ¿cómo se le ocurrió a Arcángel disparar contra un hombre tan bueno como el maestro Abril?

El doctor la miró todavía más asombrado:

—No sé cómo —dijo.

Y se disponía a entrar, pero ella lo detuvo: había puesto su mano enguantada en el brazo del doctor.

—Espere —susurró—, ¿tiene prisa? ¿Acaso la señora Primavera lo aguarda? Venga con nosotros, sólo un minuto, Arcángel lo necesita. Me envió a rogar que lo escuche, un minuto.

—Dígale que no hirió a nadie. La carroza no se presentará. Dígale que lo olvide todo.

Y otra vez se dispuso a entrar.

—No —dijo ella—, no entre, por favor.

¿De verdad quería impedir que entrara a su casa? Eso parecía: su mano oprimía el brazo del doctor. Y, de pronto, empezó a sobarlo, realmente empezó a sobarlo, lo sobaba: el doctor descubrió que Alcira Sarasti sobaba su brazo sin percatarse; era como si lo acariciara.

—No se preocupe —dijo él—. Nadie quedó herido, este malentendido se va a corregir: ni usted ni Arcángel tendrán que ver con lo que diga la carroza.

—Dios —se angustió ella—. Sería mi mayor pena.

Sus ojos merodeaban por el cielo estrellado, ¿iba a llorar otra vez? Se recobró:

—Escuche —dijo—, yo entiendo al maestro Abril, sé

por qué lo hizo, lo conozco más que a mí. Es un hombre bueno.

—Otro hombre bueno —dijo el doctor.

Pero la devota Alcira no lo oyó:

—Una tarde, al salir de la iglesia, de recibir la Santa Bendición, me topé con el maestro Abril. No sólo me saludó sino me acompañó. No sé si él ya sabía, como sabe el mundo, a qué se exponía: Arcángel se apareció como aparece siempre, pitando en el Willys, acelerando y desacelerando, armando toda esa bulla que arma cuando me descubre en la calle después de la Santa Bendición. Se vino detrás, el mismo infierno siguiéndonos. Yo le dije al maestro «No es necesario, señor Tulio, que me acompañe», y él me dijo «No se preocupe, yo la acompaño». Arcángel nos alcanzó: pitaba peor; gritó al maestro que me dejara sola, le dijo unas palabras en la cara que sería un pecado repetir, doctor: Pasto entero las escuchaba, qué escarnio, qué tristeza la mía ser el centro de atracción. El maestro me tomó del brazo, porque del susto me tropecé y casi me caigo, ¿se figura?, no me soltó y siguió conmigo y le dijo a mi marido que se bajara él del carro, a ver si era capaz de quitarlo de mi lado, le dijo eso, Dios, y doy gracias al cielo que Arcángel no se bajó: alguien se apareció, uno de sus secretarios, un ángel bueno que lo tentó a comer cuy en Catambuco y se lo llevó, ese ángel nos salvó, porque el maestro Abril seguía terco, decidido a acompañarme tomándome del brazo: seguro que Arcángel nos hubiera atropellado a los dos, era capaz de pasarnos por encima cien veces, de la cólera. Pero hay que ver la valentía del maestro: no se asustó: aunque temblaba tanto o más que yo, y lloraba como yo, del puro coraje, Dios pague su entereza. Qué miserable me siento, mi vergüenza avergonzando a los demás. Puse en peligro la vida de un hombre bueno como el maestro Abril, ¿entiende usted?, por eso se desquitó el maestro con su carroza, me desagravió, qué hombre íntegro. Dígale de mi parte que gracias de todas maneras, que por lo menos la intención es lo que cuenta.

—Adiós, señora Alcira.

—No —dijo ella, con un gesto que el doctor creyó piedad por él—. Usted no debe entrar.

—¿Y por qué no? —le preguntó.

Ella sonrió, indecisa. Él creyó que insistía para convencerlo de ir con su marido, un minuto. Ella se resignó, la voz un susurro:

—Salúdeme a su esposa.

Y se fue por la calle: iba lenta, leve, igual que si temiera hacer ruido, parecía flotar. El doctor volvió a empuñar el pomo de la puerta y la empujaba, al fin, como si se tratara de una espesa lámina de plomo.

Hizo sonar la puerta al cerrar: mejor avisar de su presencia, aunque era posible que Primavera hubiese escuchado ya su conversación —eso dependiendo del lugar donde se hallara, pensó.

Y de inmediato la vio venir, desde lo hondo del pasillo del baño de visitas, una sombra escasamente iluminada por la única bombilla encendida, ¿sin percatarse todavía de su presencia?, venía con la falda de cuero recogida hasta casi la cintura, encorvada —en el complicadísimo ademán de bajar la falda apretada por sobre los muslos—, y se oía mientras tanto su voz, queda. Difícilmente la entendió: «Sonó la puerta», decía, «¿quién?».

—Yo —dijo él.

Primavera Pinzón se quedó suspendida, la boca abierta, igual que él.

—Una astilla de pescado —dijo ella.

Y, sin embargo, su voz era la misma, descubrió, no la turbaba una mínima emoción.

Oyó, deslumbrado, que ella persistía:

—Una astilla de pescado se le atravesó en la garganta. Veía que tomara agua, en el baño.

Ya el doctor había avanzado hasta ella. Ambos se miraron como aletargados.

—Una astilla de pescado —repitió él, y asintió con la cabeza.

En las sombras del pasillo parecía que intentaban descubrir si realmente eran los dos. Como si Primavera se esforzara en recordarlo: lo vio más alto y más gordo: pero una aureola de frío lo hacía distinto a su recuerdo, y, por eso mismo, en ese instante, un desconocido, alguien verdaderamente extraño y peligroso y mucho más fuerte que ella, ajeno a la casa.

Sintió que la ausencia de sus hijas la desprotegía.

Pero desechó el temor: se trataba únicamente de su marido, el doctor Jumento, ¿no lo había sorprendido esa madrugada vestido de simio, anticipándose ella a la patética broma desde el principio hasta el fin? ¿Y no resultaba todavía más patético ahora, tan circunspecto y al fin y al cabo respetuoso de las conveniencias, como debía ser?

Ya para entonces, con esa invisible prontitud de movimiento casi de magia con que cada mujer se viste y se oculta, había terminado de acomodarse la falda y se erguía, ligeramente enrojecida, como con un último residuo de fuerza.

Ambos voltearon a mirar hacia la puerta del baño donde esa madrugada el doctor Justo Pastor Proceso López se disfrazó de simio: allí, en la misma puerta, asomaba una cabeza —otra cabeza, una cabeza con bigotes que dudaba, sin decidirse a saludar.

Quién podrá ser, se preguntó el doctor.

La verdad, esperaba hallar un *niño* —un adolescente, que era lo mismo para el doctor—, pues ya sabía de las aficiones secretas de su mujer, su amor insospechado, su inaudito como permanente deseo: los niños. Con razón una vez escuchó una conversación a susurros entre dos de sus señoras pacientes, que se referían a Primavera como *la comebebés,* mote que causó mucha gracia al doctor.

Años antes, una tarde en la finca, la había sorprendido en un recodo del río con uno de los jóvenes jornaleros, potranco recién destetado —había pensado el doctor—, primoroso palurdo, un rústico que para ella debía ser con todas sus respetables razones lo más admirable del mundo, la descubrió en plena persuasión inicial mientras comían cada uno una guayaba, sentados muy cerca uno del otro encima de la gran piedra blanca, a la ribera del río: la espumosa corriente sonaba a dentelladas, se tragaba la risa, las palabras. Primavera llevaba puesto ese largo vestido de verano que él tan bien conocía, gris y liviano, con una gran flor bordada en hilo de oro, un vestido salpicado de lluvia de río, a pedazos, en los hombros, en la espalda, mojado y aplastado en mitad de las piernas abiertas, donde las manos reposaban; y tenía un pie descalzo, sonrosado y diminuto entre la hierba; la sandalia, no lejos, yacía al revés, como si el mismo pie se hubiese desembarazado de ella arrojándola con fastidio; la cabeza de Primavera permanecía doblada hacia abajo: parecía contemplarse la punta de los pechos; de vez en cuando sus dientes mordisqueaban la guayaba, sus labios la chupaban, mientras una de sus manos repasaba su largo pelo amarillo como si lo desenredara: en realidad lo arrojaba en suavísimos pedazos fulgurantes contra el hombro desnudo del muchacho, rozaba su piel como lanzas hiriendo de verdad. Primavera no mostró nunca tanta furiosa y muda mortificación como aquella tarde, cuando el doctor los interrumpió, saludándolos. Primavera lo odió, sonriéndole; y el potranco huyó, con un balbuceo.

Pero esta noche resultaba distinto. No era ningún mocetón el que asomaba a la puerta. Se trataba del general Lorenzo Aipe, algo que no sólo asombró al doctor sino lo desconcertó: apenas conocía al general, los habían presentado en casa del gobernador, ¿cuándo?, no se trataba de ningún niño, el general debía contar medio siglo, como él: los dos sumaban cien años. Eso hacía la diferencia.

—General Aipe —dijo el doctor Proceso.

—No puede hablar —interrumpió Primavera—, ¿no dije que se le atravesó una espina de pescado?

—Ya —dijo el doctor.

—Ese pescado de Tumaco que nos mandó Yolandita, la sobrina de Gerardo.

—Sí.

El doctor avanzó al baño, mientras la cabeza con bigotes seguía estirada, esperándolo sin pronunciar palabra, no podía pronunciarla, según lo que la misma Primavera había dictaminado —pensaba el doctor—, el general se va a contrariar, no podrá hablar, Primavera reveló algo de una espina de pescado, ¿no es ingeniosa?, ah fecunda Primavera —seguía diciéndose al avanzar muy lento por el pasillo, demasiado lento, lóbrego y helado como un buque fantasmal.

Y qué repulsivo, qué adefesio se le antojaba ahora este general Aipe comparado con los gráciles jayanes de la finca, qué triste, qué desafortunada transformación había sufrido el gusto de Primavera, pensó.

Primavera alcanzó a enseñar al doctor sus ojos azules pero oscuros de rencor, como diciéndole si ya sabes qué ocurre aquí, ¿por qué no te vas?, muchas veces te dejé en paz, ahora déjame tú a mí.

«¿Con tu niño?», se preguntó el doctor, y le pareció oír que Primavera respondía: «Con mi niño».

«Pero *eso* no es un niño», seguía considerando el doctor, «es el general Lorenzo Aipe.»

—Déjeme ver —dijo, afianzando una de sus manos en el hombro del general, empujándolo con suavidad al interior del baño—. Se supone que yo soy médico.

El general farfulló algo.

—No hable —dijo el doctor—. No le conviene hablar.

El general Aipe buscó la mirada de Primavera, pero ella había inclinado la cabeza, en un gesto confuso, que podía ser enfado o resignación. El general era un hombre calvo, robusto y muy alto, aunque no tanto como el doctor, y con un fuerte olor a sobaco. El doctor se preguntó si Primavera, igual que otras mujeres, gustaba de ese olor. El general, molesto de tener que plegarse a la extraordinaria inventiva de Primavera, la espina de pescado, decidía admitir la situación y se dejaba examinar lengua y garganta ante el gran espejo del baño de visitas: el baño estaba a oscuras cuando se acercó el doctor: tuvieron que encender su luz al entrar: todo ese tiempo la única escuálida luz era la bombilla que alumbraba el pasillo, de modo que le parecía imposible al general que este médico gigantón no se percatara de nada, ¿o fingía? El general y Primavera habían estado primero en la cocina, y después de culminar los torbellinos de un abrazo intempestivo —de pie, semidesnudos contra la nevera que se bamboleaba— fueron al baño simplemente a acomodarse la ropa ante el espejo, pues se irían en el Volkswagen de Primavera a comer cuy en Catambuco: y acababan de entrar al baño, sin aún encender la luz, cuando Primavera oyó abrirse la puerta de la casa y fue a ver.

Ahora el general oía sin explicárselo la voz sincera del increíble doctor:

—Sí, sí —decía.

Y sentía que posaba con demasiada confianza uno de sus dedazos en la cima posterior de su lengua:

—Alcanzo a tocar algo aquí, general. Afortunadamente la espina no se ha ido a la garganta, bien, muy bien, se ha enterrado casi por completo; la lengua es un órgano carnoso, resulta muy difícil dar con una espina, pero pierda cuidado, general, la extirparemos, si hay, finalmente, una espina, porque el mismo cuerpo la pudo asimilar, ¿entiende?, es bastante posible que su organismo ya la haya incorporado. Venga conmigo al consultorio, general, cinco minutos.

El general pareció asentir con un suspiro.

Y esta vez sí intercambió una mirada tranquilizadora con Primavera Pinzón.

—De acuerdo —asintió inopinadamente con su propia voz el general—, es mejor que me ayude usted. —Y lo dijo en perfecto castellano bien vocalizado, descubrió el doctor, grave error para un general avisado en estrategias, pensó, hablar tan claramente con una espina de pescado atravesada.

—Mejor no se esfuerce por hablar —le dijo el doctor, condescendiente—. Estese calmado y acompáñeme. Si tuviera usted esa espina atravesada en la garganta debería propinarle unas fuertes palmadas en la espalda, o apretar su tórax: tendría que ponerme detrás y abrazarlo y apretar, apretar hasta el desmayo. Afortunadamente no hay que apretar. Con una espina en la lengua es otro el procedimiento, si tiene aún la espina en su lengua. Será algo sencillo, aunque delicado: la espina podría partirse e ir al maxilar, y después alojarse junto a la vena carótida, nada menos que rumbo al corazón. Pero vamos a comprobarlo.

Y se dirigieron al consultorio particular, allí mismo, en el primer piso: una discreta puerta de roble a un costado de la sala. Primavera iba detrás, suspensa: había pensado que el asunto no duraría, que todos, formalmente, se despedirían, que su marido seguiría siendo el mismo que conocía. Pero verlo tan ecuánime y servicial conduciendo al general Aipe la intrigó tanto como la contrarió. Era tan cándido su doctor Jumento —se tranquilizó al fin— que en realidad debía creer que el general sufría por una espina de pescado. Entonces, yendo detrás de la alta figura de su marido, intuyendo su perfil bonachón, se preguntó de pronto, con gran extrañeza de sí misma, por qué no estaba enamorada de él, o por qué no aceptaba, en últimas, que ése era su marido y que lo amaba, hay tantas maneras de amar con resignación, se dijo, ¿por qué, sencillamente, no lo amaba o intentaba amarlo y dejaba, simplemente, de joder?, se lo preguntaba Primavera Pinzón, inmersa en su propia encrucijada, y ahora —se gritó veloz— ¿qué sucederá?, ¿por qué se me ocurrió una espina de pescado?, todo esto es por mi culpa por mi gran culpa por mi grandísima culpa amén, y durante un segundo creyó, sin dar crédito, que se reía, que se reía a carcajadas de ella misma y de los dos hombres a su lado.

¿Cometió un error, al volver a casa?, se preguntaba mientras tanto el doctor.

Desde hacía años una suerte de acuerdo tácito se había establecido entre él y su mujer respecto a sus particulares deseos de «estar solos». El mismo doctor viajaba de vez en cuando a la finca, «solo», un fin de semana, y Primavera no se oponía. Seguramente —pensaba el doctor—, no supe recordar a tiempo el acuerdo, o por recordarlo demasiado se encontraba allí, *sitiando* a Primavera. Y era que los dos ya sabían a qué atenerse respecto a los dos: las temerarias pacientes, por ejemplo, que de tanto en tanto, y de manera tan frugal, se convertían en amantes del doctor, no pasaban desapercibidas para Primavera, que sonreía condescendiente —más fuerte que él. Y él, ¿por qué recurría a esos amoríos? Por simple retribución —se dijo—, generosidad con la generosidad de unas mujeres exhaustas de sus maridos, mujeres que empezaban a envejecer, como él, que admiraban a su médico y encontraban en él un aliciente esporádico. El doctor no experimentaba un ápice de ternura por estas pacientes atormentadas que se inventaban toda una gama de enfermedades para ir a su consultorio: sólo se daba prueba a sí mismo de que vivía, y que vivía más si lograba hacerlas felices, pero —reconoció—, mientras ocurría el abrazo hospitalario su memoria sólo se refugiaba en la carne y los ojos de Primavera Pinzón: no lograba desposeerse de ella.

¿Y ahora —se preguntó— qué hacía él conduciendo al general a su consultorio? Si al menos se tratara de otro de los niños de Primavera, pensó, lo dejaría ir, incólume, pero se trataba de este horrible general Aipe. Y algo en su íntimo interior enardecía al doctor, y, por otra parte, lo complacía: lo complacía hasta la angustia el fastidio en el rostro de Primavera.

—Las once de la noche —dijo, consultando el reloj en la pared del consultorio—, no termina todavía el día de Inocentes.

Se notaba francamente preocupado por ayudar, inclinado sobre la mesita de instrumentos, buscando aquí, buscando allá: había en él una fuerza irrebatible que congelaba a su mujer y al general, una fuerza que provenía sobre todo de la misma placidez que inspiraba. Por eso, recostado en la camilla de cuero, más un diván que una camilla, el general Lorenzo Aipe escuchaba amodorrado la voz tranquila del médico. El general tenía la boca abierta, iluminada por la pequeña linterna que el doctor sostenía en la mano. Después lo vio empuñar un bajalenguas, y, casi de inmediato, una jeringa: la aguja se hundió con limpieza indolora. Entonces la mano del general asió la mano del médico, un instante.

—Quieto, general —dijo el doctor Proceso—. Es preferible anestesiar esa lengua para evitar el dolor: encontraremos la espina, si la hay.

—¿Hay una espina? —preguntó Primavera, fijando los ojos ensombrecidos en su marido.

94

—Es lo más seguro —dijo él sin inmutarse. Su voz se oía sin ninguna inflexión, neutra, profesional: un médico cumpliendo con su deber—: Así lo demuestra la coloración de la lengua en este sitio. Tendré que palpar. Paciencia, general.

El general Lorenzo Aipe quería hablar, se oyó su especie de sollozo alargado, y quiso añadir algo con las manos: señas de estupor y desacuerdo, incredulidad por lo que vivía, ese pinchazo certero de que había sido objeto. Empezó a incorporarse, pero la mano del doctor Proceso se abrió contra su pecho y lo empujó suave pero recio contra la almohada de cuero de la camilla.

—General —le dijo—, no trate de hablar. En este momento usted es como el sánscrito: una lengua muerta.

El general y Primavera intercambiaron otra mirada, ahora de duda, de urgente aprensión. Pero la voz del doctor Proceso continuaba imperturbable, y era de un candor que los persuadió:

—Déjeme hacer, general, no va a doler, es buscar la cabeza de la espina, asirla y extraerla, o partirla y destruirla —y mientras decía eso ya tenía en su mano como después de un pase de magia un delgado bisturí como una línea centelleante que usó veloz en quién sabe qué músculo de los diecisiete músculos estriados que tiene la lengua, pues eso iba explicando mientras tanto—: la lengua es un órgano carnoso que posee diecisiete músculos estriados —decía con voz reconcentrada—, ya está, general, pondré esta pequeña gasa unos segundos para impedir que sangre, así, bien, la espina ha sido incorporada a su lengua, de allí se esfumará en la flora intestinal y dejará de presentar peligro, será igual que usted y que yo y que todos los demás: pura mierda.

95

El silencio espeluznado que siguió a sus palabras fue el impulso decisivo que ayudó al general para acabar de incorporarse, a Primavera para acabar de salir del consultorio, a los dos para acabar de atravesar la sala como si huyeran de un orate.

El doctor Proceso los siguió sin prisa hasta la puerta de la casa: vio cómo abordaban el Volkswagen y se iban —Primavera al volante, el general un solo rostro de pánico, los ojos desmesurados, la mano en los labios.

Después el doctor regresó a la sala, y se sentó en la poltrona, «Mal hecho», se decía, «mal hecho».

No supo cuándo regresó Primavera. La sintió pasar a su lado, vagamente, como un aire, la escuchó subir las escaleras y cerrar la puerta de la habitación con todas sus fuerzas.

Y volvió con él mucho después, a la luz del amanecer que teñía las ventanas. De nuevo la sintió pasar a su lado, ir a la cocina, de nuevo subir despacio por las escaleras, al primer rellano: allí Primavera se acodó a la baranda.

—Y estás feliz —dijo.

El doctor la oyó, petrificado en su poltrona, pero no entendió nada en absoluto: pensaba en ese episodio de la vida de Bolívar que le contó Belencito Jojoa una tarde lluviosa.

Entonces la sintió cruzar otra vez, hacia la puerta de la casa.

—Adónde vas —le dijo por decir algo, porque pensó que era eso lo que debía preguntar, o, mejor, lo que cualquiera preguntaría, y no quería defraudarla, quería que se fuese tranquila, en paz, a donde quisiera.

—Las niñas —rechinó ella—, ¿las recuerdas?

Cerraba los puños. Temblaba junto a la puerta:

—Las abandonaste a merced de los borrachos, ¿es que no se te ocurrió preocuparte alguna vez por tus hijas?

Son tus hermanos, tu familia, estuvo a punto de replicar él, pero se contuvo.

—¿Nunca se te ocurrió que un aprovechado las viole a su gusto? —preguntó Primavera sin esperar respuesta—. Voy para la finca, si de verdad te interesa.

Y luego:

—Si es que no llego demasiado tarde. Y por favor no me sigas, ni se te ocurra.

Inmóvil, la vio abrir y cerrar la puerta, desaparecer.

No supo cuánto tiempo pasó, pero lo interrumpió el teléfono, lo apartó de Belencito Jojoa contando de Bolívar esa tarde de lluvia, lo sacó de sus sueños —sin que durmiera— en la misma poltrona donde seguía sentado desde la noche anterior. Crecía la mañana en las ventanas: ahora la luz ofendía sus ojos: y, sin embargo —pensaba enjugándose una lágrima—, para él era como si la noche continuara, ¿estoy llorando por la claridad de la luz o porque estoy llorando? El teléfono insistía, a su lado. Estiró el brazo y lo descolgó. Sin todavía ponerse el auricular a la oreja escuchó una voz como del otro lado de una tormenta. No sólo el ruido que estorbaba era de tormenta, sino que la misma íntima voz se oía partida en sonidos como desgarramientos. Era la voz del general Lorenzo Aipe, o, mejor, una especie de quejido gutural que le dijo —palabras más, palabras menos, y siempre a pedazos—: «Doctor si yo quedo mal el resto de mi vida dese por muerto, ¿me oyó bien doctor hijueputa?, dese por muerto si me dañó la lengua».

El doctor Proceso dejó que la mañana avanzara encima, que el sol rozara el filo de sus zapatos, sus rodillas, su cintura, su pecho hasta los ojos. Había resuelto ir a la finca, detrás de Primavera, por sus hijas, pero no, se dijo. Y no —se repitió en voz alta—. No iré.

Visitaría, como acordó con los maestros, al escultor Cangrejito Arbeláez: avivaría el entusiasmo por la carroza de Bolívar. Desde ese momento su dolor de amor por Primavera, esa absurda incertidumbre del amor, quedaría atrás. De ahora en adelante sólo pensaría en él y la carroza, sin claudicar, a diferencia de lo permitido toda la vida, su vida entera condenada al sufrimiento que causaba un solo nombre: Primavera.

Pero cuando atravesaba en su campero las calles dormidas de Pasto, ese jueves 29 de diciembre del 66, recordaba todavía el bisturí como con vida propia, la lengua rosada y blanca, los ojos atónitos de Primavera, la sangre, la voz atormentada del general Aipe amenazándolo.

—Mal hecho —se repetía—. Muy mal hecho.

5

Sin todavía intercambiar con el doctor una palabra alrededor de la carroza, el escultor Cangrejito Arbeláez ya había tallado en relieve a golpes de gubia en planchas de madera los primeros sucesos de la vida de Bolívar. En ese momento esbozaba la traición a Miranda, y el doctor Proceso contemplaba, fascinado, debajo de la gubia veloz, la progresiva aparición de Simón Bolívar y los otros conspiradores, Bolívar con la espada y la pistola de Miranda —que aguardaba sentado en la cama, los pies y las manos encadenados—, los soldados españoles que venían, y, abajo, a lo largo de la plancha, con letras en relieve: SIMÓN BOLÍVAR TRAICIONA A SU GENERAL FRANCISCO MIRANDA.

—¿Cuántos acompañan allí a Bolívar? —preguntó el doctor Proceso.

—Cinco: Miguel Peña, Juan Paz del Castillo, Carabaño, Mires, Casas. Como ve, usted no es el único lector de Sañudo. ¿Sorprendido?

El doctor se asomó a uno de los relieves ya terminado: Simón Bolívar y ocho de sus oficiales abandonaban la plaza de Puerto Cabello —sus 3.000 fusiles y 400 quintales de pólvora— a merced de un motín de españoles desarmados; huían a galope tendido: las nueve caras mostraban el espanto desmesurado; incluso había en los caballos el gesto de galopar aterrados, y, si se miraba mejor, algo que resultaba extraordinario: las caras desbocadas de los nueve caballos eran caras de vírgenes horrorizadas, próximas al sacrificio. Las letras de madera avisaban: BOLÍVAR HUYE DE PUERTO CABELLO COMO SI LO PISARA EL DIABLO.

—Pero quiero mostrarle algo que hice, mucho antes de leer a Sañudo —dijo el maestro Arbeláez.

Dejó sus herramientas en la mesa y se quedó un instante pensativo, limpiándose las manos en el delantal de cuero. Era oriundo de Tumaco: un negro corpulento, de ojos enrojecidos, de una taciturnidad perpetua como de niño desamparado —pensaba el doctor. Se admiraba de aquel fantasma de gigante que tallaba la madera como si se lo dictara la respiración, y se dejó conducir a través de un camino de esculturas embozadas.

El taller quedaba dentro de una casa de inquilinato grande y húmeda y tan oscura que sorprendía que allí pudiera levantar su obra un artista de la mirada. El maestro debía trabajar a punta de luz eléctrica: debajo de las pálidas bombillas su sombra parecía flotar entre antorchas milenarias. Se detuvo frente a una de las esculturas y otra vez quedó pensativo. Antes de descubrirla se volvió al doctor Proceso:

—Ésta no la hice porque soy negro —dijo—. Pero casi.

Y sonrió, sin que la taciturnidad de su cara desapareciera.

—Debo reconocer —siguió— que el hecho de que el general Manuel Piar fuera negro despertó mi curiosidad, al principio, y luego, sobre todo, las razones de Bolívar para mandar a fusilarlo: dijo que «Piar quería instaurar la pardocracia», eso esgrimió para asustar a los patricios patriotas, que temían ser mandados por un negro, ¿qué tal?, Bolívar cargaba con el ingenio adecuado para su época.

—Desprotegieron a Piar —dijo el doctor—. Piar, que hasta ese momento había actuado sin mácula, a diferencia de las pobres figuraciones de Bolívar. Así logró Bolívar disfrazar las verdaderas causas del fusilamiento.

—Bolívar temía de Piar no sólo sus cualidades militares sino su inteligencia, la independencia de pensamiento —siguió el maestro Arbeláez—: Piar no era un servil, como otros. Piar, ante las campañas de Bolívar, hasta ese momento todas inútiles, había tildado a Bolívar de *Napoleón de las retiradas,* nada menos. No sé si el remoquete llegó a oídos de Bolívar, pero ya Piar advertía a los demás de su napoleonismo tonto y aparatoso, y de su estrategia mayor, que por lo visto era la de retirarse a la más mínima señal de peligro.

Aquí la sonrisa apareció renovada en el rostro del maestro, y esta vez su taciturnidad dejó de ser eterna, a medida que hablaba, cada vez más próximo a la carcajada:

—Acuérdese de la batalla de Junín —decía—, que no fue una *«batalla»*, según el tecnicismo de la guerra. Sañudo dice al principio que fue un «encuentro», más tarde dirá que una «lucha», Estébanez dice en su *Historia de América* que fue en realidad un «combate», Cortés Vargas va más allá y dice que fue «aventura». Encuentro, combate o aventura, Bolívar huyó del campo cuando creyó perdida su caballería; no aguantó lo suficiente para constatar que un escuadrón de lanceros sorprendía a los realistas;

huyó él solo hasta más atrás del abrigo de su infantería, a galope redoblado, y se retiró a una loma «hasta que las sombras de la noche cubrieron el campo»... El coronel Carvajal logró por fin encontrarlo para informarle que cuando mi general Bolívar se retiraba, el enemigo se derrotó. Le diría: «No se preocupe Libertador, la victoria es suya».

El maestro terminó de arrojar la carcajada y el doctor no pudo acompañarlo, asombrado más del blanco esplendor de la carcajada, de su retumbo exagerado. Y todavía lo oyó decir, con los últimos resuellos de risa:

—Aventura o combate los historiadores forjaron con Junín otro pedestal de gloria para Bolívar, otra apoteosis de lo que sólo fue un brevísimo encuentro donde dos mil peruanos desertaron de las filas realistas, una lucha que ni siquiera fue presentada por Bolívar sino por el francés Canterac, que mandaba las tropas realistas; Bolívar no asistió a la pugna, huyó.

De un tirón el maestro descorrió el velo de la escultura, una figura al natural, en bronce rojizo, y guardó silencio: era el asesinato por fusilamiento del general Manuel Piar: sin ninguna venda, mirando al cielo, descalzo, la camisa desgarrada, las piernas ligeramente dobladas, parecía que acabara de recibir la descarga y empezara a caer sin caer nunca.

—Tendremos que subir el fusilamiento de Piar a la carroza —dijo el doctor Proceso—. Infortunado Piar, gran estratega: aguardó sereno la muerte y dijo que no por traidor sino por defensor de la patria era conducido al cadalso. Tremenda ironía su fin: no lo fusilaban porque estorbaba los planes de Bolívar sino porque era negro y quería instaurar la pardocracia.

—Piar había nacido en Curazao, de un criollo venezolano y una mulata isleña —respondió el escultor—. Era un revuelto de razas, igual que Bolívar: el tercer abuelo paterno de Bolívar tuvo relaciones con una negra de su servicio llamada Josefa, de quien nació María Josefa, cuya hija, Petronila, se casó con el abuelo de Bolívar, y eso no nos importa ni a usted ni a mí —gritó de pronto— ni un carajo, pero vaya usted y dígaselo a Bolívar, si viviera: otro fusilamiento.

—¿Quién no tiene sangre de negro revuelta con sangre de indio y de blanco en estos países ultrajados? —preguntó el doctor. El maestro se arrebataba:

—Ni negros ni blancos ni indios ni amarillos —dijo—, pero tenemos de negros, blancos, indios y amarillos no se sabe si lo peor. Mejor no lo averigüemos. —Y otra vez asomó a su cara la explosión de una risotada que casi no le permitía hablar—: En realidad los negros no importaron a Bolívar, la abolición de la esclavitud la dejó para firmar en los papeles, pero no hizo nada concreto por la negritud; su primera mención sobre la necesidad de la abolición se debió a la solicitud del presidente Pétion, que era negro de Haití, que le hizo prometer formalmente la emancipación de los esclavos a cambio de dinero y pertrechos. Pétion lo ayudó con eficacia cuando Bolívar escapaba a Haití, para no enfrentar la responsabilidad que le correspondía como jefe. Sólo regresaba si las cosas soplaban a favor de los patriotas, era un parásito sagaz, aprovechaba cada oportunidad que le brindaban los otros generales con sus victorias.

La carcajada estalló otra vez y resonó en cada ámbito.

—No sólo tenía entre ceja y ceja a Piar —pudo continuar, al borde de la asfixia—, sino a Mariño, a Páez. Su presidencia vitalicia, su monarquía de los Andes no podían correr riesgos. ¿Y el asesinato por fusilamiento del almirante Padilla? —se preguntó, con la risotada creciéndole desde adentro—, otro negro, otra víctima inocente de Bolívar, ese asesinato no sé cómo lo representaré, pero lo haré sin falta, doctor, pierda cuidado.

Y acababa de decir eso cuando un tremendo golpe se dejó oír en la puerta del taller. El estruendo paralizó su carcajada. La puerta había saltado de sus goznes. Tres hombres con máscaras de carnaval —una rana y dos duendes— entraron a la carrera y se abalanzaron contra el corpulento maestro. Lo empujaron de espaldas a la pared. En medio de la sorpresa el doctor Proceso se asombró de sí mismo: se indignaba porque no pusieran atención en él, como si él no significara ningún peligro para nadie. Se lanzó entonces sobre los enmascarados que pugnaban con el maestro, aferró a la rana por los hombros, la zarandeó, y ya la obligaba a volverse cuando un golpe en su cabeza lo dejó sin sentido.

Se despertó tendido en un sofá, el maestro Cangrejito asomado a su cara.

—¿Qué sucedió? —pudo preguntar.

—Se llevaron *La batalla de Bomboná* y *El tiempo de los rifles* —dijo el maestro Cangrejito.

Eran dos de sus mejores relieves sobre la guerra de la independencia en Pasto.

—No es la primera vez que roban mis trabajos. La última vez se llevaron unas tallas, no supe cómo ni cuándo, y descubrí por azar que las vendían en Cali: las negocié yo mismo; pregunté que en dónde encontraría al autor de semejantes tallas tan buenas y me respondieron que ya había muerto, que *yo* había muerto; y otra vez encontré una escultura perdida en la parroquia de un cura conocido: me dijo sin vergüenza que se había enamorado de ella como de una Virgen: era una negra en el momento de quitarse el vestido por encima de la cabeza: el buen cura la tenía muy escondida entre los ángeles de yeso de la sacristía. Pero le confieso, doctor, que es la primera vez que me roban de semejante manera: a golpes, como si además de robarme me odiaran, ¿le hicieron daño?, eran cinco, a duras penas pude detenerlos, querían incendiar el taller, traían un bidón de gasolina: si no llegan en mi ayuda los inquilinos de esta casa, buena gente, amigos tiesos, los dos Chepes, Jaime, Franco, Nene, Marco, Pacho y Muñeco, quién sabe qué nos pasaba, se perdió la fiesta, doctor, mire cómo dejaron esto.

El taller yacía patas arriba, las esculturas desperdigadas, partidas por la mitad. Al menos la del general Piar permanecía intacta, observó el doctor. La gran mesa con las herramientas parecía hundida:

—Allí tiré a uno de esos duendes —dijo el Cangrejito—, debió romperse sus buenas seis costillas.

El doctor Proceso empezó a preocuparse. Era posible que el ataque obedeciera a algo más que un simple robo: el Cangrejito Arbeláez se había enterado de la carroza a través de los maestros Tulio Abril y Martín Umbría; entonces nadie más en todo Pasto podía estar al corriente, ¿qué sucedió?, ¿robo común?, ¿velada amenaza? ¿Estaban implicados el gobernador, las autoridades? Imposible, se dijo, sería demasiado pronto.

—Pensemos que fue una coincidencia —dijo el doctor cuando se despidieron—. Pero envíeme a mi casa, y a mi costa, lo que usted vaya creando. Quiero verlo todo, verificarlo antes de subirlo a la carroza. ¿Qué vamos a hacer ahora, por ejemplo, con los relieves robados?

—A santo muerto, santo puesto —dijo el escultor—. Los vuelvo a hacer, y hasta más lindos.

—Lo felicito —dijo el doctor—. No es frecuente encontrar tanto entusiasmo en los artistas. Por lo general, dicen, se suicidan.

Ambos se sonrieron, mirándose fijo, ¿un reto?

—No soy de los que se suicidan, pero quién quita, un día de estos —repuso el maestro—. ¿A quién no le corresponde dudar, un día?

—Varios días, en mi caso, y sin ser artista —dijo el doctor. «Ojalá pudiera seguir charlando con este hombre en el futuro», pensaba, «se ríe y su cara dice lo contrario.» Y se despidió—: Envíeme cada trabajo a mi casa, estará más protegido.

¿Por qué decía eso?, se preguntó después, ¿cómo lo garantizaba?, ¿realmente podía considerarse *seguro* en su casa, con Primavera y el general Aipe rondándolo?, qué cosas decía, ¿para qué prometía a estas gentes el cielo?

Le dolía la cabeza, pero sacó ánimos de donde no los tenía y cruzó, desencantado, las calles de Pasto, revueltas de frío y de escombros de fiesta. Iba al taller del maestro Abril, en el distante caserío.

Allí, en mitad de los artesanos que trabajaban lanzándose bromas, en mitad de tinajas de chicha y canastas de puerco asado, de repisas cargadas de herramientas, en el estrépito de niños, ladrido de perros que se peleaban, gritos, chasquidos, choque de martillos, olor de barniz, en la hecatombe de nubes de polvo empezaba a levantarse la carroza de Bolívar.

El pago prometido era ya una fiesta anticipada.

Por un instante el doctor temió sobrecogido que nadie al final cumpliera, que una multitud de borrachos finalizara dormida alrededor de la carroza inacabada. Pero se alentó al constatar que el otrora Furibundo Pita era en toda su realidad el Libertador Simón Bolívar entronizado en el carromato, con su uniforme azul y rojo de pies a cabeza, oro y medallas, la corona en su sien. De las doce muchachas como ninfas que se proyectaban inmensas jalando del carromato, había tres de ellas perfectas hasta el detalle, las caras azules, la candidez riéndose a flor de labios, los delicados brazos enrojecidos por las correas de cuero, las espaldas arqueadas por el esfuerzo de tirar del carromato donde se apoltronaba Bolívar. Eran muchachas como de carne y hueso, vivas y felices bajo un vuelo de rosas de papel alrededor de los ondulados cabellos —las rosas que arrojaba el pueblo sobre ellas.

El maestro Abril y Martín Umbría, trepados en lo alto de una mole de material, dirigían la postura de una gran paloma de icopor que giraría en torno a la carroza, una paloma como de nieve con una mancha en el pecho como una gota de sangre con forma de corazón. Los dos maestros brindaban y conversaban a gritos con el doctor, sin dignarse bajar de la cima; lo apaciguaron: el robo no era tan grave como parecía, dijeron, pura casualidad.

—Aquí nadie ha hablado, hasta que usted ordene —dijo Umbría.

El doctor Proceso observaba a las mujeres, a los niños, probables portavoces temerarios de la carroza en ciernes. Quería que su carroza fuera pública, sin temor, en el desfile del 6 de enero, y después que se viniera encima el cielo: ya sabría qué hacer. Pero una encerrona anticipada, sin que la carroza viera la luz, lo descomponía.

Más desconfiada resultó Zulia Iscuandé, que se acercó a preguntar si el doctor ya había alegado con Furibundo Pita, respecto al pago. Ahí sí bajaron de su cumbre los maestros, y enmudecieron hasta los niños.

—Ustedes tendrán ese dinero —dijo el doctor Proceso—. Pueden trabajar sin riesgo. Si el borracho no paga la carroza la pagaré yo, de mil amores.

La respuesta sorprendió a los artesanos, pero también los tranquilizó: el doctor hablaba en serio: era, además, un doctor, tenía su finca, tenía dinero, tenía pacientes ricos que le pagaban.

Y, al igual que el día de Inocentes, lo repletaron de puerco asado, de queso y mazorcas y sobre todo de chicha, y otra vez lo despacharon al filo de las once de la noche, oliendo a laca y pegante, columpiándose en sí mismo, lo despidieron con el fragor de un viva general y brindaron: no parecían borrachos perdidos y, lo que era definitivo, la carroza seguía allí, creciendo delante de todos.

6

La noche del viernes 30 de diciembre el doctor Justo Pastor Proceso López se preocupó más, no se trataba de ninguna coincidencia, todo Pasto estaba al corriente: lo comprobó cuando llegaron las visitas a su casa, a las siete en punto: el catedrático Arcaín Chivo, o el Filántropo, famoso por su avaricia, el alcalde Matías Serrano, llamado el Manco de Pasto —sin que le faltara un brazo—, y monseñor Montúfar, obispo, más conocido como el Avispo, todos muy enterados de la carroza que se fraguaba.

—Se va usted a meter en un lío —lo previnieron, cada uno a su manera.

El doctor se desconcertó. Había pensado contar las cosas desde el principio, con los motivos bien apuntalados, para ganar un apoyo incondicional. Ahora sólo encontraba, en las poltronas de la sala, caras escépticas, de una apenada ironía.

—No demoran el gobernador Cántaro y el general Aipe en tomar medidas —argumentaba Matías Serrano—. No van a permitir que baile Simón Bolívar el baile que usted quiere, Justo Pastor, y que lo baile subido en una carroza de carnaval. En un libro sería distinto: nadie los lee; en una carroza pública eso tiene un nombre: irrespeto al padre de la patria, que es para esos animalitos peor que faltar en conjunto al escudo, la bandera y el himno nacional, tres personas distintas en un solo dios verdadero. Será deplorable. Tendrán toda la ley para pulverizar su carroza, encerrarlo a usted, si usted insiste, y darle unos palazos ejemplarizantes.

—Si es que no le machacan los dedos, como ocurrió con ese Vicente Azuero, que publicó en su periódico contra la dictadura de Bolívar. Lo buscó un coronel de apellido Bolívar, a lo mejor otro descendiente agradecido, y le destrozó los dedos con que escribió sus verdades. La amenaza era sencilla: quebrar los dedos de quienes escribieran contra Bolívar. Yo mismo he sufrido en carne propia experiencias parecidas, y puedo contarlas, si me lo piden.

Había hablado el catedrático Arcaín Chivo.

Fue el primero en llegar, sofocado en el frío: hizo su viaje a pie, para ahorrarse el taxi desde su casa, que quedaba al lado opuesto —detrás del Templo de Canchala, donde se venera al Señor de la Buena Muerte. De allí venía, transpirante, y se encontraba abierto de brazos cuando el doctor Proceso abrió la puerta. Eran las siete en punto de la noche.

—Mi queridísimo Justo Pastor —había empezado Chivo, todavía con sus brazos abiertos como un crucifijo, pero sin dar un paso al frente, sin decidirse todavía al abrazo, por lo que el doctor Proceso coligió que debía esperar al saludo verbal del catedrático, un saludo a lo mejor ya histrionizado con antelación—: Lo único redimidor de la vejez es que uno va envejeciendo al tiempo que los amigos —dijo, exultante.

Alto pero encorvado, tenía los ojos enrojecidos del bebedor que no perdona, el abundante pelo cano, el rostro enjuto y amarillo. Todavía aguantó unos segundos antes de terminar:

—A todos nos corresponde la misma tajada de tristeza que los años traen consigo, o la misma de fealdad, ¿sí o no, mi doctor Justo Pastor Proceso López, caracol ermitaño, sabio en soledad, otra de las sombras de Pasto?

—¿Debo decir gracias por la salutación? —preguntó el doctor, sin abrazar todavía al catedrático—. Sólo espero que su vejez compartida, con tristeza y fealdad a cuestas, sea un poco más feliz esta noche, en mi casa.

Y se abrazaron.

Palmeaban con gran fuerza sus espaldas sin dejar de examinarse: decían riendo que iban a desempolvarse de la muerte.

—Cada año nos acerca más a la muerte, es cierto, pero también nos acerca a Dios —les dijo de pronto una voz de solemnidad de iglesia. Era el Avispo, o el obispo de Pasto, que acostumbraba aparecerse como un alma, de sopetón. Ni el doctor ni el catedrático habían advertido el largo Ford negro estacionándose: el chofer abrió la portezuela, prometió esperar a su Eminencia sin moverse de su sitio, pero ni el doctor ni el catedrático lo oyeron, y tampoco percibieron al obispo —que por demás no llevaba distintivos jerárquicos, sólo un vestido negro y una diminuta cruz en la solapa, ¿había alcanzado a escucharlos, o habló de los años y la muerte por casualidad?, no se sabe: los tres tenían sus mañas y artimañas, eran amigos de infancia, habían estudiado la primaria en el mismo colegio de San Francisco Javier.

Y enseguida llegó el alcalde de Pasto, otro del mismo colegio, con más aparato que sus antecesores: lo custodiaba un policía en motocicleta. Descendió del carro oficial, divisó a los tres congregados y saludó a voz en cuello:

—Por Dios, hay proceso a Bolívar, hoy.

Con lo que el doctor Proceso entendió definitivamente que la carroza de Bolívar era de dominio público, o al menos de las autoridades.

—Que sea lo que Dios y el diablo quieran —se dijo en voz baja, pero no lo suficiente para que el obispo no escuchara:

—¿Cómo dice, Justo Pastor?

—Que entren a mi casa de una buena vez, señores. Pasto es frío.

7

Ya en la sala, cuando sólo habían intercambiado esas cuantas advertencias sobre la carroza de Bolívar, apareció, ante los doctos amigos invitados, apareció, porque tenías que aparecer —pensó contemplándola como por primera vez—, Primavera Pinzón, mi mujer, pensó, cuando menos te necesitaba, apareció como si nada en absoluto hubiese sucedido entre los dos (ningún bisturí, ninguna lengua de ningún general Aipe), apareció además como si con ellos no se encontrara el obispo de Pasto: apareció deslumbrándolos, el rubio cabello dividido en dos trenzas, las manos en las caderas, su odio y venganza muy ocultos —pensó el doctor—, apareció Primavera Pinzón vistiendo su disfraz para los carnavales de Pasto, y dijo:

—Me estoy probando mi disfraz de *ñapanga*, señores, lo estrenaré este seis de enero, ¿qué les parece?

Y dio una vuelta sobre sí misma.

«Como una llama» pensó Arcaín Chivo, recomponiéndose de la sorpresa. Fue el primero en aplaudir:

—Y Dios creó a la mujer —dijo—, lo único del mundo capaz de separar a dos hermanos.

—O a dos pueblos —acotó el alcalde Matías Serrano—, si cavilamos en la *Ilíada*.

El catedrático desconoció la acotación. Había dicho

lo que dijo después de tragar aire, y sin saber él mismo si venía al caso decirlo. Se sobrepuso:

—Hacía tiempos, Primavera, que no nos daba usted el placer de verla. Ese disfraz la enaltece, pero usted lo enaltece mucho más.

—Un disfraz que será controvertido —dijo el alcalde—: el vestido de la campesina nariñense, la ñapanga, va hasta algo mucho más debajo de las rodillas.

—Éste fue el año de la minifalda —recordó Primavera—. Por fin la minifalda se nos inventó, señores.

—Invento glorioso del hombre para el hombre —dijo Arcaín Chivo—. Regalo mirífico. —Y añadió, inclinando una breve reverencia de cabeza hacia el obispo—: Con el perdón de los presentes.

—No es necesario pedir perdón a ninguno de los presentes —pareció molestarse amablemente el obispo de Pasto—. La conversación merece interés. Sólo cabría preguntarse si la auténtica ñapanga, nuestra campesina, acogería este nuevo grito de la moda: la minifalda.

—Usurpadora de la paz de los hombres —añadió el catedrático velozmente.

—Yo creo que no —se respondió el obispo, ignorándolo—. Ya el Vaticano mostró su desacuerdo; sí, permítame, Arcaín: hoy día el desacuerdo del Papa no importa a nadie; usted es un vivo ejemplo de ello; pero se trata de una reflexión, la del Papa, que deberíamos considerar de vez en cuando, como cristianos.

—Ninguna ñapanga llevaría una falda así de corta —dijo el alcalde—. Usted se arriesga, Primavera: leí en el periódico que un hombre fue arrestado por morder en los muslos a una mujer con minifalda: alegó ante los jueces que ella lo había provocado.

114

—Una razón a medias —dijo Arcaín Chivo—. Provoca, pero no nos da derecho a exagerar con un mordisco.

—Así es —dijo el alcalde—. Antes deberíamos pedir permiso.

—A mí ni aunque me pidan permiso, señores —sonrió escurridiza Primavera—. Mis muslos no son carne de mordiscos de ninguno.

—No me lo puedo creer —resopló Chivo, y afrontó con traviesa mirada al doctor.

—Ahora que lo pienso —dijo éste, imperturbable, sin mirar a Primavera, pero mirándola—, no recuerdo haberte mordido en semejante lugar, tan lejano.

Se oyó la discreta risotada del alcalde y el catedrático. El obispo no participó.

—Enmendaré ese error —siguió imperturbable el doctor.

Primavera hizo un gesto caprichoso, que podía ser de lástima o desafío.

Primavera Pinzón, los brazos en jarra, irremediablemente bella, pensaba el doctor, amarillecida a la luz de la chimenea, de pronto enrojecida, esfinge de pie, una pierna ligeramente adelantada, enardecida por los hombres, intempestivamente escalofriada en mitad de los demás ojos, sin saber qué hacer o qué decir, te dejabas adorar vestida de ñapanga: la falda en bayeta de lana de colores, terminada por una cenefa de terciopelo; también terciopelo en los bordes del inmenso bolsillo; otra vez la falda, plegada desde la cintura, algo más breve que la enagua, de la que se podían ver sus filos tejidos en crochet; la blusa blanca, de raso brillante, transparentaba sus pechos medianos y empinados, voluntariamente mal encubiertos por un pañolón negro con flecos bordados; lucía en la cabeza un lazo de cintas y una peineta de carey rematando las trenzas; en la blancura del cuello casi sonaban los abalorios, las gargantillas, fulgía una cruz en filigrana de oro; tenía grandes candongas en las orejas; sus dos manos, nerviosas, jugaban con un sombrero de paño que no se resolvía a ponerse, y sus alpargatas de fique dejaban ver los minúsculos pies, cuyas plantas no había olvidado pintar de un rosado fuerte: era ese detalle el que contemplaba vigilante el catedrático Arcaín Chivo:

—Señora mía —dijo—, como buena ñapanga no olvidó pintarse los pies de rosado: a que no sabe por qué se los pintan de rosado las ñapangas.

Primavera lo miró un instante con sincera curiosidad. Meneaba la cabeza cuando dijo:

—Para que usted no nos muerda, señor.

El alcalde la celebró:

—Entonces sí sabía —dijo—: pintarse los pies de rosado es la contra para mordeduras de culebras y académicos. Es usted clarividente, Primavera.

Chivo se abrió de brazos.

—Me derrotaron —dijo.

Y se volvió a Primavera; no podía apartar los ojos de ella:

—Sin embargo —advirtió—, el uso de las alpargatas es incorrecto: *ñapanga,* mi bella señora, es una deformación del original *llapanga,* voz quechua que significa *descalza.*

—Vamos, Arcaín —siguió el alcalde—, no pretenderá que nuestra Primavera vaya descalza por las calles este 6 de enero.

—Claro que no —protestó artificiosamente Arcaín Chivo—. Sólo deseo...

Pero Primavera ya no le prestaba atención.

—Eminencia —decía, yendo hacia el obispo, y parecía verdaderamente asombrada, casi que escandalizada consigo misma, pero sólo por un segundo—, disculpe mi intromisión. No sabía que usted se hallaba entre los invitados de mi marido. Comprenderá esta alegría mía por los carnavales: por eso me ve con mi disfraz a cuestas —dijo señalándose a sí misma, de pies a cabeza.

—La comprendo, Primavera, la comprendo. No se preocupe —dijo el obispo, y se dejó besar el anillo por la mujer que irradiaba.

—Les he traído empanadas de pipián y anís del alma —siguió Primavera, otra vez dueña de sus palabras—. Genoveva, Conchita, ¿por qué se demoran?

Emergieron de entre la penumbra Genoveva Sinfín y la muchacha de servicio, ambas con grandes bandejas donde asomaban las pequeñísimas empanadas de pipián y una infinidad de copas de aguardiente.

—¿Los señores nos necesitan, o podemos irnos? —preguntó la Sinfín sin empacho, mientras disponía de mal humor las bandejas. El obispo se abochornó, compadecido.

—Mujeres, vayan en paz —dijo—. Nosotros nos haremos cargo.

La Sinfín y la muchacha lo reconocieron. Ambas se persignaron, parecía que iban a caer de rodillas:

—Reverendísimo padre, no lo distinguimos —dijo la Sinfín.

—Vayan en paz —repitió el obispo, bendiciéndolas.

Genoveva Sinfín y la muchacha no se hicieron de rogar. Desaparecieron como si huyeran.

—Volveré en dos minutos —dijo entonces Primavera—. Pero volveré sin este vestido de ñapanga, para no despertar suspicacias. Sólo quiero sentarme con ustedes, señores, y escucharlos.

Así abandonó Primavera la sala, como se va la fiesta, y todavía demoraron los invitados un largo minuto en recuperarse: nadie miraba a nadie, no había palabras: todos convergían en el rastro de aire perfumado que había dejado Primavera disfrazada.

—Se debe usted sentir orgulloso de una mujer semejante —dijo el catedrático—. Nos dejó helados, ¿quién la esperaba? Yo no la esperaba.

Y empezó a comer con fruición de las empanaditas que humeaban. Todos lo imitaron. Nadie bebió aguardiente.

El doctor Proceso no respondió de inmediato. A duras penas se sacudió.

—Sí —dijo consigo—. Cómo no sentirse orgulloso de una mujer imprevisible.

Matías Serrano lo sacó del apuro:

—Confiese que todo este asunto del vestido de ñapanga se propone traer la historia del departamento de Nariño, su carroza de Bolívar, ¿no es cierto?, admito que nos tiene en ascuas, tal vez nos apresuramos en fustigarlo sin escuchar sus razones.

—Así es —resopló el doctor—. Sólo ha sido el comienzo.

—Fastuoso comienzo —lo escarmentó el catedrático—. Digno de usted, Justo Pastor.

—No sé si esperar a que venga Primavera —dijo el doctor.

—Entonces, ¿de verdad va a venir? —se asombró Chivo.

—Ella me debe escuchar —repuso el doctor. Y la llamó—: ¿Te esperamos, Primavera?

Hubo un silencio.

—Voy —se oyó transparente su voz, y de inmediato la vieron llegar, ya no en su disfraz de ñapanga —sólo se dejó puestas las alpargatas de fique— sino en un cómodo vestido de casa —suéter de lana, falda estampada que llegaba hasta más abajo de las rodillas—, llegó como si caminara en punta de pies, volcando encima de todos su esplendor cotidiano, que era todavía más espléndido sentándose en el sofá, dejándose caer en los cojines como una gran flor abriéndose y cerrándose, provocando una oleada de viento de ella misma, desde lo más recóndito de sus huesos, nada menos que a la vera del obispo de Pasto —que se removió perturbado, como si la temiera.

8

—Cuéntales, doctor Jumento —dijo Primavera, y buscó los ojos del doctor sólo un instante, porque después sólo miró al aire—, cuéntales de tu carroza de este enero: darás que hablar mucho más que mi disfraz de ñapanga. Hubo un silencio que nadie quiso —porque no podía— interrumpir: ¿dijo *doctor Jumento* Primavera?, ¿oímos bien? El doctor Proceso hizo caso omiso del epíteto. Su voz se oyó más que natural: indiferente.

—Ése es el misterio —dijo—: cómo se enteraron ustedes de la carroza, si sólo hasta ayer empezaron los artesanos a trabajar en ella. A qué atribuirlo, ¿a la ciudad donde vivo?, pueblo pequeño, infierno grande, en Pasto las paredes oyen. Pero no voy a pasar revista preguntando cómo se enteraron. Quiero dar que hablar con la carroza, ojalá mucho más que la minifalda de ñapanga de mi esposa, quiero mostrar nuestra memoria a retazos, en una carroza de carnaval.

Y describió como pudo, sacando fuerzas de donde no las tenía, el carromato en que iba el mal llamado Libertador, la corona de emperador en la cabeza, las doce niñas como ninfas encorvadas, y alrededor los relieves del Cangrejito, Bolívar huye como si lo pisara el diablo, las esculturas, los modelados, las mascarillas, la historia del sur a pedazos.

Después de sus palabras un silencio peor que una pared se levantó en medio de todos. No pudieron hacer otra cosa que brindar —con un sigilo bochornoso.

—Escucho —dijo el doctor a sus amigos—. Para eso hablé.

Nadie contestó.

—Propongan sus temas decisivos, señores, los de mostrar en la carroza.

Siguió el silencio, pero la petición no dejó de sugestionar a los invitados: los ojos se inquietaban.

—Qué piensan —los aleccionó el doctor, abriéndose de brazos.

—Otro asunto tenebroso —dijo Arcaín Chivo.

Se oyó la voz meditativa del obispo:

—En ninguna ciudad del país, Justo Pastor, en ningún pueblo, en ninguna aldea, van a permitir que haga eso a Bolívar.

—En Pasto sí —dijo el doctor.

—Puede que sí —dijo Matías Serrano—. Puede que en Pasto sí, si los pastusos se acordaran. Pero ya nadie recuerda en Pasto, Justo Pastor. Los han incorporado eficazmente a la buena historia de Colombia, con toda su retahíla de héroes y ángeles.

—No crea —dijo el doctor. Y contó de Zulia Iscuandé y las palabras de su abuelo: «Ese Bolívar fue un gran hijueputa». Al repetir la frase no pudo menos que disculparse en dirección al obispo, igual que Arcaín Chivo en su momento—: Con el perdón de los presentes.

—Dejemos de pedir perdón a los presentes —dijo el obispo.

—Sí —dijo el catedrático—. Que hable el pueblo como habla.

—Insisto —prosiguió el alcalde—: ¿qué juzgará el gobernador de la carroza?, ¿qué decidirá? Es pastuso, pero, igual que muchos, el primero en desconocer quién fue Agualongo, quién fue realmente nuestro héroe Agustín Agualongo, y no habrá leído a Sañudo, no piensa, rebuzna: es increíble la cantidad de porquería que un ser humano puede almacenar por dentro, y no en las tripas sino en la cabeza. Decomisará la carroza como se decomisa un revólver en una fiesta: devolverá el revólver cuando termine la fiesta, si lo devuelve; y así hará con su carroza, la devolverá después de los carnavales, si antes no la destruye con todas y las buenas intenciones de los artesanos. No los ponga a trabajar en balde, Justo Pastor. No sea ingenuo.

—¿Ingenuo? —preguntó a nadie el doctor Proceso, menospreciando la palabra con el acento, y se incorporó y fue hasta un gran mueble de pino, a un costado de la chimenea que crepitaba. Presidía ese mueble la acuarela al natural de Primavera Pinzón, y el doctor se afanaba, encorvado sobre los compartimientos y cajones: allí guardaba parte de sus investigaciones sobre la vida de Bolívar. Tantos años al acecho de fechas y datos y situaciones, sin decidirse nunca a organizarlos —pensó, aturdido de sí mismo: sufría la presencia de los gastados cuadernos de tapa verde como un caos acusador.

En uno de los cajones empezó a buscar mientras hablaba.

—Sañudo —se resolvió—, años después de publicados sus *Estudios,* reconoció que hacía falta escribir sobre

122

otros aspectos de Bolívar, ya no los públicos sino los privados. Decía que los privados servían para conocer los públicos, que la vida de familia es como un trasunto de la pública: el prócer siempre es el mismo, con iguales pasiones, en la sociedad familiar que en la del Estado.

Aquí el doctor Proceso carraspeó y lanzó una inquieta mirada en derredor: Primavera parecía reír invisiblemente de sus palabras.

El doctor la ignoró:

—Alguien escribió que la historia tiene que ser con los grandes lo que es Dios con todos —dijo—: imparcial y verídica; el que quiera que se respete su vida privada que se reduzca a vivir como particular, pero los que se ponen muy en alto son muy vistos y sus vicios enseñan a los más pequeños a cometerlos. ¿Cuánto enseñó Bolívar a toda la caterva de políticos que en la historia de Colombia le sucedieron? Primero a pensar sólo en sí mismos: el poder. Después a pensar sólo en sí mismos: el poder, y luego otra vez el poder y así sucesivamente hasta el infinito. Nunca a pensar en las auténticas necesidades del pueblo.

—Buena verdad —dijo el alcalde.

Se oyó al fin la risa fugaz de Primavera. El doctor siguió, incólume:

—Si Sañudo en sus *Estudios* había resuelto la parte política y militar del mal llamado Libertador, no tocó en ningún momento otras íntimas facetas, y lo hizo por puro decoro. No eran esas facetas las que le interesaban. Pero la polémica que sus *Estudios* desataron en los rincones «cultos» del país, lo tentó para asumir la otra cara de Bolívar, la otra dimensión, la humana. Y, sin embargo, no emprendió jamás la obra a que se refirió.

—Sañudo no la escribió —dijo el catedrático—, pero

sí ironizaba en ocasiones: dijo que sobre la formación de Bolívar muy poco podría decir, porque a Bolívar lo mandaron a estudiar a la península cuando tenía diecisiete años y aún no sabía siquiera ortografía; que sólo estuvo un año en el colegio de España, pues optó por casarse con su prima y viajar y divertirse a lo dandy criollo por los países de Europa.

El catedrático rió, celebrando su propio comentario: nadie lo acompañó.

El alcalde intervino. Retomaba también a Sañudo:

—Bolívar contó que se benefició de muchos maestros, ¿eso prueba su aprendizaje? De joven tuvo a don Andrés Bello, sin experiencia y poco mayor que él, y después a don Simón Rodríguez, hombre fatuo y extravagante, cuyo verdadero apellido era Carreño, que se quitó por disgusto con un hermano; Rodríguez venía de Europa, donde se había empapado de las ideas de los enciclopedistas franceses, y hacía gala de su indiferencia religiosa hasta el extremo de poner a sus hijos nombres de legumbres.

—¿Es cierto eso? —no pudo dejar de sorprenderse Primavera, y lanzó otra risotada, breve, limpia, de auténtico estupor—. Me hubiese gustado conocer a un hombre como ése, padre de alcachofas y remolachas, ¿qué tal que a mí me llamaran zanahoria?

«Con ese pelo suyo, de zanahoria dorada» pensó el catedrático, extasiado, y brindó y obligó a brindar a los concurrentes:

—Por Primavera —dijo—, por su presencia, que salva la noche.

El alcalde Matías Serrano brindó sin entusiasmo, y de inmediato volvió a retomar a Sañudo:

—El general Sucre —dijo—, en una de sus cartas a Bolívar, contaba que Simón Rodríguez (nombrado Director de Estudios por Bolívar) hacía muchos disparates, y tenía trastornada la instrucción en los colegios de Cochabamba, donde había gastado en tonterías 10.000 o 12.000 pesos en seis meses. «Le he pedido —escribió Sucre a Bolívar— que me traiga por escrito el sistema que quiere adoptar, y en ocho meses no me lo ha podido presentar. Sólo en sus conversaciones dice una cosa y mañana otra.»

—Ése fue el tutor de Bolívar —dijo el doctor—, Simón Rodríguez, que procuró aplicar al pequeño Simón las teorías del *Emilio* de Rousseau, que consistieron en no enseñar nada a su discípulo, para que éste quedase en estado *natural* y aprendiese por su propia cuenta lo que pudiese; con lo que la primera instrucción de Bolívar debió ser enteramente nula.

—Sañudo —terció el obispo, que casi no había hablado, impaciente, como si quisiera zanjar de una vez el asunto— advirtió en definitiva que se hizo de Bolívar un mito, de modo que el concepto vulgar que de él se tiene no corresponde a la realidad. Pero, ¿y eso qué, Justo Pastor? El pueblo necesita de su héroe, ¿a razón de qué derribar ahora a Bolívar?

—Verdad, ¿para qué cargarse a Bolívar? —transigió el catedrático, por congraciarse con el obispo.

—Cargarse, qué palabra fea —se contrarió el obispo. Quería seguir hablando, pero la sola sonrisa del catedrático lo disuadía.

—Aquí nadie trata de cargarse a nadie —repuso el doctor—. Y qué vil injusticia con Sañudo: todavía veo su sombra pasar por las calles de Pasto, sola siempre, ¿y cómo no?, nada menos que en 1925 se atrevió a lo peor en este país, decir la verdad. Es la memoria de la verdad, que pugna por imponerse tarde o temprano. Corrigiendo el error histórico, denunciándolo, se corrige la ausencia de memoria, una de las principales causas de este presente social y político fundado en mentiras y asesinatos. No es un capricho, Arcaín; es nuestro deber poner los puntos sobre las íes, si no queremos pecar de vegetales. Usted me sorprende, usted y yo hemos hablado de esto. Usted más que nadie comparte lo que digo.

—Por supuesto —repuso ofendido el catedrático—. Y además yo hablo por experiencia propia. Recuerden qué sucedió conmigo en la universidad. Lo recordaré en voz alta si me lo piden, ¿me permiten recordarlo?

—Ahora que hablamos de la verdad —dijo Matías Serrano, desdeñando la experiencia propia del catedrático—, quiero exponerles algo de lo que sí estoy seguro, después de trajinarlo durante años: Simón Bolívar, el ampuloso autor de las proclamas y delirios, no pudo escribir la carta de Jamaica, la famosa.

—¿Y si no la escribió Bolívar, quién la escribió? —preguntó por preguntar Primavera.

Todos los ojos volvieron sobre ella. Primavera se extasió de sí misma: descubrió que le gustaba su voz. Recordaba esa carta famosa, leída y releída hasta el fastidio en su colegio: Madres Franciscanas, padre Muñoz, clase de historia.

—Algún pequeño sabio —dijo el catedrático, feliz otra vez de intercambiar razonamientos con la única mujer de la velada—. ¿Un extranjero desprendido? —se preguntó—, ¿un idealista amigo de Bolívar? Es posible; en todo caso la carta de Jamaica no es de otro mundo, por favor. Pero convengo: nadie sabe quién la escribió.

—Algún pequeño «filántropo» de la época —repuso Primavera.

Chivo la escuchaba embelesado, como pidiendo clemencia.

—Oro y poder no faltaron a Bolívar —dijo el alcalde— para procurarse buenos oficios. Tuvo incontables amanuenses, desde los más informados hasta los más brutos. De verdad, cuesta creer en su autoría; la carta de Jamaica no es nada grande, cierto, pero es un juicioso análisis; y no es el estilo de Bolívar, si pensamos en sus demás escritos, los de antes y después de ese *Delirio sobre el Chimborazo*, incluidos *Manifiesto de Cartagena, Discurso de Angostura* y *Mensaje sobre la Constitución de Bolivia*.

También ese *Delirio* era otro escrito de Bolívar, recordó Primavera, casi un poema que ella y dos condiscípulas recitaron de niñas, un 20 de julio, día del grito de la independencia: «Yo venía envuelto en el manto de Iris... un delirio febril embargaba mi mente, me sentía como encendido por un fuego extraño y superior. Era el Dios de Colombia que me poseía...».

—¿Y si escribió la carta de Jamaica, qué? —se decidió el doctor Proceso—. Lo que escribe con la mano lo borra con los pies. ¿Qué tal hablar de libertades cuando planeaba coronarse Monarca de los Andes? Alentaba los progresos de la república, pero tras bambalinas derrumbaba lo que en público construía; intrigaba, enredaba, disimulaba, para que otra vez los de su corte hicieran eco de su propósito real, la dictadura, que promulgaban como si a él jamás se le hubiese pasado por la cabeza. Ocurrió incontables ocasiones. Sólo en eso se ocupaba, mientras demoraba las prioridades vitales de la nueva república: la educación, la industria, que constituyen la independencia real de un país —no la independencia de un amo que se reemplaza por otro. Ah, el guerrero: alargó la guerra a su albedrío. Años. El caos lo fascinaba. Los más ingenuos dicen ahora que pretendió la monarquía porque la encontraba necesaria para combatir las brutalidades y veleidades de los políticos de su época: nada menos cierto: él mismo encabezaba veleidades y brutalidades, él mismo era el prototipo. Si había que matar por un capricho, por un capricho se mataba. El sueño de la Gran Colombia era el sueño de sí mismo, de su poder. Delegaba la autoridad y la riqueza pública en militarotes burdos y en pensadores zafios, en los zalameros que no inquietaban su ambición, los mismos que a su ocaso hicieron la desgracia de Colombia, imitándolo como pequeños espejos donde la suerte los llamó. En la carne viva de la Gran Colombia (sueño bello si se mira como un niño, pero sueño de nosotros, los millones de nosotros, no de Bolívar), en la carne joven de la Gran Colombia sus adláteres hendieron sus latrocinios: *Si lo hizo él lo hago yo*. A todos esos pérfidos los representa, explícito, uno de los más desagradables adulones, Vidaurre, personaje del Perú, plenipotenciario de Bolívar para la conferencia americana de Panamá, que se ponía a cuatro patas en las reuniones para que Bolívar montara en él: y Bolívar lo montaba: Bolívar dio el desastroso ejemplo que se convertiría con el tiempo en cultura política colombiana.

El doctor Proceso indagaba mientras tanto en los cajones del mueble, ¿qué perseguía?, ¿un libro, una carta, un documento? No encontraba lo que buscaba, y esa circunstancia no sólo parecía agobiarlo a él sino a sus oyentes.

—Pues bien, señores —decía—, yo tengo material humano que puede dilucidar algunos carices ocultos de Bolívar, de los repudiados por los historiadores. Justamente los he llamado *Búsquedas Humanas*. Quisiera compartir con ustedes dos de los testimonios más importantes, dos cintas, dos grabaciones.

Y sacó de un cajón una grabadora blanca, que puso al lado de las bandejas, lo que animó a los invitados para comer empanaditas y beber más aguardiente.

—*Belencito Jojoa, Polina Agrado* —dijo el doctor—. ¿Les sugieren algo estos nombres?

—Conocí a Polina Agrado, que en paz descanse —dijo el obispo de Pasto—. Recta señora. Que Dios la tenga en su gloria.

—Y a Belencito Jojoa, lo distinguimos, cómo no —añadió el catedrático Chivo—. Dicen que está muy enfermo.

—Dos abuelitos de Pasto —suspiró con fuerza Matías Serrano—. Cómo no recordarlos. Y conocemos sus historias, además.

—Pero no de viva voz —repuso el doctor.

Seguía abriendo y cerrando cajones y por primera vez trasparentaba su disgusto. No hallaba lo que buscaba. Abrió y esculcó por fin el último cajón, que creía definitivo, pero tampoco encontró nada. Su voz tembló, ¿balbuceaba?, ¿hablaba consigo?, reanudó la búsqueda en los cajones ya revisados: por lo visto, si había encontrado la grabadora no encontraba las cintas.

—¿Por cuál de las dos cintas empezaremos? —preguntó el alcalde—. ¿Doña Polina, o Belencito?

—Primero que las encuentre Justo Pastor —repuso implacable el catedrático—. ¿No podríamos mientras tanto repasar mi propia experiencia bolivariana, en la universidad?

—Paciencia, Justo Pastor —dijo el obispo, sin atender la petición del catedrático—. Pudo usted guardar las cintas en otro mueble.

—Cuando aparezcan las cintas, empezaremos por la que usted elija, señora —dijo el catedrático—. ¿Polina o Belencito?

Esperó la respuesta anhelante: no lograba apartar los ojos de Primavera, arrellanada junto al obispo, las piernas cruzadas: una de sus sandalias, a medio caer, enseñaba los delicados dedos del pie, minúsculos y rosados; arriba, la cara nacarada se desvanecía detrás del humo de un cigarrillo:

—Que lo diga el azar —respondió—. Que mi marido elija cerrando los ojos. —Y se sonrió con hastío.

—Es muy simple —dijo el doctor volviéndose a Primavera—: No encuentro las cintas.

Ella sostuvo la mirada sin quebranto:

—¿Estás seguro?

El doctor devolvió la grabadora a su cajón. Cerró los demás cajones, uno por uno, sin prisa; volvió a su poltrona y se sentó resoplando, sin una palabra: Polina Agrado ya había muerto, pensó, Belencito Jojoa no abandonaba la cama; pronto moriría: imposible recuperar esas voces. Tenía transcritas en el papel las grabaciones, pero el papel no era igual a las voces, al registro sonoro de los sufrimientos, sus auténticos desgarramientos, sus amarguras y burlas, sus idas y vueltas a través del recuerdo.

En el desconcierto lo oyeron carraspear.

—Ya las encontraré —dijo—. En todo caso las tengo en mis cuadernos.

Pero le dolió percibir, ¿estaba seguro de percibirla?, una sonrisa cruel en la boca roja de Primavera. Es muy posible, pensó. Y también muy posible que tampoco existieran las transcripciones al papel, que las hubiesen desaparecido, ¿sería realmente posible? se preguntaba y volvía a preguntar, pasmado. No creía que Primavera abrigara devoción alguna por Simón Bolívar, nada más irreal; era contra él, contra sus noches de trabajo, su exaltación, era sólo contra él con quien chocaba Primavera.

Pero, ¿y el general Lorenzo Aipe?, se preguntó sobresaltado.

Recordó el robo sufrido por el escultor Arbeláez. Recordó que ese jueves 29 de diciembre estuvo fuera de la casa hasta la medianoche, primero con el Cangrejito, después con los maestros Abril y Umbría, y que esa noche no durmió con Primavera: encontró cerrada la puerta de la habitación: debió recurrir al diván de su consultorio, el mismo donde había «operado» al general Aipe. En ese diván siguió durmiendo la mañana del viernes 30, y allí mismo almorzó a solas, pues Primavera y las niñas desaparecieron sin despedirse, y allí atendió en la tarde a una mujer ya madura, con un embarazo delicado, y también allí se acostó a releer los poemas de Aurelio Arturo, que tenían el poder de sosegarlo —mientras llegaban sus invitados.

Sintió pánico.

¿Era posible que le hubiesen robado las grabaciones, sus documentos?

Y como pudo se recuperó. No mostraba un ápice de sobrecogimiento cuando dijo:

—También tengo las conversaciones en mi memoria, de pies a cabeza, con todo y las caras. Si ustedes quieren se las cuento.

Y, sin embargo, para su sorpresa, ya los invitados empezaban a incorporarse y se despedían, ¿nadie quería escuchar?

—Otro día será —decía el obispo.

Se iban, aparentemente escandalizados. Se iban.

¿Por qué?

Ninguno de los convidados podía suponer lo que en ese instante padecía el doctor Proceso, siguiéndolos.

—¿Qué sucede? —lo oyeron.

Los testimonios de Polina Agrado y Belencito Jojoa totalizaban lo más preciado de su investigación, ¿cómo no lo atendían? Eso se preguntaba siguiéndolos hasta la puerta de su casa. Por último los atajó:

—No voy a permitir que se vayan, señores.

Atrás quedaba su mujer, que no se había levantado de su sitial en la sala.

En realidad era ella la única causante de la estampida: sin quererlo, o queriéndolo, se había acomodado durante un instante inverosímil los pechos por debajo de su suéter, y lo hizo de tal manera que un nítido pecho pareció alumbrar por un segundo a la audiencia, empezando por el obispo, que fue el primero en incorporarse, encandilado, como quien ve el infierno y huye de sólo verlo, y después los otros invitados, que también se deslumbraron pero acompañaron en su fuga al obispo —como una obligación moral—, contrariando sus íntimos deseos de quedarse y descubrir si fue el gesto natural de una mujer que por descuido se acomoda los pechos debajo de su suéter en público, o un gesto candente, de fascinante frivolidad, pero un gesto voluntario, que hacía mofa no sólo de su marido sino de todos los hombres del mundo, incluido el obispo de Pasto.

9

Como todos en Pasto, el doctor Proceso sabía que Belencito Jojoa, antiguo habitante del San José Obrero, era poseedor de un recuerdo de Bolívar —un recuerdo que le concernía en el alma porque venía de familia.

El doctor conocía el recuerdo, todo Pasto lo conocía, pero necesitaba oírlo de labios del mismo Belencito Jojoa: durante meses intentó una entrevista y por fin Belencito lo recibió, sentado en la cama de cedro que él mismo construyó —era carpintero—, una cama grande y todavía más grande para Belencito, enjuto y amarillo y arrugado como un pergamino, una cama de donde no se levantaba hacía tres años, dijo, por enfermedad, sin precisar de qué enfermedad se trataba, y cuando el doctor preguntó que cuál enfermedad, por si puedo ayudar, le respondió que la peor, señor, el aburrimiento:

—El infierno es el aburrimiento, señor.

Lanzó un eructo y, como para enmendar la falta, se santiguó:

—Me aburro mientras me muero, ¿no le parece tétrico? Alguien debería distraerme, una mujer, que hay muchas por allí sueltas en el mundo, pero no me dejan buscar ni una, ni siquiera llamarla con un grito por la ventana.

Contó que su tercera esposa no dormía con él:

—Es sólo una ayuda, una ayuda que duerme al otro lado.

Y luego, mientras arrojaba —a pesar de su ensimismamiento— una gran ventosidad:

—Ése es el dilema. Si además de ayudarme durmiera conmigo como hace años, otro gallo cantaría: uno puede estar muy viejo, pero todavía quiere hacer cosquillas, o que se las hagan a uno.

Y empezó a reír, horriblemente desdentado:

—Antes, cuánto me ayudaba, ella. Con decirle que tuvimos 6 hijos, que sumados a los 11 y a los 10 de mis otras dos mujeres vienen a ser 27, de los que he enterrado 7, y tengo 46 nietos y ¿cuántos bisnietos?, ya no sé, ni me importa, ¿por qué averiguarlo?, ¿qué tal que me pusiera a resucitar las mujeres que tuve y desaparecieron tan pronto como aparecieron?, sería un siglo de hijos, señor, pero eso sí: mis mujeres quisieron dormir conmigo, no las obligué, mujeres enteras, no niñas sin destetar, nunca me abrazaron a la fuerza, pero ¿quién es usted?, usted debería traerme una canequita de aguardiente para su próxima visita, señor.

Cerró los ojos y se quedó dormido, ¿fingía?

En su segunda visita el doctor llevó con él, escondida, la canequita de aguardiente que Belencito Jojoa recomendó. El doctor, ante la cama, sentado en una fría silla de madera, esperó a que tres o cinco niños, hoscos y famélicos, casi melancólicos, los abandonaran; eran nietos de Belencito y parecían más viejos que su abuelo; sólo cuando salieron extendió la botella.

—Gracias —se asombró Belencito—. ¿Pedí esto en un sueño? Debió ser.

Bebía tembloroso: gran parte del trago se regaba por su pecho a las cobijas.

—Su mujer se va a dar cuenta —dijo el doctor—. Esto olerá a aguardiente, ¿qué tal que se nos muera, don Belencito?

—No hay hombre, por más viejo que sea, que no crea poder vivir otro día: eso me lo dijeron aquí, en Pasto, mucho antes de que lo dijera el que lo dijo. Haré el esfuerzo de no morir y contarle a usted lo que usted quiera. Usted ha sido un amigo al traerme este elíxir de vida, sangre de Dios: si pasé de los 80 y me acerco a los 90 fue gracias a esto, mi secreto para aguantar la estupidez de los hombres, el dolor de una muela y la mujer que nos dejó de amar de buenas a primeras, sin advertir.

Y bebió otro largo trago, mitad para él, mitad para las cobijas.

—Ya sabe a qué he venido, don Belencito, ya sabe qué quiero que me cuente. La semana pasada usted no pudo porque se quedó dormido y porque además llegó a despertarlo la enfermera. Me di buena cuenta, ¿cómo no?, parece que soy médico: por lo visto usted no sólo sufre de aburrimiento, don Belencito, ¿para qué le repito de qué sufre?, soy un médico al revés: pienso que lo peor es andar repitiéndoselo a los pacientes. Pero no olvide, por favor, lo que pido que me cuente.

—Yo me acuerdo, yo me acuerdo, y para eso debió traerme otra canequita, que ésta no da un brinco, la pobrecita. Fúmese un cigarrillo, y me lo pasa de vez en cuando.

—No tengo cigarrillos, no fumo.

—Yo sí. Dentro de ese zapato negro, allí detrás de la

136

puerta, encuentra cigarrillos. Saque uno, préndalo con la vela del Cristo, y deme de fumar cuando yo le pique el ojo, ¿me entiende?

El doctor Proceso hizo lo que le indicaron. Era un zapato de por lo menos cincuenta años, repleto de cigarrillos sin filtro, endurecidos como el zapato, casi fosilizados. Y no acababa de encender el cigarrillo cuando entró la tercera mujer de Belencito Jojoa, doña Benigna Villota, gorda y vivaracha a sus setenta años:

—¿Ese cigarrillo es para usted, doctor?, no le dé de fumar, que se nos muere, ¿no dizque usted es doctor?, usted verá.

¿Había espiado la conversación? Sea lo que sea los dejó, después de abrir de par en par la ventana del cuarto en penumbras, una ventana estrecha, que daba al antejardín de la casa: se oían cantar los pájaros en la calle. Desde niño el doctor sabía de esa casa esquinera, de un solo piso y un oscuro huerto copioso de capulíes, que tenía fama de albergar gritos de fantasmas. La fama decía también que eran gritos de Belencito borracho; en cualquier caso, pensó, hacía tiempos que los gritos no se oían.

Eran las seis, anochecía.

Le pasó el cigarrillo a Belencito, que guiñaba afanoso un ojo brillante: fumaba con fuerza, dos, tres, seis veces. El doctor temió que se asfixiara, por lo que se sentó al borde de la cama y alargó sus brazos como si ya el anciano empezara a caer y sólo él, con un movimiento providencial, pudiera salvarlo. Nada ocurrió: Belencito devolvió el cigarrillo, y él se agachó a apagarlo en el piso: debajo de la cama reposaba una guitarra todavía amarilla y con todas sus cuerdas. Al fin Belencito acabó el aguardiente. El último sorbo fue estruendoso.

—¿Quién es usted? —dijo enseguida—, ¿qué hace sentado en mi cama?

Y se durmió otra vez, profundo.

—Un Belencito aprovechado —intervino Matías Serrano, sirviéndose otro aguardiente.

Pues estaban de nuevo sentados en la sala, con Primavera. Ella misma fue hasta la puerta para acabar de convencerlos de que regresaran. Incluso, mientras rogaba a los señores, repitió el ademán de acomodarse los senos por debajo del suéter, y lo hizo de manera tan fugaz que pareció corroborar que su gesto anterior había sido de lo más inocente, ¿y lo era realmente?, se preguntaba el catedrático, agradeciendo al cielo que el obispo aceptara volver al sofá, y enseguida el alcalde, «Faltaría esta barbaridad», pensaba, «que te abandonáramos criatura deliciosa, turbulenta Primavera, qué rostro, qué teta como una nube, ay belleza insoslayable». No oía la charla de Proceso, no lograba atender: lo imposibilitaba cada movimiento, postura, impostura, beneplácito, aspaviento y lejanía de Primavera Pinzón obnubilándolo. «Es —pensó— como si oyera que ella y sólo ella me canta *La Guaneña*.»

Primavera Pinzón, por el contrario, sí atendía la charla, con fervor. Enrojecida en el humo de los cigarros, mojada del calor de las miradas de los hombres, sabía —sentía— que no sólo el catedrático indagaba veloz en su cara, su cuello, los erectos pezones detrás de su suéter, las redondas rodillas cruzadas una sobre otra, sino que todos los ojos, hasta los obispales, se prosternaban sufriendo a su centro, su oráculo, en el ardor de los aguardientes.

Y, sin embargo, Primavera Pinzón sólo se maravillaba de la conversación de su marido, a quien desconocía —y lo desconocía simplemente porque la seducía. La seducía oírlo rememorar los detalles de sus visitas a Belencito Jojoa, sobre todo *esa* tercera visita, cuando desde antes de saludar el doctor había advertido solemne que sólo entregaría aguardiente y cigarrillos a medida que don Belencito recordara lo que tenía que recordar.

—Es usted un vivo —había dicho Belencito—. Pero tiene razón. Si bebo y si fumo me olvido de usted, me duermo. Son los mejores sueños cuando uno se duerme después de beber, cuando uno se larga a soñar allí mismo, despuecito, uno es un barco que sueltan, y uno sueña de lo más raro, pero es lindo, pruébelo, se acordará de mí.

—Acuérdese de Simón Bolívar, lo que tanto ha contado al mundo —dijo el doctor.

—¿Al mundo? Si yo no recuerdo habérselo contado al mundo, carajo. Lo que pasa es que en Pasto todo el mundo sabe todo, pero ¿contárselo yo al mundo?

—Bueno, casi.

—¿Entonces para qué se lo cuento otra vez? Si usted ya sabe.

—Quiero oírlo de usted mismo, don Belencito, y después volveré a visitarlo, sin compromiso. Hablaremos de lo que sea. Le pondré sin falta su aguardiente, prenderé su cigarrillo, y, si de verdad quiere, traeré a escondidas la mujer que no lo dejan llamar por la ventana, de verdad, don Belencito.

—¿De verdad?

—De verdad.

El doctor Proceso se apresuró a reconocer ante su público que nunca cumplió con su promesa.

—Terrible falta, error imperdonable —dijo sorpresiva Primavera.

—Que ya me ocuparé de remediar un día de estos —aseguró de inmediato el doctor—. Con el perdón de los presentes.

El obispo no replicó esta vez.

Esa tarde de lluvia, Belencito Jojoa, aguijoneado por la promesa, ignorando el aparato de grabación que farfullaba encima del nochero, preguntó al aire, al vacío, al rumor de la oscura lluvia entre los árboles, preguntó como si pidiera disculpas, y sin que el doctor entendiera por qué esa pregunta:

—¿Para qué molestarlos?

Y se apropió de la botella y bebió:

—Cualquiera que sea de Pasto podría contar la desgracia de Chepita del Carmen, antepasada de mi familia, cuando pasó por aquí Bolívar —dijo, y bebió—. Usted camine por sobre los pelos del departamento de Nariño, camíneselo a pie, si puede, si tiene fuerzas para romper montañas: en todas partes hay escrito un «por aquí pasó Bolívar», «aquí durmió Bolívar», «aquí se despertó», «aquí dio un paso», «aquí retrocedió», «aquí volvió a retroceder», «aquí siguió retrocediendo». Si hay una piedra donde dice «*Aquí lloró Bolívar*» tiene que existir cualquier lugar que nos recuerde aquí se tendió, aquí se levantó, aquí dijo, aquí calló, aquí cagó, aquí se orinó pero del susto, aquí fue y aquí no fue, qué carajo ese vergajo, en casa de los míos también pudieron poner aquí robó Simón Bolívar a Chepita del Carmen Santacruz, y aquí la devolvió, preñada.

Bebió más.

—Ese putas resultó vencedor, ¿cierto?, le tocó duro, parece, pero venció; entró a Pasto, donde la familia de este que usted ve, carpintero muy humilde, era entonces de lo más pudiente, gente que leía más que usted, señor, que es doctor, un doctor avispado de esos que ayudan a que la gente viva más, se nota muy bien que le interesa mi asunto, no todos los médicos son al revés, como usted dice que es, y dan aguardiente a sus pacientes, cigarrillos y mujer, ¿cierto?, por eso usted merece, por parecerse al diablo, que le cuente, ¿por qué no trae mejor una botella en lugar de una canequita?, ah, pero usted me va a acercar una mujer, ¿sí?, después de los ochenta años la única mujer bella que podríamos tener será una puta, hágala pasar por enfermera, sólo así la dejarán, y diga que tendremos que encerrarnos los tres, médico, enfermera y futuro cadáver, y cierre con doble tranca la puerta y cierre la ventana y júreme por todos sus muertos que también cerrará los ojos.

—Un asunto triste —intervino Matías Serrano—, la gente, aquí, no se ve muy enterada. Eso que nos cuenta Belencito debió ocurrir con la primera entrada de Bolívar a Pasto, en 1822, y no entró precisamente por vencer, como cree Belencito: hubo una capitulación, forzada desde lejos por Sucre, que acababa de ganar la batalla de Pichincha, a un paso de la provincia de los Pastos, y los pastusos, que no tenían pertrechos, que carecían de armas y munición, se vieron obligados a firmar la capitulación que permitió el ingreso del envanecido Bolívar, el mismo al que ya habían humillado en Bomboná, y ¿quién lo humilló?, un ejército menor en número, un ejército no sólo de hombres sino de niños y mujeres armados de palos: las Milicias de Pasto estaban formadas sobre todo por montañeses: Bolívar retrocedió «con la más dolorosa repugnancia y casi humillado», según sus propias palabras.

Matías Serrano bebió, solo.

—Semejante ignorancia, la de Belencito, es triste y parte el alma —siguió—, ¿pero cómo, si no hay en el país una sola escuela donde no se repita que Bolívar fue ombligo de Dios en Bomboná?, ¿ombligo de Dios no sólo en las batallas donde estuvo y malbarató las cosas sino también en las batallas grandes donde nunca estuvo? En esa atroz equivocación se empezó a construir el edificio de nuestras naciones: vale más la mentira que la verdad, más el artilugio, la puñalada trapera: el fin justifica los crímenes. «Los pueblos», decía Simón Bolívar a Perú de Lacroix, «quieren más a los que más males les hacen; todo consiste en el modo de hacerlo. El jesuitismo, la hipocresía, la mala fe, el arte del engaño y de la mentira que se llaman vicios en la sociedad, son cualidades en política, y el mejor diplomático, el mejor hombre de Estado, es aquel que mejor sabe ocultarlos y hacer uso de ellos.» Así, concluye Sañudo, daba Bolívar a conocer sus propias ideas sobre la moralidad pública. Pero, ¿por qué no nos recuerdan ustedes, Arcaín, Justo Pastor, esa batalla de Bomboná que *ganó* Bolívar y le permitió entrar a Pasto? Ustedes, más que nadie, podrían ayudarnos a recordar lo que desde hace ciento cuarenta y cuatro años olvidamos, pueblo sin memoria.

—¿Por qué no deja usted hablar a Belencito Jojoa,

por favor, señor alcalde? —dijo entonces Primavera, irritada, y renovó con eso la sorpresa de los invitados.

—Hablará Belencito —dijo el doctor—, y hablaremos todos, hablaremos. No se afanen.

—¿Por qué no me permiten primero recordar mi experiencia en la universidad? Sería la antesala —insistió vehemente el catedrático—, y además una advertencia para usted, Justo Pastor. Todas estas ocurrencias de la carroza de Bolívar me obligan a refrescarle la memoria.

Había adivinado el floreciente interés de Primavera por la charla, y quería imponerse ahora, por encima del doctor y Belencito. Y ya nadie pudo contrariarlo, así de empecinado fue su ruego, pero la mujer encendió otro cigarrillo, con irrefutable desazón:

—Iré un momento a la cocina —dijo, y los abandonó.

Parecía feliz de entristecerlos a todos.

Segunda parte

1

El mismo Arcaín Chivo tildaba de catastrófica su primera asignatura en la universidad, a comienzos de los 60, cuando una cuantiosa firma de estudiantes lo obligó a renunciar. Al menos esa cátedra, *Historia de Colombia,* había servido para que ahondara su amistad con el doctor Proceso en torno al ominoso personaje que convivía con ellos, el mal llamado Libertador, como decían, y le había servido sobre todo para escarmentar. Recordaba la catástrofe con visible horror y fastidio. Su moraleja, decía, era la de no meterse a bucear con los alumnos en los mares oscuros de la independencia porque no sólo su carrera sino su propia vida correrían peligro.

Así, de la cátedra de historia pasaría a la de filosofía, y sólo allí se perpetuaría en sosiego, sin que importara a nadie su existencia. Pero, ¿qué ocurrió con la cátedra de historia?, se preguntaba: no tenía una respuesta, o tenía una multitud.

Todo empezó cuando los estudiantes se quejaron al rector del peculiar estilo con que Chivo dictaba de tanto en tanto sus clases: se extendía de costado sobre el amplio escritorio, la cabeza apoyada en una mano, la cara vuelta al alumnado, como alguien que habla con pereza desde la cama, y, según los derroteros de su charla, se recogía todavía mucho más, hundida la cabeza en el pecho, guardando silencio sepulcral, completamente inmóvil, y alzaba de pronto la rojiza cara risueña y preguntaba a sus alumnos si su postura no les recordaba al joven pensamiento en estado fetal, hacía y decía semejante pendejada (protestaban sus alumnos) sin que nadie se explicara por qué ni para qué, ¿un reproche, una provocación?, y luego saltaba del escritorio y proseguía su clase como si nada en absoluto hubiese ocurrido.

Pero no era por eso, únicamente, por lo que los más enardecidos se deshicieron de él: para empezar, llamaba a Carlos Marx *san Carlos Marx*. Decía que lo decía a sabiendas de encontrarse «cercado» de marxistas. No tenía nada en contra de san Marx, explicaba, por el contrario: san Carlos era el asidero de su interpretación del trabajo y las siempre injustas relaciones entre los hombres —que es lo mismo que la vida, decía—, pero a continuación discrepaba nuevamente de Marx y del uso de su doctrina por parte de sistemas totalitarios, y volvía a llamarlo *san,* como una elemental ironía que sin embargo indignaba a los potenciales marxistas que lo acechaban, ¿por qué tampoco ellos soportaron un sarcasmo?, se preguntaba a ese respecto el doctor Proceso, al enterarse.

La intolerancia se desbordó cuando Arcaín Chivo —a quien punzaban sus alumnos regalándole cada mañana una burla escrita con tiza en el tablero: *más loco que un chivo*— empezó a repasar un texto de Carlos Marx sobre Simón Bolívar:

—Se trata de un estudio que encargaron a san Marx los juiciosos señores de la *Nueva Enciclopedia Americana*. Su estudio padece de algunos desaciertos e imprecisiones que no son graves y no mellan el contexto. Confiere por ejemplo decisiva participación en la independencia a la legión extranjera, sobre todo a la inglesa; pero ya Sañudo explicará mejor cuál fue la participación de las «legiones extranjeras», la mayoría de las veces mercenarios que venían sólo en busca de oro, al modo español de la conquista, y servían al mejor postor: cambiaban de ejército según el viento. Es que los historiadores no coinciden jamás en los detalles, muchachos. Imposible pretender semejante coincidencia. Coinciden, es de esperar, en la esencia de los hechos, si son historiadores veraces. En el caso que nos ocupa, san Carlos Marx y José Rafael Sañudo concuerdan muy bien en la semblanza que hacen de este peculiar prócer, san Simón Bolívar. Convergen en la inocultable verdad, tan disimulada por historiadores de épocas distintas. ¿Cuál verdad? Que Bolívar es una mentira, nada más. Y ¿por qué? Ése es el asunto a resolver, mis jóvenes. Por ese motivo la *Nueva Enciclopedia Americana* recomendó el estudio. San Carlos debió pensar mucho y documentarse mucho más en nuestro héroe, ¿y cómo no?, se trataba de san Carlos Marx, señores. No iba a escribir por escribir. Tuvo entre sus fuentes los testimonios de oficiales europeos que lucharon al lado de Bolívar. San Carlos se pulió, sin duda; era concienzudo en lo que hacía. Y no importa que lo hiciera con el fin de lograr unos denarios que le permitieran comer, porque también ese gran santo, que debía pasar hambre (tanto tiempo improductivo, quiero decir sentado escribiendo pero sin arrojar una mínima ganancia en metálico), tuvo que desperdiciar su tiempo de filósofo y sociólogo en la velada figura de un dictador de los Andes, gracias a una enciclopedia americana, la que mejor pagaba el pensamiento de la época, supongo.

Dictador de los Andes: se removieron los alumnos; una marea de voces inconformes recorrió por un instante el salón.

El opúsculo se hallaba incluido en una selección de Escritos Breves de Carlos Marx, en inglés, pero ya el catedrático lo había traducido y mecanografiado «con todo cariño» como él mismo diría defendiéndose «para mis iluminados alumnos», y explicaría que por entonces no lo inquietó que ninguno de sus «iluminados» le pidiera una copia.

—Vamos a leer, muchachos —les había dicho—: vamos a leer por turnos: es mi precaución para que todos lean: mi voz es más bonita que la tuya. Aprecien una síntesis drástica, amena por lo contundente, no se asusten de las poquísimas páginas que se avecinan, no se van a descoyuntar leyéndolas.

Y empezó a leer, y seguiría leyendo solo, pues en franca rebelión ninguno de sus alumnos aceptó sustituirlo en la lectura donde Marx revela a Bolívar desde su nacimiento en Caracas en 1783 hasta su muerte en Santa Marta, 47 años después.

Con su voz de actor neófito Arcaín Chivo hacía sonoro hincapié en determinados episodios, y ofrecía de vez en cuando los pliegos, con amplio ademán, a sus escuchas, pero ninguno aceptó subir a la tarima.

—Señor Rodolfo Puelles, lea usted.

—No leo, profesor.

—Señor Zarama, a leer.

—Tampoco leo, profesor.

—Señor Ortiz.

—No gracias, profesor.

—Señor Trujillo.

—Tampoco yo, profesor.

—Señorita Antonia Noria, pase a leer.

—¿Yo?

—Enrique Quiroz.

—Lea usted, profesor. Su voz es más bonita que la mía.

Chivo prosiguió, imponiéndose a la chanza. Y, sin embargo, la ausencia de fervor o por lo menos de una básica atención de los alumnos influía en él; no trastabillaba en la lectura, pero sí omitió unas páginas y redujo al máximo sus comentarios. Sentía como si se encontrara leyendo para una congregación de piedras.

Leyó que Bolívar, que pertenecía a la nobleza criolla de Venezuela, visitó Europa, asistiendo en 1804 a la coronación de Napoleón como emperador y a su investidura de la Corona de Hierro de Lombardía en 1805. Que en 1809 regresó a su país y se negó a participar en la revolución que estalló en Caracas el 19 de abril de 1810, pero ya producido el levantamiento aceptó una misión en Londres con el objeto de comprar armas y gestionar la protección del gobierno británico. No obtuvo otra cosa que la autorización para exportar armas pagándolas al contado y cargadas con fuertes derechos.

Leyó que la traición a Miranda valió a Bolívar el especial favor del español Monteverde, al extremo de que cuando solicitó su pasaporte, Monteverde manifestó que «la solicitud del coronel Bolívar debe satisfacerse como recompensa al servicio prestado al rey de España al entregar a Miranda».

Leyó, páginas después, que sólo gracias a las victorias de otros generales patriotas Bolívar se proclamó «Dictador y Libertador de las Provincias Occidentales de Venezuela». Que estableció la orden del «Libertador», creó un cuerpo de tropas escogidas bajo la denominación de «Guardias de Corps», y se rodeó de una especie de corte. Pero que (como la mayoría de sus coterráneos) era incapaz de cualquier esfuerzo prolongado, y su dictadura no tardó en convertirse en una anarquía militar, dentro de la cual los asuntos más importantes estaban en manos de favoritos que esquilmaban la hacienda pública y luego recurrían a medios odiosos para restaurarla.

—Igual ocurre hoy —dijo Chivo—. Idéntico.

Ninguno de los alumnos contestó. Algunos se retiraban.

El catedrático Arcaín Chivo puso especial énfasis en los sucesos del 8 de agosto de 1814, cuando Bolívar, asustado de la cercanía del español Boves, que ya había derrotado a los insurrectos en Anguita, en lugar de enfrentarlo abandonó secretamente a sus tropas para dirigirse apresuradamente y por caminos desviados hacia Cumaná, donde ignoró las airadas protestas del general Ribas y se embarcó en el *Bianchi,* junto con algunos oficiales.

«Si Ribas, Páez y otros generales hubieran seguido al dictador en su fuga, todo se habría perdido.

»Tratado como desertor por el general Arismendi a su arribo a Juan Griego, en la isla Margarita, se hizo nuevamente a la mar rumbo a Carúpano, de donde, habiendo encontrado análogo recibimiento de parte del coronel Bermúdez, puso proa a Cartagena. Allí, a fin de atenuar su fuga, publicó una *Memoria* de Justificación, redactada con ampulosa fraseología.

»Llegado a Tunja el 22 de noviembre de 1814, fue designado por el Congreso comandante en jefe de las fuerzas federales, recibiendo la doble misión de obligar al presidente de la República de Cundinamarca a reconocer la autoridad del Congreso, y de marchar luego sobre Santa Marta, único puerto de mar fortificado que los españoles aún conservaban en Nueva Granada. El primer encargo no fue difícil de cumplir, ya que Bogotá, capital de la provincia desafecta, era una ciudad indefensa. A pesar de la capitulación de Bogotá, Bolívar permitió que sus soldados la saquearan durante 48 horas.

»En Santa Marta el general español Montalvo, no disponiendo sino de una débil guarnición —inferior a 200 hombres— y de una fortaleza en pésimo estado de defensa, tenía ya apalabrado un buque francés, a fin de asegurar su propia fuga. Los vecinos de la ciudad enviaron un mensaje a Bolívar comunicándole que tan pronto apareciera ante la ciudad abrirían sus puertas y expulsarían a la guarnición. Pero Bolívar, en lugar de marchar contra los españoles de Santa Marta como se lo había ordenado el Congreso, se dejó llevar por su rencor a Castillo, comandante de Cartagena, y tomó sobre sí la responsabilidad de conducir sus tropas contra esa ciudad, que formaba parte de la Unión Federal. Rechazado, acampó en la Popa, colina situada a tiro de fusil de Cartagena, y colocó un pequeño cañón por toda batería contra una plaza que disponía aproximadamente de 80 cañones. Posteriormente convirtió el sitio en un bloqueo que se prolongó hasta los primeros días de mayo sin otro resultado que el de reducir sus efectivos, por enfermedades o deserciones, *de 2.400 hombres a unos 700.* Entretanto una gran expedición española, procedente de Cádiz y a las órdenes del general Morillo, llegaba a la isla Margarita el 25 de marzo de 1815, reforzaba considerablemente la guarnición de Santa Marta y se adueñaba poco después de la propia Cartagena.»

Pero fue más adelante —al leer sobre otra de las conductas de Bolívar— que el catedrático Chivo ocasionó la irritación de sus escuchas: leyó que Bolívar, mientras avanzaba en dirección a Valencia, con 800 hombres, se encontró no lejos de Ocumare con el general español Morales, al frente de una tropa de unos 200 soldados y 100 milicianos. Al ver que las primeras escaramuzas con la tropa de Morales habían dispersado su vanguardia, Bolívar, según un testigo presencial, «perdió toda presencia de ánimo y sin pronunciar palabra volvió grupas rápidamente, escapó a toda carrera hacia Ocumare, atravesó el pueblo al galope, llegó hasta la bahía próxima, bajó del caballo, saltó a una lancha y se embarcó a bordo del *Diana* y ordenó a la escuadra que lo siguiera a la isla de Bonaire, dejando a todos sus compañeros sin ninguna posibilidad de ayuda».

—Eso se lo creerá tu madre —oyó que mascullaba una voz anónima en el salón.

De cualquier manera había logrado llamar la atención, pensó Chivo.

—¿Oí algo? —preguntó, apartando los ojos del legajo—. ¿Alguien quiere decir algo? Todavía es posible hablar como los hombres civilizados.

Levantó la mano Enrique Quiroz:

—Usted sólo reafirma con su lectura lo que el mismo Simón Bolívar temió al final de sus días. Dijo que aró en el viento y sembró en el mar.

—Me parece que dijo que aró en el mar. Es posible que haya dicho además que sembró en el viento, nadie lo sabe.

—Y Bolívar señaló —siguió sin perturbarse el estudiante Quiroz—, con toda razón, al final de su vida, que había tres grandes locos en la humanidad: Jesucristo, el Quijote, y él.

—No dijo locos. Dijo *insignes majaderos*. Se lo dijo al doctor Reverend: «¿No sospecha usted, doctor, quiénes han sido los tres más insignes majaderos del mundo?». El doctor respondió que no, y Bolívar le dijo al oído: «Los tres más insignes majaderos hemos sido Jesucristo, don Quijote, y yo».

—Locos o majaderos, para el tema que nos ocupa es lo mismo.

—Pues no. No es lo mismo un loco que un majadero.

—Fueron las palabras de un vidente.

—Exacto —repuso el catedrático—: un vidente: es cierto que aró en el mar, pues no se salió con la suya, su sueño acariciado desde el principio de su vida política, esa presidencia vitalicia, dictadura o monarquía o lo que ustedes prefieran, el poder absoluto sobre las nuevas repúblicas: aró en el mar. Era tan caótica su influencia en los destinos de las naciones que ya nadie quería saber de él, y se le exigió abandonar a Colombia. Ahora bien, que se haya comparado con Jesucristo y con el Quijote es sólo otra prueba de su inmensurable vanidad. Con Jesucristo, está por demás explicarlo. Con don Quijote se pueden comparar hasta los enamorados, pero ¿Bolívar? Pobre don Quijote.

—Murió en la pobreza absoluta, ¿cuál vanidad? —insistió Enrique Quiroz. Pálido, erguido en su pupitre, ni un solo músculo de su cara se movía.

El catedrático Chivo se aproximó a él:

—Todo se ha hecho legendario en la vida de Bolívar —dijo—: de eso nos advierte Sañudo. Se llegó a asegurar que murió en la miseria, hasta el extremo que para enterrarle hubo que pedirse una camisa al cacique de Mamatoco, leyenda pueril: ¿no se le ocurrió a su inventor que los asistentes al funeral, si Bolívar no tenía camisa, tenían alguna para no necesitar la extravagante de un cacique semisalvaje? Según el inventario que cinco días después de su muerte hicieron su sobrino Fernando Bolívar y su mayordomo José Palacio, dejaba grandes riquezas. No sólo docenas de camisas de lino, sino 677 onzas de oro, acuñadas; tres vajillas: una de oro macizo, de 95 piezas; otra de platino, de 38, y la tercera de plata a martillo, con 200 piezas, amén de 16 baúles con ropa de uso personal y otros objetos; otro baúl de medallas de oro y plata, otro de joyas con piedras preciosas y espadas de plata y oro, donde destacaba la que le regaló la municipalidad de Lima el día de su santo, de oro macizo, adornada con 1.433 brillantes, un riquísimo vestido y un magnífico tahalí. Todo ese regalo, según Ricardo Palma, costó 12.879 pesos y 5 reales. Como detalle curioso, tenía cerca de 20 manteles. En el inventario aparecen condecoraciones de piedras preciosas, 35 medallas de oro, 471 de plata, y 95 cuchillos y tenedores de oro: poseía sus propios cubiertos para su uso exclusivo; no compartía la comida con sus soldados; de hecho, rechazaba la carne, que era el plato por excelencia de la tropa, y gustaba sobre todo de las ensaladas que él mismo se preparaba según las recetas aprendidas de las señoras de Francia. Se gastaba en perfumes 10.000 pesos de la época, y no le duraban mucho, así de enfermiza era su afición a envolverse con ellos mañana y tarde: no se quitaba jamás el perfumado pañuelo de la nariz. Una guardia de corps lo rodeaba, protegiéndolo del mundo. No tenía necesidad de dinero contante y sonante porque podía disponer a su antojo del erario, y gastaba semanalmente cientos de pesos de la época, además de la pensión vitalicia de 30.000 pesos anuales que se le entregaron ya cerca de su partida de Bogotá a Santa Marta, es decir ya cerca de su muerte «en la más absoluta miseria», como rezan tantos y tontos historiadores.

Chivo volvió a la tarima.

La deserción de los alumnos fue mayor.

Sin despegar los ojos de los pliegos, el catedrático Chivo les dijo: «Escucho su galope, señores. Galopen a leer a Sañudo y corroboren el inventario. Estoy seguro que me olvidé de algo».

Con todo y tan pocos escuchas reanudó la lectura. Su rostro y su voz parecían inmutables; en realidad se sentía apesadumbrado, no sólo de sus alumnos sino de él, de su probable incapacidad de convocar al diálogo y provocar la atención. Una súbita modorra lo embargó: hubiese querido encontrarse en su casa, durmiendo en compañía de su gato.

Pero siguió.

«Los reproches y exhortaciones de Brion indujeron a Bolívar a unirse nuevamente a los otros jefes en la costa de Cumaná; pero como fue recibido con acritud y amenazado por Piar con hacerlo juzgar por un tribunal militar, por traidor y cobarde, volvió rápidamente a partir a Cayos. Después de una labor de meses, Brion consiguió persuadir a la mayoría de los jefes —que sentían necesidad de un centro, aunque sólo nominal— para que volvieran a llamar a Bolívar y lo nombraran General en Jefe con la expresa condición de convocar el Congreso y no intervenir en la administración civil. El 31 de diciembre de 1816 Bolívar llegó a Barcelona con las armas, municiones y pertrechos suministrados por Pétion. El 2 de enero de 1817 se le unió Arismendi; y el 4 del mismo mes Bolívar proclamó la ley marcial y asumió en su persona todos los poderes; pero apenas cinco días más tarde, habiendo caído Arismendi en una emboscada tendida por los españoles, el dictador huyó a Barcelona.

»Las tropas se concentraron en esa población, y Brion remitió allí fusiles y refuerzos, con los cuales pudo Bolívar disponer de un nuevo ejército de 1.100 hombres. Sin embargo, el 15 de abril Barcelona fue tomada por los españoles, y las fuerzas patriotas tuvieron que hacerse fuertes en la Casa de la Misericordia, edificio aislado de la población, en torno al cual, por orden de Bolívar, se cavaron trincheras, protección absolutamente inapta para defender de un ataque serio a una guarnición de 1.000 hombres.

»Bolívar abandonó el puesto la noche del 5 de abril, informando al coronel Freites, en quien delegó el mando, que iba en busca de más fuerzas y que pronto volvería. Confiado en esa promesa, Freites rechazó un ofrecimiento de capitulación y después del asalto fue asesinado, junto con toda la guarnición, por los españoles.»

A medida que avanzaba en su lectura hubo más deserciones por parte del alumnado.

Chivo, que de vez en cuando levantaba los ojos y contemplaba unos segundos los jóvenes rostros contemplándolo, descubría que varios temían delatar interés por lo que oían, como si cometieran una falta, pero ¿qué, o quién, o quiénes provocaban ese temor?

Leyó que la conquista de la Guayana por Piar había cambiado a favor de los patriotas la situación, puesto que ese solo territorio suministraba más recursos que todas las provincias de Venezuela juntas.

«Piar, que ya había amenazado a Bolívar con hacerlo juzgar por una Corte Marcial, como desertor, no ahorraba sarcasmos acerca del *Napoleón de las retiradas,* y Bolívar forjó rápidamente un plan para librarse de él. Bajo la acusación de conspirar contra los blancos, participar en un complot contra la vida de Bolívar y aspirar al poder supremo, Piar fue conducido a un Consejo de Guerra, declarado culpable y fusilado el 16 de octubre de 1817. Justamente por la conquista de la Guayana lograda por Piar, todo el mundo esperó que la nueva campaña anunciada por Bolívar en su más reciente proclama tendría por resultado la expulsión definitiva de los españoles. El primer boletín de Bolívar, al referirse a algunas partidas españolas que se retiraban de Calabozo, las presentaba como *ejércitos que huyen ante nuestras tropas victoriosas.*

»Para hacer frente a unos 4.000 españoles, cuya concentración ordenada por Morillo todavía no se había hecho efectiva, Bolívar disponía de más de 9.000 hombres perfectamente armados y equipados y provistos de todo lo necesario para la guerra. A pesar de ello, a fines de mayo de 1818 llevaba perdidas doce batallas y todas las provincias al norte del Orinoco. Debido a la forma en que dispersaba sus fuerzas, éstas, aunque superiores, eran siempre parcialmente derrotadas.

»Dejando la dirección de la guerra a Páez y otros subordinados, Bolívar se instaló en Angostura. Las defecciones se sucedían unas a otras y todo parecía encaminarse a un fracaso completo. En este momento crítico, una nueva combinación de sucesos afortunados cambió el aspecto de las cosas. En Angostura, Bolívar encontró a Santander, nativo de Nueva Granada, quien le pidió elementos para hacer una incursión en ese territorio, cuya población estaba lista para un levantamiento general contra los españoles.

»Bolívar satisfizo en cierta medida las demandas de Santander, y al mismo tiempo comenzaron a llegar de Inglaterra auxilios en hombres, barcos y municiones, y oficiales ingleses, franceses, alemanes y polacos empezaron a afluir a Angostura. Por último, el doctor Germán Roscio, tristemente impresionado por la declinante fortuna de la revolución sudamericana, adoptó una actitud resuelta, se impuso moralmente a Bolívar y le indujo a reunir, el 15 de febrero de 1819, un Congreso Nacional, demostrándose que ese solo nombre tenía fuerzas suficientes para crear un ejército de 14.000 hombres, con lo que Bolívar se encontró en condiciones de volver a la ofensiva.

»Los oficiales extranjeros le sugirieron el plan de hacer un amago de ataque contra Caracas para liberar a Venezuela e inducir a Morillo a concentrar sus fuerzas en Venezuela desguarneciendo a Nueva Granada: entonces

Bolívar se volvería súbitamente hacia el Oeste y, en unión con las guerrillas de Santander, marcharía sobre Bogotá. Ejecutando ese plan, Bolívar salió de Angostura el 24 de febrero de 1819, después de nombrar a Zea presidente del Congreso y vicepresidente de la República durante su ausencia. Por las maniobras de Páez, los generales españoles Morillo y Latorre fueron derrotados en Achaguas y hubieran quedado deshechos si Bolívar hubiese unido sus tropas a las del mismo Páez y Mariño. No procedió así.

»De cualquier modo, las victorias de Páez trajeron como resultado la ocupación de la provincia de Barinas, con lo que Bolívar tenía abierto el camino a Nueva Granada. Todo reparado por Santander, las tropas extranjeras decidieron el destino de Nueva Granada en las sucesivas victorias ganadas el 1 y 23 de julio, y el 7 de agosto en la provincia de Tunja.

»El 12 de agosto Bolívar entró triunfal en Bogotá, mientras los españoles, contra quienes se habían sublevado todas las provincias de Nueva Granada, se encerraban en la ciudad fortificada de Mompox.

»Dejando reglamentado el funcionamiento del Congreso de Nueva Granada y al general Santander como comandante en jefe, Bolívar marchó hacia Pamplona en donde gastó más de dos meses en bailes y fiestas.

»El 3 de noviembre llegó a Montecal, Venezuela, punto que había indicado a los jefes patriotas para que se unieran a sus tropas. Con un tesoro de casi dos millones de pesos, suministrado por la población de Nueva Granada por medio de contribuciones forzosas, y con una fuerza disponible de 9.000 hombres —la tercera parte de los cuales eran ingleses, irlandeses, hannoverianos y otros extranjeros bien disciplinados— Bolívar debía hacer frente a un enemigo desprovisto de toda clase de recursos y reducido a una fuerza nominal de 4.500 hombres, dos tercios de los cuales eran nativos y no podían por lo tanto inspirar confianza a los españoles.

»Al retirarse el español Morillo de San Fernando de Apure, Bolívar le siguió hasta Calabozo, de manera que ambos estados mayores se encontraban a sólo dos días de marcha uno sobre otro. Si Bolívar hubiese avanzado resueltamente, la fuerza europea de su ejército habría bastado para aniquilar a los españoles; pero prefirió prolongar la guerra *cinco años más*.»

Aquí los alumnos que quedaban dieron otro respingo de insatisfacción. Y fue peor más tarde cuando oyeron:

«No obstante disponer de fuerzas muy superiores, Bolívar se ingenió para no hacer nada durante la campaña de 1820.

»El 17 de diciembre, Morillo, que ansiaba desempeñar una función en España, se embarcó en Puerto Cabello, delegando el mando supremo en Miguel de La Torre; el 10 de marzo de 1821 Bolívar notificó por carta a de La Torre que las hostilidades recomenzarían (había negociado antes un armisticio). Los españoles tenían una fuerte posición en Carabobo, población situada aproximadamente a mitad de camino entre San Carlos y Valencia; pero de La Torre, en vez de concentrar allí la totalidad de sus fuerzas, reunió sólo su primera división compuesta por unos 2.500 infantes y 1.500 jinetes, mientras que Bolívar disponía de 6.000 infantes —entre ellos 1.100 hombres de la legión Inglesa— y 3.000 llaneros a caballo bajo las órdenes de Páez. Sin embargo, la posición del enemigo pareció tan formidable a Bolívar que propuso a su Consejo de Guerra negociar un nuevo armisticio, idea que rechazaron indignados sus subalternos.

»A la cabeza de una columna formada principalmente por la legión Británica, Páez, siguiendo un atajo, efectuó un movimiento destinado a envolver el ala derecha del enemigo. Ante el éxito de esa maniobra, de La Torre fue el primero de los españoles en huir a la carrera, no parando hasta llegar a Puerto Cabello, donde se encerró con el resto de sus tropas. Puerto Cabello se hubiese rendido también si el ejército victorioso hubiera avanzado rápidamente, pero Bolívar perdió el tiempo en exhibirse en Valencia y Caracas.

»El 21 de septiembre de 1821 la fortaleza de Cartagena se rindió a Santander. Los últimos hechos de armas en Venezuela, la acción naval de Maracaibo en agosto de 1823 y la rendición de Puerto Cabello en julio de 1824, fueron obra de Padilla. La sublevación de la isla de León había inclinado de manera ostensible la balanza a favor de los colombianos. El Congreso colombiano reunido en Cúcuta inició sus sesiones en enero de 1821; el 30 de agosto publicó una nueva Constitución y cuando Bolívar "intentó" renunciar una vez más, renovó sus poderes. Habiendo firmado la nueva Constitución, Bolívar fue autorizado para emprender (1822) la campaña de Quito.

»Durante las campañas de 1823 y 1824 contra los españoles, Bolívar no conservó siquiera las apariencias de la jefatura y, dejando al general Sucre todas las tareas militares, se dedicó a hacer entradas triunfales, a publicar manifiestos y promulgar constituciones.

»Por medio de su guardia de corps colombiana, manejó los votos del Congreso de Lima que el 10 de febrero de 1823 le transfirió la dictadura mientras se aseguraba la reelección como presidente de Colombia con un nuevo "intento" de renuncia. Su posición se había fortalecido en el ínterin con el reconocimiento del nuevo estado por parte de Inglaterra y con la conquista del Alto Perú por Sucre, que hizo de ese territorio una república independiente con el nombre de Bolivia.

»En ese país, donde imperaban las bayonetas de Sucre, Bolívar dio rienda suelta a su propensión al poder arbitrario, instituyendo el "Código Boliviano", imitación del "Código Napoleón". Su plan era trasplantar ese código de Bolivia al Perú y de allí a Colombia, manteniendo en sujeción a los dos primeros países por medio de las tropas colombianas y a Colombia por medio de la Legión Extranjera y de los soldados peruanos. Valiéndose de la fuerza combinada con la intriga, logró imponer al menos por algunas semanas su código al Perú. *Presidente y Libertador de Colombia, Protector y Dictador del Perú, Padrino de Bolivia,* Bolívar había llegado a la cúspide.

»Habiendo el Congreso, a instigación de Bolívar, propuesto el enjuiciamiento de Páez, vicepresidente de Venezuela, este último se sublevó abiertamente contra el Congreso, apoyado e impulsado secretamente por el propio Bolívar que precisaba insurrecciones a fin de tener un pretexto para abolir la Constitución y reasumir la dictadura.

»A su regreso del Perú trajo junto con su guardia de corps a 1.800 soldados peruanos, aparentemente para luchar contra los federales rebeldes. Sin embargo, al encontrarse con Páez en Puerto Cabello no sólo le confirmó en el mando de Venezuela y publicó una proclama de amnistía a los rebeldes, sino que se puso abiertamente de su parte y persiguió a los defensores de la Constitución, asumiendo los poderes dictatoriales por un decreto dado en Bogotá el 23 de noviembre de 1826.

»En el año 1827, a partir del cual empieza la declinación de su poder, logró reunir un Congreso en Panamá, con el aparente objeto de instituir un nuevo código democrático internacional. Lo que en realidad se proponía era hacer de toda América del Sur una república federal de la que él sería dictador.

»Una tentativa de asesinarlo en su propio dormitorio, de la que pudo escapar saltando por la ventana, permaneciendo agazapado toda la noche bajo un puente, le permitió introducir y mantener por algún tiempo una especie de terrorismo militar. Sin embargo se guardó de tocar a Santander a pesar de que había participado en el complot, y en cambio condenó a muerte al general Padilla, cuya culpabilidad no se probó en modo alguno, pero que como era hombre de color no podía hacer una seria resistencia.

»En 1829 las violencias facciosas conturbaban a la república. Bolívar, en un nuevo manifiesto a sus conciudadanos, les invitó a declarar francamente sus deseos en cuanto a las modificaciones a introducir en la Constitución. Una asamblea de notables reunida en Caracas le contestó denunciando públicamente su ambición, poniendo al desnudo las deficiencias de sus gestiones administrativas y proclamando la separación de Venezuela, a cuya cabeza colocaron al general Páez. El Senado de Colombia sostuvo a Bolívar, pero en diferentes puntos del país estallaron nuevas insurrecciones.

»Después de dimitir por quinta vez en enero de 1830, Bolívar aceptó de nuevo la presidencia y salió de Bogotá para hacer la guerra a Páez en nombre del Congreso. A fines de marzo de 1830 avanzó al frente de 8.000 hombres a la provincia de Maracaibo, donde le esperaba Páez al frente de 12.000 hombres. Tan pronto como Bolívar se enteró de que Páez pensaba combatir seriamente se debilitó su valor. Por un momento pensó incluso en someterse a Páez, rebelándose contra el Congreso, pero, desaparecida la influencia de sus partidarios en el Congreso, se vio obligado a presentar su renuncia, sabiendo que esta vez tendría que atenerse a ella y que se le aseguraría una pensión anual *con la condición de que se marchase al extranjero*. Envió su dimisión al Congreso el 27 de abril de 1830. Pero, con la esperanza de recuperar el poder —ya que se había iniciado un movimiento de reacción contra Joaquín Mosquera, el nuevo presidente de Colombia—, Bolívar se retiró de Bogotá muy lentamente, consiguiendo, con distintos pretextos, prolongar su permanencia en Santa Marta, hasta el 17 de diciembre de 1830, fecha en que dejó de existir repentinamente».

Éstos fueron sólo algunos de los hechos y deshechos o venturas y desventuras del Libertador Simón Bolívar, que Carlos Marx incluyó en su estudio y que el catedrático Arcaín Chivo comentó sin esperanzas a sus alumnos. Así describieron Carlos Marx y José Rafael Sañudo, cada uno a su manera, al Libertador Simón Bolívar, basados en testimonios y documentos irrefutables. Lo que no impediría que muchos años después la pluma pluscuamperfecta del taumaturgo hechicero escribiera que el general Bolívar «siempre tuvo a la muerte como un riesgo profesional sin remedio. Había hecho todas sus guerras en la línea de peligro, sin sufrir ni un rasguño, y se movía en medio del fuego contrario con una serenidad tan insensata que hasta sus oficiales se conformaron con la explicación fácil de que se creía invulnerable. Andaba sin escolta, y comía y bebía sin ningún cuidado de lo que le ofrecían donde fuera. (...) su desinterés no era inconsciencia ni fatalismo, sino la certidumbre melancólica de que había de morir en su cama, pobre y desnudo, y sin el consuelo de la gratitud pública».

2

De manera que no sólo Carlos Marx, según los alumnos, sino el Libertador Simón Bolívar resultaban vilmen-
te apaleados en clase del loco.

Según Chivo, a los alumnos más exacerbados —los
que más deberían aplicar un juicioso análisis— jamás se
les ocurrió comprobar la veracidad del opúsculo. Se acogían sólo a sus propias razones. Y no se equivocaba: los
alumnos concluyeron que el escrito de Marx era apócri-
fo, que su autor debía ser Chivo, marioneta del imperialismo, espía, retardatario, términos que hacían furor
esos años, a pocos de cumplida la revolución cubana.
Jóvenes de varios departamentos consideraban la opción
no de culminar sus estudios universitarios sino de irse a
las montañas de Colombia, a la guerrilla, que todavía no
se inauguraba oficialmente pero que era ya una formidable esperanza que garantizaba la toma del poder, Cuba lo
demostró, decían, en menos de cinco años una nueva revolución sacudirá a Latinoamérica, la revolución colombiana.

Y cuando de la mano de Carlos Marx y José Rafael
Sañudo se llegó a la guerra de la independencia en Pasto, capital del departamento de Nariño, sur de Colombia, empezando por la batalla de Bomboná, las cosas
para el catedrático Chivo se pusieron —como diría él

mismo— color de hormiga. Porque fue después de esas últimas clases, de subrepticio desafío (donde la batalla de Bomboná conformaba ni más ni menos que la ignominia de Bolívar, donde la Navidad Negra, en Pasto, instauraba la barbarie a nombre de Bolívar) que Arcaín Chivo debió abandonar la cátedra de Historia, primero de una muy discreta patada por arte de rectoría, y después de otras muy concretas patadas por arte de encapuchados que amedrantaron definitivamente al ya de por sí amedrantado catedrático Chivo: perdió su irreverencia y picardía, su arrojo especulativo, y aceptó su situación realmente humillado: jamás imaginó que las directivas universitarias y los mismos universitarios de Pasto, pastusos la mayoría de ellos, oriundos de diferentes pueblos de Nariño, justamente donde Bolívar se esmeró en venganzas y barbarie, resultaran en desacuerdo con la verdad de la historia, y no corroboraran por lo menos una sola de sus razones —y las aseveraciones de Carlos Marx, de José Rafael Sañudo—, y, peor aún, se escandalizaran, lo expulsaran.

—Profesor Chivo —le había dicho Enrique Quiroz, «Enriquito» para sus íntimos, uno de los afamados «hermanos Quiroz», presidente del Consejo Estudiantil, y se lo dijo cuando lo más álgido de una de las clases—: tenga presente que Pasto, nuestra ciudad, fue realista, monárquica, se opuso a la república, al grito de independencia del pueblo americano. Pasto era un fortín español, nadie puede negarlo, y allí y sólo allí estriba la justa inquina de Bolívar.

169

—Pensemos primero en eso del grito de independencia del pueblo americano —repuso Chivo—. Después iremos a eso de Pasto un fortín realista, y después a lo que usted llama justa inquina de Bolívar.

Estaba de pie, la espalda apoyada al escritorio, las manos extendidas en el filo de madera. Era la primera hora lectiva de la mañana: el salón olía a jabón y colonia. Ante él las treinta y dos cabezas: ellos barbados, ellas las piernas desnudas: Chivo no las miraba, ni por asomo, extraviaría su cordura, tendría que dar por terminada su clase (aunque solía reconocer en la publicidad de la cafetería que era de los catedráticos felizmente estimulados por las borrosas alumnas a la moda que de la cintura para abajo parecen desnudas, eso decía, sin ambages). Los rostros barbados lo acicateaban de otra manera, lo hacían reír con indulgencia: son, decía, sólo caras de veinte años, peludas, y lo decía con un gesto que parecía mordaz pero que era en realidad sólo casi paternal ironía: nunca imaginó que también por eso lo odiaran.

Detrás de los amplios ventanales el volcán Galeras se oscurecía.

—Ningún pueblo —dijo— se independizó entonces, y es posible que ninguno todavía se haya independizado. El grito de independencia era menos que un grito a medias, era un gritito de la nobleza criolla, burgueses que a toda costa querían aprovechar de la tajada. Ninguno pensaba en su pueblo americano y otras lunadas sino en su propia hacienda, señores. Por eso daban grititos. —Aquí el catedrático empezó a dar grititos como de un raro animal enjaulado, y se extasió al percibir la risueña admiración de las alumnas, sus borrosas alumnas, y lo regodeó la indignación de los barbudos.

—No todos los criollos actuaron según dice usted —intervino Enrique Quiroz.

—Todos —repuso Chivo—, absolutamente. Pero su gritito se les salió de las manos; sólo querían poderes de la monarquía para gobernar a su antojo y disfrutar más y mejor de la riqueza, y ocurrió que los miserables de América, indios berracos y campesinos más berracos todavía, que de verdad padecían en carne propia el latigazo perenne desde la conquista, se alborotaron con el gritito, gritaron con fuerza de hombres, se incendió el polvorín, y al igual que Bolívar los señoritos salieron a capitanear una guerra sin ni siquiera saber de estrategia militar, pero ya la intrepidez casi suicida de indios y campesinos los respaldaba, se independizaron de España y después no supieron qué hacer. Acaso era mejor aguardar unos cincuenta años, ¿o cien? Nadie se encontraba preparado. Y el grandísimo ejemplo de su primer gobernante fue nefasto: de Bolívar provienen las pequeñas y grandes dictaduras, y todas estas adversas y corruptas administraciones que los más cínicos han dado en llamar «países en vía de desarrollo»; los indios y campesinos siguen en las mismas, y a su miseria proverbial se suman ahora los obreros de las ciudades. Es como si la alumna del pupitre más lejano, sí, usted, decidiera cambiar a un pobre novio temperamental que de vez en cuando la desespera, cambiarlo no por uno sino por dos novios brutales, dos eternos partidos que no se cansan de despojarla, la abofetean, la torturan, la sangran, la prostituyen, la venden en los mercados, la escupen, Colombia tuvo muy mala suerte en todo este clímax de la independencia, señores.

Aquí el catedrático Chivo no pudo sortear otra vez a la joven enrojecida que le sonreía desde el pupitre. Tenía que apresurar la clase porque ya no le era posible el sosiego.

—Disculpe —dijo después a la muchacha, mientras cerraba con estruendo su libro en la mesa, señal del final—, disculpe que la haya utilizado en mi pobre alegoría.

—Disculpado —se oyó la delgada voz detrás del bullicio de los pupitres.

Así era el catedrático Chivo.

Vivía solo, o vivía con su gato, y eso le parecía «suficiente felicidad», como decía. La diaria compañía de sus alumnos, su «exuberante cotidianidad», aseguraba, lo hacía «morirse menos rápido». No presagiaba la negra tormenta avecinándose, no se presentía convertido en vórtice de pasiones.

—Mañana iniciaremos la batalla de Bomboná —dijo a sus alumnos—, mañana dilucidaremos si Pasto era un fortín realista, y aquello de la justa y gran inquina del pequeño Bolívar. —Eso gritaba a sus alumnos que abandonaban el salón precipitados.

Pequeño Bolívar: ya nadie lo toleraba, ya desde mucho antes circulaba una carta a rectoría pidiendo su cabeza, la cabeza del loco Chivo, una carta contundente porque además la firmaban profesores de otras materias, indignados por las afrentas a Carlos Marx y a Simón Bolívar.

3

—Amárrense con fuerza a sus cabalgaduras, muchachos, juventud de los 60, futuro de Colombia, vamos a presenciar la batalla de Bomboná, «extraña», por lo que concierne a los historiadores de cartilla, que quieren excusar con lo de «extraña» la derrota de Bolívar, otra mentira grande, pero una batalla heroica, y causa del odio visceral del general Bolívar a Pasto y los pastusos de la época, su resentimiento subterráneo, su más íntima amargura. Pongan por una vez en su vida atención a los detalles, muchachos, al antes y después, juzguen por sí mismos, disciernan alrededor de lo ocurrido, no sigan y persigan como borregos las huellas que otros quieren que sigan, busquen y arranquen la verdad de entre el inmenso pantano de porquería a que la historia oficial nos tiene acostumbrados.

Así empezó su clase de esa madrugada el catedrático Arcaín Chivo, mientras sus desapasionados alumnos lo contemplaban, todavía dormidos.

—Bolívar quería a ser posible todos los éxitos para sí. Eso no lo digo yo, lo vuelve a comprobar Sañudo en sus *Estudios:* nos dice que el 23 de agosto de 1821 Bolívar escribió a Santander que pensaba ir a libertar a Quito, por lo que debía ordenar a Sucre y a Torres (que ya se encontraban en esa provincia) que estuvieran *sólo a la defensiva.*

«Quería a ser posible todos los éxitos para sí.

»Escribió a San Martín que marchaba con su ejército "a quebrantar cuantas cadenas encuentre en los pueblos esclavos que gimen en la América Meridional", y que iría al Perú "a abrazar a los hijos del Sol con 4 mil hombres".

»Salió de Bogotá el 13 de diciembre para el Sur, y el 1 de enero de 1822 llegó a Cali y como deseaba independizar a Quito quiso seguir a Guayaquil por mar, pero al saber que había en el Pacífico cruceros enemigos resolvió ir por tierra el 7, después de atacar a Pasto, y facultó a los comandantes para que le mandaran a su cuartel los reclutas bien atados, para que no se fugasen, debiendo ser los infractores pasados por las armas.

»Aquí es de advertir otra estratagema vergonzosa que empleó Bolívar, que sin embargo alaba y pondera un escritor colombiano como una concepción brillante, siendo que está al alcance de cualquier malsín; pues no constituye otra que una falsificación de instrumentos públicos, internacionales. Es una orden dada al general Santander para que le envíe comunicaciones falsificadas de algunos diplomáticos extranjeros; y fue escrita el 19 de enero, y fechada en Popayán, siendo que para entonces estaba ausente de esa ciudad, pues sólo el 23 salió de Cali para el Sur, y llegó a Popayán el 26 de ese mes.»

—He aquí la carta a Santander, en que consta la orden de falsificación —dijo Chivo, enarbolando los pliegos. Hizo un preámbulo—: Una carta escrita antes de venirse sobre Pasto, concebida con el fin de *ganar el país enemigo*. Fíjense cómo a través de las palabras se desnuda cualquier hombre, se reafirma o se delata, ostenta la claridad o la componenda enrevesada, sin escrúpulos; y pensar que toda esta maniobra, este remiendo, este chanchullo de Bolívar sólo sirvió para provocar la risa de los generales españoles, ¿no es una vergüenza? Escuchen ustedes la carta de Bolívar y no van precisamente a reír; en realidad asusta, ¿en manos de quién se encontraba la joven república?

Mi querido general:
Toda la noche he estado sin dormir meditando sobre las nuevas dificultades que me presentan y sobre los nuevos medios que tiene el enemigo para defenderse. Mi mayor esperanza la fundo en la política que voy a emplear en ganar el país enemigo y aun los jefes de tropas, si es posible. Para lograr esto se necesita emplear cuanto voy a proponer.

Mi edecán Medina llevará estos pliegos a Ud. y él debe volver trayendo consigo, con mucho cuidado y mucho alboroto, los que Ud. le entregue para mí.

El primer pliego debe contener uno del Secretario de Estado en el que me participe haber recibido notas oficiales de Revenga, de tal o tal fecha, que Uds. pondrán allá tan recientes cuanto puedan ser, en las cuales él hable como de una cosa positiva, pero muy secreta, comunicada por un ayudante extranjero cuyo nombre oculta para no comprometerlo, de un tratado entre Portugal, Francia e Inglaterra en que estas naciones se comprometen a una mediación armada entre la América y la España, para impedir la continuación del curso de las calamidades y de las revoluciones que tienen agitado el mundo; que la mediación se reduce a obligar a la América a que pague todos los gastos de la guerra, y a la España a que reconozca la independencia de los nuevos gobiernos, concediendo a los españoles regalías y privilegios por diez años para que se indemnicen de la pérdida que aho-

ra hacen, que el Rey de Portugal ha sido el primer agente de este proyecto, que la Inglaterra lo había aprobado, y que se esperaba que la Francia haría lo mismo. Este pliego contendrá además lo que Uds. crean conveniente añadir. Tendrá poco más o menos la fecha de este día en que yo escribo para preparar, por decirlo así, las nuevas noticias que contendrán los otros.

El segundo pliego será un memorándum dirigido desde París por el señor Zea a mí con un oficio de fines de noviembre, también de él, en que explique las miras de los gobiernos de Europa, conciliándolas con nuestros intereses. El memorándum debe contener la sesión que el señor Zea supone haber tenido con el Ministro de Relaciones Exteriores francés, cuyo nombre deben Uds. poner, pues yo no lo sé, y es de importancia se nombre. La conferencia debe rodar toda sobre el proyecto de la mediación armada que la Francia, de acuerdo con las otras potencias dichas, ha tomado a pechos, a fin de hacer bien a todas las naciones impidiendo el curso del espíritu revolucionario que agita a todos los pueblos europeos. Debe terminar la sesión por recomendar el Ministro Francés la adopción de Príncipes Constitucionales en América a imitación de México, protestando, sin embargo, que la mediación no entrará de ningún modo en nuestras interioridades, ni en el mecanismo de nuestro gobierno, porque su objeto no es más que dar la paz a las naciones beligerantes. La nota de Zea y su memorándum deben ser de fines de noviembre, y él debe añadir que el Ministro Francés le ha ofrecido mandarlo inmediatamente a Colombia por la vía de Martinica en el brick de fuerza Le Veteran, pronto a partir de Brest.

Debe imitarse el estilo de Zea en sus adulaciones al Ministro Francés y el del Ministro mucho más aún. Debe ser gálico, circunspecto, aristocrático y perfectamente adicto a los principios de legitimidad, o por lo menos a los de la Monarquía constitucional. El señor Zea debe decir que la adopción de esta mediación es hija de la independencia de México y del Perú; que es mucho el efecto que ha producido el plan de Yguala. *Que la Europa entera se ha desplomado en nuestro favor. Debe exagerar las fuertes conmociones causadas en Madrid por los partidarios por y contra el tratado de Córdoba. Que se acusa a D'onojú como traidor y a Fernando como el autor de la traición. Debe señalar tumultos espantosos causados por este suceso y señalar como infalible la ruina del Ministerio y aún la de Fernando. En fin, es indispensable guardar mucho las proporciones en el lenguaje que se use en dichas comunicaciones para que sea creíble.*

El tercer pliego debe contener una copia de un oficio del general Latorre al general Páez, en que Latorre, con fecha del 14 de enero poco más o menos, le pide al general Páez un salvoconducto para mandar diputados cerca de mí con una comisión de la mayor importancia que acaba de llegar de España con el objeto de entablar y concluir un tratado de paz con el gobierno de Colombia. Tengo además la satisfacción de añadir a V. E. *debe decir Latorre,* que he recibido órdenes expresas de la Corte de suspender las hostilidades por mi parte y de hacerlo entender así al gobierno de Colombia.

Los pasaportes los debe pedir Latorre para tal y tal, cuyos nombres y empleos debe indicar, y que yo no señalo ahora por no cometer alguna inconsecuencia que sea conocida. Soliciten ustedes por allá qué personas se pueden nombrar, propias de representar un carácter diplomático en materias militares y de comercio. Tengan ustedes entendido que Mourgeón acaba de venir y debe conocer a todo el mundo por allá. Éste es el punto más difícil que tenemos que tocar, y es indispensable nombrar los individuos para que la cosa sea más creíble; mas en caso de no estar ciertos de nombres adecuados, será bueno pasar en claro el nombre de estos individuos, lo que nunca dejará de ser un gran defecto en la composición de esta nota. El general Páez debe con-

testar inmediatamente ofreciendo todo y también suspensión de armas. La copia de su respuesta debe venir firmada por su Secretario, y él debe escribirme a mí directamente un oficio dándome parte de todo con mucha satisfacción. La firma de Páez es muy fácil de fingir, lo mismo que la de Zea; estas dos firmas, como también la del Secretario de Páez, deben ser muy bien imitadas.

El cuarto pliego debe contener cuatro o seis ejemplares de la Gaceta de Bogotá, *en que se inserten dos o tres artículos de la* Miscelánea, Diario Gaditano *y* Universal, *en los cuales se anuncia la caída del antiguo Ministerio; el levantamiento de dos o tres ejércitos y tumultos sanguinarios en Madrid, con la muerte de Morillo y otras bagatelas de esta especie; pedradas al palacio del Rey y la Fontana, proponiendo una Asamblea Nacional para erigir la España en República. Por supuesto Riego a la cabeza de un ejército oponiéndose a la venida de Fernando VII a México, y las tramas de éste para venirse.*

El número de esta Gaceta *debe salir, sin embargo, sin ninguna mentira, ni cosa semejante a los artículos que acabo de indicar. Solamente los cuatro o seis ejemplares que Ud. me envíe deben estar impresos con todos estos enredos. Yo tendré buen cuidado de no hacer más que mostrar estos documentos a los parlamentarios que convidaré con este motivo.*

El objeto de toda esta baraúnda es el de persuadir al enemigo que todo está hecho; que debe tratar conmigo, y que debemos ahorrar nuevos sacrificios de sangre en circunstancias tan propicias, pero que para esperar a los Plenipotenciarios de España, necesito tomar posesión de Quito o del resto de la Provincia de Popayán mientras dure el armisticio. En este tiempo gano a los pastusos y quizás a muchos jefes y tropa española que sin duda deben disolver la mayor parte de sus tropas en la expectativa de que va a acabarse la guerra.

Al entregar a Medina estos pliegos, debe Ud. encargarle mucho la celeridad y persuadirlo de todas estas mentiras, para que él las venga diciendo desde Santa Fe hasta mi Cuartel General. Este ruido se propagará, correrá, se acabará y Medina quedará por embustero. Ud. debe responder a todo: que así se dice, pero que no sabe nada. *Sin embargo, esta misma respuesta no debe darse en los primeros días, para que los que escriben de allá para acá, escriban estas mismas mentiras.*

Usted, Gual, Briceño, deben escribirme mil exageraciones de paz, guerra, tropas y cosas de Europa para que yo pueda mostrar esas cartas a todos, principalmente a los enemigos; pero exageraciones que sean creíbles...

Por supuesto, Ud. no debe darse por entendido en su correspondencia de esta carta, ni de nada, nada que pueda perjudicarnos.

Simón Bolívar

«Estas astucias —nos dice Sañudo, y voy a abreviar, señores— no tuvieron más efecto que el que José María Obando con otros cuatro oficiales caucanos y el mulato Simón Muñoz se pasasen a los republicanos.

»En marzo Bolívar escribió a Santander que iba a marchar sobre Pasto con 2.000 infantes y 400 caballos, pues los enemigos sólo podían oponerle 1.000 soldados; y al efecto había mandado antes cuatro divisiones contra Pasto; de las cuales la de Torres constaba, según el secretario de Bolívar, de 1.078 hombres y la de Valdés de 1.000. Es de saberse que Santander el 30 de abril de 1820 había escrito a Bolívar diciéndole: "Me he confirmado que la ocupación de este país (Pasto) es más bien obra de la inteligencia que de la intrepidez". A esta última excitación correspondió Bolívar con la orden de falsificación que contiene la carta del 19 de enero; falsedad hasta inútil, pues debía calcular que los jefes españoles tendrían conocimiento de los sucesos de Europa.

»También Sucre escribió desde Cascajal a Bolívar: "por allí (Guayaquil), tomaremos a Quito, y por Pasto difícilmente se logrará". Por último el mismo Santander volvió a escribirle entre otras cosas que "Nos queda otra vez el (río) Juanambú y Pasto, el terror del ejército y es preciso creerlo el sepulcro de los bravos, porque 36 oficiales perdió allí Nariño y Valdés ha perdido 23, que no repondremos fácilmente. Resulta pues que Ud. debe tomar en consideración las ideas de Sucre y abandonar el propósito de llevar ejército alguno por Pasto, porque será destruido por los pueblos empecinados, aguerridos y siempre victoriosos". Por estas opiniones resolvió no seguir la ruta de Antonio Nariño sino pasar el Juanambú por el punto por donde lo pasó Valdés. El ejército marchó dividido en tres columnas, y el 24 de marzo llegó a las márgenes del Juanambú, que vadeó el 25.

»Era el jefe de los realistas el coronel Basilio García, que vino de España con el *Victoria* de la expedición de Morillo. Era entendido militar, tanto que en la guerra carlista llegó a ser uno de los generales más notables del Pretendiente. Restrepo asegura que "a pesar de que García recibió noticias exactas de las fuerzas que le atacaban y de la calidad de las tropas, nunca tuvo la menor desconfianza de que triunfaría de los patriotas. Carácter indomable, semejante al de los antiguos españoles, que hicieron tremolar el pabellón de Castilla". Había fortificado García varios pasos del Juanambú, sin saber de cierto por cuál pasaría el río Bolívar; mas cuando supo que estaba en Taminango voló a colocar sus tropas en Chaguarbamba, juzgando que iba a seguir la ruta de Valdés; y el 28 de marzo devolvió a Bolívar sin darles mayor importancia los documentos falsificados que había elaborado Santander, y que Bolívar se los había enviado desde la Alpujarra.

»Habiendo pasado los Republicanos el Juanambú, acamparon cerca del Tambo, donde descansaron dos días; y como el intento de Bolívar, nótese bien esto, no era sobre Pasto sino pasar a la Provincia de los Pastos, hoy Túquerres y Obando, con el fin de obligar a García a salir de sus posiciones, y, si no, seguir hasta Quito a atacar a los realistas en combinación con Sucre, por engañar a García, que se preparaba a combatirle, el 1 de abril le propuso por medio de Paz del Castillo una suspensión de armas por ocho o quince días, e invitaba a los pastusos civiles que integraban el ejército realista a que se fuesen a sus casas con tranquilidad. García no aceptó lo propuesto; sino que Bolívar repasara el Juanambú sin ser atacado, y que luego comunicaría al presidente de Quito su propuesta, para que éste la resolviese; el Cabildo de Pasto aprobó su conducta; pero mientras tanto Bolívar pasó sus tropas de Mombuco a Sandoná y así, por este artificio, el 6 de abril ocupó a Consacá, no sin que dejase de advertirlo García, que fue a situarse con las suyas al sur de la quebrada de Cariaco, haciendo una marcha de veras muy difícil para ejército en pocas horas. Tenía forzosamente

Bolívar que pasar Bomboná y Cariaco. Era, pues, forzoso combatir allí, si quería Bolívar llevar adelante sus propósitos.

»Trajo al combate Bolívar los batallones Rifles, Vencedor de Boyacá, Cazadores Montados y Húsares, compuestos de venezolanos; el Bogotá y el Vargas, de granadinos; y además el primero y segundo escuadrón de Guías, que hacían un total de 2.400 hombres; a los que sólo podía oponer García tres compañías del batallón Aragón, compuestas de españoles y americanos, y dos del Cataluña. Según la organización española de esa época cada compañía se componía de 87 soldados, de modo que las cinco citadas tenían un efectivo de 435 veteranos, sin contar sus oficiales. Además, García les opuso 600 hombres de las Milicias de Pasto y 200 del Escuadrón Invencible, mandado por el teniente coronel Estanislao Merchancano; de suerte que todo su ejército apenas pasaba de 1.200; pues exhausto Pasto y su territorio con la prolongada guerra, no podía mantener más; por lo cual, a los patianos, que eran los habitantes del sur de Popayán hasta el río Mayo, a pesar de ser tan aguerridos, organizó sólo en guerrillas para que molestasen a los republicanos por las espaldas en su marcha adelante, o los acometiesen, caso de una retirada. Y colocó en su flanco derecho dos compañías del Aragón y dos del Invencible, bastante adelantadas para que molestasen la izquierda del enemigo; y con el resto del ejército cubrió el centro e izquierda de su campo, robustecidos con dos pequeños cañones, que cruzaban sus fuegos.

»Así formado el campo realista, pasadas las tres de la tarde, el 7 de abril, que era Domingo de Pascua Florida, principió el combate llamado de Bomboná por los republicanos, con mucho ardimiento de parte de éstos, que si bien hicieron retroceder a las compañías avanzadas realistas, en cambio se estrellaron en el centro, donde fueron heridos los principales jefes y mucha tropa de los batallones Vargas y Bogotá que se componían de granadinos; hasta el extremo que los pastusos pasaron la quebrada de Cariaco, entraron al campo de esos batallones, les tomaron sus banderas y municiones de que estaban escasos y tornaron al suyo, llevándose algunos prisioneros. Se venía la noche, y entre tanto aquellos batallones "casi desaparecieron" según Restrepo, y los republicanos no obtenían ventaja alguna, que antes las municiones que los realistas les tomaron, sirvieron para combatirlos; pero Valdés con el batallón Rifles logró subir la altura, en que se apoyaba la derecha de García, con que flanqueó las tropas que la defendían; tropas que se dispersaron a pesar de los esfuerzos de García, que por recogerlas hubo de seguir hasta la Guaca. Cuando vio Bolívar que el Rifles ascendía, mandó al batallón Vencedores que apretase por el centro, para impedir que los pastusos reforzasen su ala derecha; pero no obtuvo otro resultado que perder ese cuerpo: en 20 minutos, 80 soldados.

»El combate siguió hasta las ocho de la noche, en que se ocultó la luna.

»Según parte oficial, tuvieron los republicanos 174 muertos y 357 heridos; "pérdida que juzgamos disminuida" dice Restrepo, pues que de veras sólo el Bogotá tuvo 210 bajas, según el parte que dio de Consacá el día 11 de abril su comandante Joaquín París, que también salió herido.

»La pérdida de García fue de 20 muertos y 60 heridos, y otros tantos descarriados y prisioneros.

»Al día siguiente del combate, García muy por la mañana dirige un oficio a Bolívar, en que después de decirle que la batalla "no causó a Colombia otra ventaja que el llanto y confusión" le intima que reciba: "un salvoconducto para que todo su ejército repliegue a Popayán", o que padezca "la venganza de los valientes pastusos y tropas"; y le remite la bandera del Bogotá, que había sido capturada; al cual le contestó Bolívar dando a entender que García le proponía un armisticio, que no era verdad; le daba las gracias por la remisión de la bandera, y añadía: "No puedo responder a Vuestra Señoría con igual dádiva, porque no hemos tomado banderas, pero sí el campo de batalla". García volvió a intimar a Bolívar que repasase el Juanambú: "pues —le decía—, aunque ha tomado el campo de batalla, fue abandonado por mí sin ser vencido". El mismo día 8 de abril, Bolívar mandó a Paz del Castillo para que conferenciase con García, y le pidiera un armisticio, permitiéndole permanecer donde estaba, con el fin oculto de recibir allí refuerzos. No vino en esto García, y entonces Bolívar le propuso que le dejase pasar el Guáitara hacia la Provincia de los Pastos, que igualmente rechazó García, pues era permitirle obtener de grado lo que no pudo por fuerza.

»García le instaba para que desanduviese el camino que había traído, a que se resistía Bolívar, pues era doloroso confesarse vencido; el 13 volvió Bolívar a pedir un armisticio a García, que si no acordaba, decíale que quedara notificado de que al día siguiente se romperían las hostilidades, pues no debía retirarse su ejército por ser vencedor; pero como García le respondió que podía continuarlas, Bolívar hizo muestras de que iba a combatir, mas el 16 hubo de retroceder hacia el Norte mal de su agrado, con todo su ejército, por el mismo camino que había traído.

»Es de advertir que García, desde que entró en comunicación con Bolívar, lo hizo en tono de burla, hasta el extremo que al devolverle las banderas capturadas se expresó así: "Yo no quiero conservar un trofeo que empaña las glorias de dos batallones, de los cuales se puede decir que, *si fue fácil destruirlos,* ha sido imposible vencerlos". Lo hizo con fina ironía, pues claro está que el destruido queda más postrado que el vencido; pero Bolívar se apresuró a transmitir estas palabras al vicepresidente de Colombia, como testimonio de un triunfo, sin notar la burla de don Basilio (así llamaban comúnmente a García).

»Los historiadores de América han sostenido que Bomboná fue una victoria de Bolívar; y así, por sus *proclamas,* acreditó éste semejante aserto; pero hay razones que convencen lo contrario. Ya es bastante la destrucción del ejército de Bolívar, por lo cual dice Restrepo: "Estéril triunfo, que había costado muy caro"; y añade: "Desde el mes de diciembre de 1821 hasta el 22 de mayo de 1822, envió el gobierno de Colombia al Libertador 130 oficiales y 7.314 hombres. Apenas existían cosa de 4.000. De aquí se puede inferir cuánto consumiría esta campaña y cuán grandes eran los sacrificios que costaba". Obando, en su Autobiografía, escribe: "Al día siguiente del combate (de Bomboná) se me comunicó la orden de reunir los restos de la División de Vanguardia, y que presentara el estado de su fuerza, *el cual alcanzó a 160 hombres, de 1.100 de que constaba el día anterior"*. Cuenta además que al presentar el informe, notó que Bolívar redactaba el boletín de batalla con elogios extraordinarios a favor de los venezolanos, que apenas combatieron; por lo que, airado en su favoritismo por éstos, le dijo que lamentaba aquella batalla *"en donde sólo por capricho se habían sacrificado 900 granadinos"*.

»Córdoba escribió a Santander, días después de Bomboná, cuando ya se podía apurar la verdad de los sucesos, que "cuando me reuní en Tacunga (con Sucre) ya teníamos la negra de que al Libertador le habían dado un buen golpe en Cariaco (Bomboná)", y también el gobernador del Cauca, Concha, avisaba que salía de Popayán la segunda división de reserva, en auxilio, "porque el Libertador Bolívar no quedó en Bomboná para gracias".»

4

—Eso Bolívar no lo perdonaría jamás —concluyó Chivo—: la certeza de saber que todos sabían de su derrota estruendosa, por más informes y proclamas que escribiera. Después de sus ínfulas en Bomboná la verdad de su fracaso era otro lastre para su gloria. Y ya sabemos cómo logra Bolívar la capitulación de Pasto. No la conquista él, sino el triunfo de Sucre en Ayacucho, que desprotegió a los pastusos: sin armas ni municiones, indefensos, los realistas pastusos debieron capitular. Sólo por eso pudo entrar Bolívar a Pasto, y con mucho desprecio del Tratado sobre regularización de la guerra, porque escribiría: «Tenemos derecho para tratar todo el pueblo de Pasto como prisionero de guerra... y para confiscar todos sus bienes como pertenecientes a enemigos... tenemos derecho a tratar esa guarnición con el último rigor de la guerra y al pueblo para confinarlo en prisiones». Y lo escribiría trastornado por la posterior rebelión del pastuso Agustín Agualongo, y los sucesivos levantamientos a que se vio obligado el pueblo de Pasto.

«Con un poco de política —señala Sañudo—, Bolívar pudo ganar la ciudad, pero su crueldad, que puso a sus habitantes en la dura alternativa del destierro, si se presentaban a los llamamientos republicanos, o de fusilamiento si no, los hizo rebeldes hasta la desesperación: resueltos más bien a morir con las armas en la mano.»

—¿Cómo establecer —dijo Chivo— a estas alturas que los pastusos eran realistas y defendían al rey? Si ni siquiera defendían sus tierras y haberes, señores, defendían la vida misma, ¿con qué ganas iban a ocuparse de un rey desconocido a perpetuidad? Eran tan «realistas» los pastusos que la primera rebelión del mundo contra el rey español ocurrió en su provincia, muchísimo antes del «grito de independencia» de 1810. Fue en 1781: veintinueve años antes. Y fue un levantamiento popular por los nuevos impuestos reales, rebelión que acabó con la vida del cobrador de impuestos, el español Ignacio Peredo, a manos del indio *Naspirán*. Hubo también otra revuelta contra los reales decretos, de proporciones mayores a muchas de las que ha enaltecido la historia; esta segunda ocurrió veinte años después de la primera, y nueve años antes del grito oficial de independencia: sucedió en Túquerres, cerca de Pasto, y cobró la vida de los hermanos Clavijo, comerciantes acaudalados, representantes del rey en el recaudo de impuestos. Otra vez los indios y montañeses fueron protagonistas: su grito de rebeldía hizo callar al párroco encargado de leer el decreto en plena misa mayor, un domingo 18 de mayo: dos mujeres indígenas, *Manuela Cumbal* y *Francisca Aucú,* le arrebataron de las manos el papel del decreto, y al grito de *Abajo el mal gobierno* lo pisotearon. Empezaron a llegar a la población indios de Sapuyes y Yascual, armados de palos y lanzas; se fueron contra la casa del corregidor, la incendiaron; un grupo encabezado por *Lorenzo Piscal, Julián Carlosama* y *Ramón Cucás Remo,* sitió la iglesia para evitar la fuga de los Clavijo, que se habían refugiado allí, en el nicho de la Virgen, donde se creían protegidos. Pero invadido el templo, a Francisco Clavijo lo atravesaron con su propia lanza, también lancearon a Atanasio, mientras que el tercero de los Clavijo, Rafael Martín, pudo escapar disfrazado de mujer. Controlada la revuelta, el escarmiento de las autoridades españolas no se hizo esperar: «Los cabecillas fueron llevados arrastrados a cola de caballo con el pregonero delante que iba repitiendo en altas voces que aquélla era la justicia que mandaba hacer el rey nuestro señor a aquellos hombres por sus atrocísimos excesos, y fueron condenados con la muerte de horca, y después cortadas las cabezas y manos», según certifica el escribano de cabildo público. Desde siempre la provincia pastusa padecía los impuestos de España, y los impuestos se recrudecieron con el Libertador Simón Bolívar, que incluso mandó que los indios continuaran pagándolos tal y como los pagaban con la monarquía, y cargó de gravámenes y otras contribuciones al pueblo de Pasto, ya empobrecido. De modo que lo que se les vino encima, el vendaval de los libertadores, era un enemigo peor que la monarquía: «No habría libertad mientras hubiera libertadores» era un dicho popular. Los libertadores, indica Sañudo, «infatuados por un necio orgullo, creían que ellos solos habían dado independencia a la república, y en nada estimaban los sacrificios de los pueblos, y estaban persuadidos de que Colombia debía ser patrimonio suyo». El Libertador fue el enemigo que no dio concesiones a Pasto, como sí las dio a otros pueblos realistas, importantes baluartes de la corona, cuando los derrotaron. «Mientras en otras ciudades de la nueva república se levantaban escuelas (nos dice Sañudo), en Pasto era el exterminio.» Y la orden, el acicate de toda esta inmolación venía de Bolívar, el principal ofendido en las vísceras del alma a partir de Bomboná, de Bolívar a sus generales, de los generales a los oficiales, de los oficiales a los soldados, a los esbirros, a los matarifes como Salom, Flores, Cruz Paredes (que seguían estrictas órdenes de Bolívar), Lucas Carvajal, Andrés Álvarez, o los brutos Hermógenes Maza y Apolinar Morillo, asesinos (los acusa Sañudo) que «sólo por probar el esfuerzo de su brazo hundían sus espadas en filas de individuos». Pues las matanzas no se hicieron esperar, y las alentaba el Libertador, que dio además un decreto de confiscación de bienes. Decía en un considerando: «esta ciudad, furiosamente enemiga de la república, no se someterá a la obediencia, y tratará siempre de turbar el sosiego y tranquilidad pública si no se la castiga severa y ejemplarmente». Impuso contribuciones en pesos y reses y caballos que la empobrecida y saqueada Pasto no podía pagar, desterró a hombres y mujeres. Sus órdenes no buscaban independizar una provincia: la aniquilaban: «Deshágase usted de los prisioneros de modo que le sea más conveniente y expeditivo... usted conoce a Pasto y sabe de todo lo que es capaz; quizás en muchos meses no tendremos tranquilidad en el Sur», «Yo he dictado medidas terribles contra ese infame pueblo... las mujeres mismas son peligrosísimas... en Pasto 3.000 almas son enemigas *(no quedaban más)*, pero un alma de acero que no pliega por nada... es preciso destruirlos hasta en sus elementos», y daba a Salom, el peor de sus esbirros, las órdenes terminantes: «Haga usted prodigios a fin de acabar cuanto antes con los infames de Pasto». «Destruir a los pastusos. Usted sabe muy bien que mientras exista un solo rebelde en Pasto, están a punto de encallar las más fuertes divisiones nuestras.» «Los pastusos deben ser aniquilados, y sus mujeres e hijos transportados a otra parte, dando aquel país a una colonia militar. De otro modo Colombia se acordará de los pastusos cuando haya el menor alboroto o embarazo, aun cuando sea de aquí a cien años, porque jamás se olvidarán de nuestros estragos.»

Aquí el catedrático Chivo se detuvo, paseando los ojos por el aula, para constatar lo que imaginaba: casi nadie permanecía; ya los hermanos Quiroz habían concertado abandonar el salón, y, detrás de ellos, desapareció la gran mayoría de los estudiantes: quedaban en el horizonte solamente los cuerpos de dos rigurosamente dormidos: ella la cabeza doblada sobre un brazo, su largo cabello rozaba el sucio piso de madera, él espatarrado, la boca abierta como recién llegado de una fiesta y todavía borracho: esa pareja de estudiantes dormidos, en otras cátedras, era impensable; pero con Chivo y su Historia de Colombia las cosas ya se habían dictaminado.

Y, sin embargo, quedaba también en el salón, aún viva, la muchacha que sirvió de alegoría, que no se atrevía a marchar y coronar la ausencia total; era la última alumna viva del salón: ella misma no se explicaba por qué y para qué seguía allí, frente a un hombre que hablaba solo y leía solo en un salón más solo todavía, ¿sentía pena?, lo veía tan solo, pensaba, tan absolutamente requetesolo en su disertación sobre Bolívar, su lectura de Sañudo, su indignación y sus batallas, pobre loco, pensó.

—He terminado, puede irse —la alentó el catedrático para que escapara.

La muchacha se incorporó del pupitre, iba a decir

algo pero se arrepintió y avanzó muy despacio a la puerta. A sus espaldas los dos últimos alumnos todavía dormían. Empezaba a lloviznar contra los ventanales: sólo niebla en el cielo; el volcán Galeras había desaparecido. De pronto la alumna se detuvo en la puerta: era un rostro pálido y redondo, sorprendentemente pálido como si careciera de boca y de ojos: se volvió al catedrático y dijo que tenía una pregunta, señor, lo he escuchado todo este tiempo y quisiera preguntar algo.

—Diga —repuso el catedrático sin curiosidad. «Aquí todavía tratan de compadecerme con una pregunta», pensó, sin suponer el desconcierto que iba a sufrir a continuación:

—¿Por qué se hace odiar?

5

Era entonces por experiencia propia que el catedrático Chivo no se explicaba la resolución suicida de su amigo Justo Pastor en eso de mostrar al pueblo el 6 de enero
una carroza con los hechos y deshechos de Bolívar. Escu-
chando al doctor, observándolo, le parecía de otro mundo, tan exaltado y como santificado remembrando las
penurias de Chepita del Carmen Santacruz. No compartía su osadía, pero también por eso lo envidiaba: parecía
inmune al miedo.

Y era que el doctor había sido testigo de su degrada-
ción final, cuando no sólo el rector respaldó a los alumnos
sino que los mismos alumnos, encapuchados (reconoció
sus voces, dirigidos por los hermanos Quiroz) habían ido
a su casa a medianoche, tumbaron la puerta y lo tumbaron a él, levantándolo a patadas, astillando sus costillas,
obligándolo a arrastrarse por las calles hasta la puerta del
Hospital Departamental que por milagro atendía: las voces desde la sombra lo acompañaban gritando arrástrate
más, víbora, para eso naciste.

Habían matado a su gato, un persa amarillo de nombre *Mambrú*, ahorcándolo; y dejaron un papel atado a la
cola del animal: «Por títere». El único periódico de Pasto
no denunció la agresión. Ningún colega de la universidad
lo visitó, excepto el doctor Justo Pastor Proceso López,

con quien de todos modos dejaría de verse a partir de ese incidente, como si el sacrificio sufrido por Arcaín Chivo sacrificara además la amistad de los dos únicos pastusos mancomunados en la denuncia a Bolívar.

Acaso fue el miedo del catedrático lo que repugnó al doctor para que decidiera no frecuentarlo más, o su advertencia a solas, en el mismo hospital, al final de la visita, cuando ya las enfermeras no escuchaban: «Mejor quedémonos tranquilos con esto del mal llamado Libertador, Justo Pastor, lo van a perjudicar igual que a mí, abandone usted su libro, ya Sañudo lo hizo mejor; viva su vida, coma callado, o lo desgüevan».

No volvieron a tocar el tema durante años, hasta ese viernes 30 de diciembre del 66, cuando Chivo acudió a la invitación abriéndose de brazos y diciendo que lo único redimidor de la vejez es que uno va envejeciendo al tiempo que los amigos.

—Es como subraya nuestro alcalde —dijo el doctor—: lo de Chepita Santacruz debió ocurrir con la primera entrada de Bolívar a Pasto, el 8 de junio de 1822.

«Entró a las cinco de la tarde —refiere Sañudo—: entró en mitad de las tropas realistas que habían formado filas en su honor, marchó a la iglesia parroquial donde le esperaba el obispo y el clero para conducirle, como Bolívar había dispuesto, a guisa de homenaje real, bajo palio hasta el altar donde se cantó el *Te Deum*. El mismo día se ratificó la capitulación y Bolívar dio una proclama llena de promesas a los pastusos.»

Fue después de esa proclama que el Libertador recibió la

invitación tradicional a *un chocolate,* de uno de los más pudientes de Pasto, Joaquín Santacruz en persona, antepasado de Belencito, que tenía sus muy buenas razones para obsequiarlo y congraciarse con él, por lo menos mientras durara su estancia en Pasto. Eran famosas las morrocotas de oro que Santacruz guardaba en su casa, enterradas en un rincón secreto —debajo de su cama, como era tradición—, y ya el edecán de Bolívar había advertido a Santacruz, igual que a los demás comerciantes de Pasto, que se exigiría una contribución a la causa de la libertad, como era tradición que hacía Bolívar. Pero Santacruz no temía tanto por su hacienda sino por la suerte de sus hijas, todavía muy jóvenes, de las que el Libertador podía encapricharse sin mayor responsabilidad —como también era tradición—. Entregar las morrocotas, creía Santacruz, equivaldría a esperar en retribución que la honra de sus hijas permaneciera.

—Así de simples eran las soluciones entonces —dijo el doctor—, simplísimas, como ahora, con sus variantes, para defender la honra del capricho de un poderoso.

Y Primavera lanzó una límpida risotada al tiempo que regresaba de la cocina, en donde hasta ese momento había permanecido escuchándolo todo, curiosa y entretenida por la conversación; ella, que tenía resuelto irse de una vez a dormir, sin despedirse, decidió volver a la sala y sentarse a la vera del obispo, estruendosa y feliz. La reavivaba oír aquello de honras a punto de deshonrarse, aunque prefería oírlo del propio Belencito Jojoa —a través de su doctor Jumento que en esos instantes la seducía a punta de historias de la independencia, para su estupor.

Belencito bebió más, y habló:

«Mi abuelo Pedro Pablo vivía todavía en casa de su papá Joaquín. Mi abuelo era uno de tres hijos, con José y Jesús. Había siete hijas: Redentora, Prudencia, Severa, Digna, Cirila, Metodia, lindos nombres, ¿no?, y la menor de todas: Josefa del Carmen, más conocida como Chepita, de trece años cumplidos.

»A esa edad llegó su desgracia, cuando llegó el Libertador. Y su desgracia llegó de noche, al hacerse presente el Libertador».

Antes de que la velada iniciara en forma, Joaquín Santacruz y el Libertador, escoltados por un teniente que se fingía distraído, se encerraron en el salón de fumar. Allí no fumaron porque el Libertador aborrecía el tabaco, pero el dueño de casa enseñó su ofrenda: dieciséis cofres de morrocotas de oro para la causa de la libertad. Sin una palabra, con un gesto, Bolívar indicó a su teniente que se hiciera cargo de los cofres. Y se dejó llevar de vuelta al recinto principal: «La única compensación, excelencia —se atrevió a susurrar en su oído Joaquín Santacruz—, es la integridad de mis hijas». Tampoco Bolívar pronunció una palabra, conducta que el anfitrión juzgó una tácita avenencia, y procedió a presentar a su esposa, Lucrecia Burbano, mujer conservadora como las que más, que aguardaba ceremoniosa el saludo de rigor, pálida y de negro, rodeada de sus hijos —otras estatuas de cera en el silencio glacial.

Sufría Lucrecia Burbano, sufría por la suerte de sus hijas: a duras penas se había plegado al ardid de Joaquín Santacruz, que le parecía absurdo: adelantarse a Bolívar, invitarlo a un chocolate y comprometer su palabra con oro. Pero ya su marido la tenía advertida: «No sólo sabe del oro, sabe también de nuestras hijas». Lucrecia Burbano hubiera preferido huir con sus hijas y el oro a las mismas entrañas incendiadas del Galeras, o por lo menos a una de sus cuevas: ya era tarde, el hombrecillo respiraba ahí: abría y cerraba sus manos pequeñas, como de mujer; sus pies debían ser todavía más pequeños, pensó, metidos en esas botas de montar que parecían de niño. Lucrecia Burbano percibía frente a ella la excesiva movilidad del cuerpo del Libertador, la cabeza desproporcionada, el pelo negro y crespo: padecía su chocante proximidad hasta la exasperación. El Libertador, al saludarla, la espantó con su voz chillona, pero la apaciguó con su reverencia perfecta. Era de verdad un hombrecillo, al que ella sabía que apodaban «Figurita», «Zambo» y «Longaniza», pero sabía además que muy bien podía enviarlos de un grito «al otro lado», si se le antojaba.

Bolívar saludó a los hijos varones, y por último se dispuso a cumplimentar a las siete Santacruz, lo más granado de la belleza y buenas maneras de la ciudad, las siete hermanas Santacruz que según la mofa de los primeros libertadores borrachos podían por sí solas dar abasto a toda la columna de Cazadores de 800 hombres que Bolívar había llevado para su entrada en Pasto.

La mayor tenía 26 años.

Ya los músicos aferraban sus instrumentos, tiesos en las silletas de paja, debajo de un reloj de porcelana; sonaba el redoblante, había un clarinete, un flautín y un trombón anunciando la contradanza, se distendían los invitados contemplándose en los espejos, debajo de las arañas de bronce que relampagueaban, y en el salón de los jarrones, alrededor del piano, Bolívar saludaba una por una a las siete Santacruz: con alguna de ellas tendría que abrir el baile, y después lo sucederían sus oficiales. El piso de madera retemblaba. La casa parecía arder iluminada en sus cuatro costados por antorchas, fulgía la doble hilera de ventanas entre los geranios eternos de los balcones; era una de las casas principales de Pasto, en plena plaza de Santiago, construida frente al templo del Apóstol, y, desde su profunda cocina, cerca del establo, llegaba el delgado olor del chocolate que se preparaba a fuego lento: eran pastillas de fino chocolate traídas desde Lima y guardadas en arcones de cedro durante años, para cuando se presentara la ocasión. Y qué ocasión, se lamentaba Lucrecia Burbano: le parecía que todo el salón olía a bosta de boñiga, cuero y sudor. Un intenso perfume brotaba del hombrecillo —reconocería después—, pero olía también como la sangre —diría—, triste y mil veces triste la hora en que el maldito perfumado apareció.

No bailó Bolívar con ninguna de las hermanas, pero a muchos pareció, como se comentaría, que «se demoró más de lo acostumbrado en los cumplidos a Chepita del Carmen Santacruz».

A pesar de sus trece años, Chepita se percató del agobio asustadizo de su padre, y la extrañó que su madre, para la presentación oficial, la mandara cargar en brazos la preferida de sus muñecas. Chepita accedió sin entender. Cómo entender la estratagema materna, no por pueril menos desesperada, para señalar su inocencia. Chepita acunó a la muñeca, aunque «se cometió el error (confesaría Lucrecia Burbano, y confesaría que lo pensó demasiado tarde) de vestir a Chepita como señorita».

198

A Chepita, en cualquier caso, la divirtió todo ese aparato de baile y chocolate como un juego más. Y el Libertador no sólo no bailó aquella noche: tampoco probó el chocolate; dejó que encabezaran la mesa sus oficiales y se retiró. Semejante indiferencia no la soñaron los dueños de casa, y, por supuesto, en modo alguno los ofendió: consideraron que las morrocotas de oro habían sido suficientes.

—No fue así. —El doctor bebió, como Belencito Jojoa, y todos en la sala bebieron, incluido el obispo de Pasto.

Dos días después el Libertador abandonó Pasto con destino Quito, dejando la ciudad a cargo del coronel Antonio Obando. En Quito aguardaba al Libertador una apoteosis inmerecida, igual que hacía nueve años en Caracas. Llegó a la plaza mayor acompañado de 300 jefes y 700 jinetes, y otra vez 12 ninfas lo rodearon, una de las cuales le puso una guirnalda en la cabeza.

Después de los discursos laudatorios lo llevaron a la catedral, a otro *Te Deum,* hubo baile, y la Municipalidad de Quito ordenó que se pusiera su busto en la Sala Capitular y se levantara una pirámide en Pichincha en cuyo frente debía leerse: LOS HIJOS DE ECUADOR A SIMÓN BOLÍVAR, EL ÁNGEL DE LA PAZ Y LA LIBERTAD AMERICANA. A partir de esa fecha los feligreses de Quito que acudían a la misa fueron exhortados a cantar, entre la epístola y el evangelio: *«De ti viene todo lo bueno, Señor: nos diste a Bolívar, gloria a ti, gran Dios».*

—Era la celebración de la victoria de Pichincha, bien dirigida por un joven y desconocido Antonio José de Sucre. Pero ya Bolívar se apropiaría con maña del laurel —indicó el doctor Proceso—, porque a Bolívar, como ayer y como hoy, nadie lo quiso contradecir, todos sus historiadores, sarta de medrosos, pretendieron componer su ineficacia, todos. Es increíble que tanto sesudo historiador se haya devanado los sesos para justificar a Bolívar en cada una de sus acciones, ya militares, ya de estadista. De modo que estas «acciones» pasaron a la historia más por obra y gracia de los mismos ligeros historiadores, aparatosos y delirantes, y en graves aprietos debieron poner a los historiadores medianamente veraces cuando pretendieron acomodar los dramones a la verdad. ¿Lo harían avergonzados? ¿Era la oculta consigna a través de generaciones, la consigna inconsciente, instaurar un genio latinoamericano a lo Washington o Napoleón? —preguntó el doctor. Ninguno de sus contertulios le respondió—. Si hasta la infancia de Bolívar la maquillaron de prodigios —dijo—, y sobre todo su díscola juventud, con ese estrambótico juramento en el Monte Sacro, cuando ni siquiera tenía pensado contribuir a la independencia de los pueblos. Todos, todos los historiadores participaron en la fabricación del fraude, desde los más lúcidos hasta los más cretinos, excepto Sañudo —finalizó—, Sañudo incomprendido y vilipendiado pero siempre riguroso y avizor, que publicó sus *Estudios* en 1925: allí opina sobre el asunto de Bomboná, y comenta entre paréntesis otra carta de Bolívar:

«Estos agasajos y honores en que se olvidaba a Sucre, el vencedor en Pichincha, calmaron en Bolívar el escozor que tenía por sus humillaciones de Bomboná comparadas con aquella victoria de un teniente suyo, hasta entonces apenas conocido.

»Así diose a exaltar los méritos de su entrada a Pasto, y por eso, el mismo 8 de junio, desde Pasto, hizo que su secretario Pérez escribiese al de Guerra de Colombia que "su Excelencia cree que la capitulación de Pasto es el suceso más importante de la guerra del Sur *(ya sabía que fue efecto de la victoria de Pichincha)*, y ha dicho que es preferible a diez victorias en esta cadena de escollos".

»Y escribió al día siguiente a Santander una carta en que se advierte su ánimo de rebajar la victoria de Sucre:

Mi querido general:

Había pensado no escribir a Ud. sino de Pasto o del otro mundo, si las plumas no se quemaban; pero estando en Pasto, tomo la pluma y escribo lleno de gozo, porque de verdad hemos terminado la guerra con los españoles y asegurado para siempre la suerte de la República.

En primer lugar la capitulación de Pasto es una obra extraordinariamente afortunada para nosotros; porque estos hombres son los más tenaces, más obstinados, y lo peor es que su país es una cadena de precipicios, donde no se puede dar un paso sin derrocarse (esto es pura hipérbole). *Cada posición es un castillo inexpugnable... Pasto era un sepulcro nato para nuestras tropas. Yo estaba desesperado por triunfar y sólo por honor he vuelto a esta campaña. Tenga Ud. entendido que mi intimación fue la que produjo el efecto, pues aquí no se sabía ni se podía saber nada de la batalla de Sucre, ni se ha sabido hasta el 1.° de junio* (se supo el 28 de mayo).

Por lo mismo no quiero que atribuyan a Sucre el suceso de la capitulación pastusa: primero porque es verdad y muy verdad que aquí estaban resueltos a capitular sin saber nada de Sucre y me parece que será muy oportuno el que se haga un preámbulo en la Gaceta *de nuestras glorias (?) respectivas. Sucre tenía mayor número de tropas que yo y menor número de enemigos* (no fue verdad); *el país le era muy favorable por sus habitantes y por la naturaleza del terreno* (Pichincha es más quebrado que Bomboná), *y nosotros, por el contrario, estábamos en el infierno lidiando con los demonios.*

La victoria de Bomboná es mucho más bella que la de Pichincha. La pérdida de ambos ha sido igual (no fue verdad, que Sucre perdió la cuarta parte de Bolívar) *y el carácter de los jefes enemigos muy desigual. El general Sucre, el día de la acción, no sacó más ventajas que yo, y su triunfo no le ha dado mucha más ventaja que a mí, porque a decir verdad, nosotros hemos tomado el baluarte del Sur, y él se ha cogido la copia* (!) *de nuestras conquistas. Yo creo que con un poco de delicadeza, se le puede hacer mucho honor a la Guardia* (que eran batallones escogidos, por ser escolta de honor de Bolívar), *sin deprimir la División de Sucre. No sabemos nada de sus muertos y heridos, pero deben ser muchos los jefes y oficiales, porque Sucre habla de la acción con calor* (antes dijo que sus pérdidas eran iguales).

Yo vuelvo a Quito *a ver si los bochinches del Sur cesan... espero que Ud. nos llene una bella* Gaceta *de bellas cosas, porque al fin la libertad del Sur entero vale más que el motivo que inspiró aquello del «hijo primogénito de la gloria»...*

Simón Bolívar

—No ha existido —había comentado esa misma carta el catedrático Chivo a sus alumnos, a horas escasas de su gran noche de las patadas—, no ha existido en toda la historia de generales y comandantes y otros jefes del mundo más grande envanecido de sí mismo que el mal llamado Libertador. Toda su vida de guerrero al revés, más que enfrentar batallas y ordenar los desórdenes de la república se dedicó a prolongar la guerra, a estorbar por capricho el incipiente progreso de los países y despilfarrar el erario en manos de militares embrutecidos. Pero sobre todo se dedicó a dictar cartas por decenas y centenas y por miles, a lomos de su caballo o de su hamaca, enviando a diestra y siniestra versiones de gloria propia que nunca fueron reales, versiones que volaban a los cuatro puntos cardinales reventando caballos con sus noticias de hijo primogénito de la gloria, elogio digno de él, si no fue él quien lo fraguó: con mucha razón Bolívar daba tanta importancia a lo que decían los periódicos de sus «gestas»; enrojecía de ira y perturbación si en las páginas de las gacetas, aunque se tratara de la más ínfima gacetilla de pueblo, su imagen no sobresalía como la de un genio militar y estadista, un Napoleón, su prohombre, ¿no mandó fusilar sin necesidad a los ochocientos civiles de la Guaira?, ¿no se deshizo de su propio comandante Antonio Miranda, cargándolo de cadenas y entregándolo a los españoles, traición de las más abyectas?, ¿no se deshizo de Piar, de Padilla, héroes legítimos, asesinándolos por fusilamiento?, y eran hombres de su mismo pueblo y ejército, ¿pero no se deshizo de todo el que pudiera empañar su sueño de único grande?, ¿cómo creyeron en él los hombres de su tiempo?, realmente fue un creativo publicitario y se inventó un genio, él. Fue el auténtico pionero de la publicidad política contemporánea, a partir de una única agencia: él en su caballo dictando folletines de grandiosidad a sus amanuenses, que debían ser relevados, extenuados de la epopeya interminable que el héroe inventado dictaba de sí mismo.

—El caso fue —contó el doctor Proceso— que el 10 de junio salió Bolívar de Pasto hacia Quito, y a escasas dos horas de su marcha un destacamento de jinetes regresó expresamente hasta la casa de Joaquín Santacruz. Entraron por la parte de atrás, el establo, mataron dos cerdos y un asno, nadie se explicó por qué, asesinaron después a uno de los criados que iba a ayudarlos a desmontar, y se llevaron a Chepita del Carmen Santacruz. A menos de una legua de allí la aguardaba el Libertador. La usó de inmediato, y la siguió usando al descampado durante toda esa marcha forzada hasta las puertas de Quito, seis días después. Sólo entonces la devolvió a Pasto.

«Preñada —dijo Belencito, y bebió más.

»Fue lo triste: tenía trece años, pero ocurrió; puede y suele ocurrir; señalada de por vida, no tanto para la ciudad, que era lo de menos, sino para su propia familia, los míos. Culpa de Bolívar, cómo no, pero también de los míos. Su embarazo la distinguiría como una cicatriz en el alma, tan pronto se comprobó. Tratándose de otro padre, otro gallo cantaría. Pero un hijo de Bolívar era un hijo del odio. No se sabe qué fue peor, si el incumplimiento del Libertador, o la terrible y loca decisión de Lucrecia Burbano: encerró a Chepita de por vida en su aposento del segundo piso, en esa antigua casa de Santiago.»

—¿No volvió a ver a nadie? —preguntó irritada Primavera—, ¿nadie más la volvió a ver? ¿Y su hijo? ¿Qué fue de su hijo?

—Hija —se aventuró el alcalde—, por lo menos hasta donde yo sé. Unos dicen que la enviaron cuando tenía edad a un convento en Popayán; otros dicen que acompañó a la madre en el encierro y que, después de muerta la madre, la hija la siguió.

—Triste —concluyó el obispo—. Algo se sabe de esa calamidad.

El doctor los dejaba hablar.

«¿Cuál convento en Popayán? Ningún convento la recibió —recordó Belencito—. Al menos el aposento de las dos enclaustradas quedaba frente al Templo del Apóstol: había una pequeña plaza, podían ver el mundo a través de la ventana, y también el mundo las podía ver, sólo a través de la ventana, porque su ventana era la única de la casa que no tenía balcón, no les dieron la gracia de un balcón. Muchos en Pasto, que ya murieron, todavía se acordaban de ellas asomadas detrás de la ventana: primero eran la niña y su hijita de brazos, después la mujer y la niña, después eran la vieja y la señora, y por último las dos viejas, que yo sí conocí a través de la ventana: las vi desaparecer como polvo en el viento.»

—Parece —dijo Primavera— que a don Joaquín y a doña Lucrecia no los molestó compartir su doble tragedia con los demás, su hija y su nieta detrás de la ventana, ¿no se les ocurrió que la gente podía divertirse, acechándolas?, ¿no era mejor guardarlas en otro lugar...?

—¿Enterrarlas, para que nadie las viera? —se arrepintió de concluir con oscuro humor el catedrático, demasiado tarde, porque ya Primavera enrojecía, avergonzada.

6

—A las antepasadas de Polina Agrado les fue peor con Bolívar —dijo el doctor Proceso.

La anciana Polina Agrado lo había recibido en su casa, que debía ser la más vieja de Pasto, con tres hileras de ventanas, treinta y seis habitaciones desocupadas, graneros vacíos, cocinas abandonadas, oscuros zaguanes, relinchos fantasmales y fantasmas que los montaban, y un gran huerto de rosas enmarañadas: así era la casa en 1966, gris y blanca, erigida ante la iglesia de Santiago.

Para su sorpresa, lo anunció un criado, al modo antiguo, viejo como Polina Agrado. La anciana lo recibió vestida como para un entierro, protegida, más que rodeada, por tres de sus nueve hijas. Pensó que se encontraba en París, en el salón de una marquesa. La anciana tenía cubierta la cabeza con el velo de las Franciscanas. Alargó una mano enguantada, que el doctor besó —como lo exigieron las hijas cuando concertó la cita por teléfono: «Salúdela con un beso en la mano y siéntese en el taburete que encontrará frente a ella. No diga una palabra. Sólo escúchela. Ella sabe a qué va usted».

«Me gusta hablar asomada a la iglesia de Santiago», había dicho Polina Agrado, «y sobre todo cuando debo hablar de lo que ya no quiero. Es todavía más triste hablar con alguien que ruega sin ninguna lástima que cuente la tristeza de los míos. Pero yo conocí a sus padres, doctor, gente honesta, y por eso hablo, por respeto a los suyos. De usted no sé nada, y espero, por lo menos, su decoro. No sé qué va a hacer usted con mi verdad, no imagino qué se propone, y prefiero no averiguar. Lo dejaré de la mano de Dios; sólo por eso acepto contar lo que no se puede olvidar, ni a esta edad. Si tengo los ojos en la ventana no crea que no estoy con usted: es que miro la iglesia de Santiago, para que Dios, que vive allá, me dé fuerzas.»

Las hijas habían servido café. En un silencio absoluto se disponían a acompañarlos. «Váyanse», les dijo Polina Agrado, «lo que voy a contar no merece otra vez la atención de ustedes, porque otra vez tendrían que confesarse.» De modo que las hijas salieron, y la puerta fue cerrada. Olía a viejo por todas partes. El doctor se distraía contemplando los arabescos del techo agrietado: eran paisajes rosados y azules, ángeles y espadas, soles.

«Ahora empiezo», dijo Polina Agrado.

Pero no empezaba.

Silencio.

Suspiros.

¿Lloraba?

Primavera escanció más aguardiente en las copas. El catedrático no apartaba los ojos de sus manos. El alcalde Serrano hablaba, hablaba el doctor Proceso, exaltado. El obispo reflexionaba. El catedrático Chivo participaba, pero iba y volvía dolorosamente de la historia de Polina Agrado a las manos de Primavera Pinzón, a sus ojos indiferentes.

—Eran una abuela y su nieta las antepasadas de Polina Agrado.

—Y las dos cumplen aquí su propia desgracia en la tragedia. Para muchos no es verosímil, pero ocurrió.

—Viene de boca en boca como la fábula de una caperucita infeliz, pero una fábula cierta, y eso hace la diferencia.

«Para entender el gesto de mi antepasada», había dicho Polina Agrado, «para entender el gesto de Hilaria Ocampo, más conocida como la viuda Hilaria, porque enviudó muy joven y levantó sola a sus hijos, habría que entender la encrucijada que ella y su nieta padecieron.»

—¿Para entender el «gesto», dice usted que dijo, Justo Pastor? —se admiró el catedrático—. Si a eso se puede llamar gesto... Yo estoy muy enterado del gesto, aunque preferiría llamarlo «desesperada resolución», y dulcificarlo un poco, y así y todo seguiría aterrador.

Todos bebieron.

—Cinco meses después de la capitulación de Pasto estalló de nuevo la rebelión, el 28 de octubre de 1822, esta vez a manos de Benito Boves y Agustín Agualongo. Se fugaron de la prisión de Quito, cuando ya buena parte de los pastusos se mostraba reacia a más rebeliones: los que tenían que perder, los acaudalados, no podían exponerse y continuar realistas, por lo menos hasta que se hiciera efectiva una reorganización de las fuerzas de España, que se veía más que dudosa. Igual la clase media: también tenía que perder si continuaba oponiéndose a la república. El pueblo, los soldados que juraron lealtad, los montañeses, los indígenas, seguían bajo la instigación clerical: rey y Dios, o al revés: Dios y rey, que era lo mismo. Vicarios y capellanes, en contra o a favor, cruzaban edictos violentos, sermones y cartas en latín; excomulgaban a izquierda y derecha, desexcomulgaban a conveniencia, era una reyerta de sapientes que con uno y otro latinajo se desautorizaban: «La excomunión impuesta a todos los que *directe vel indirecte* hayan cooperado con los republicanos es no solamente injusta sino ilegal y temeraria por no haberse tenido en cuenta lo prescrito por el santo Concilio de Trento y no preceder las tres canónicas moniciones». Pero en últimas, vicarios y capellanes alentaban a lo mismo, la guerra, y esto lo digo con el perdón de los presentes.

—No necesita pedirme perdón —se adelantó el obispo—. Yo estoy de acuerdo.

—Los indígenas seguían sometidos a la providencia, y pronto no lucharían por ningún rey ni por ningún Dios sino por ellos mismos, para sobrevivir. Suficiente pobreza había dejado la guerra a todos, defendiendo la idea de un rey que no los defendía, un rey etéreo. Ésa era la común resignación cuando estalló el grito de rebelión en boca de Boves y Agualongo.

—Pero ¿quiénes eran Boves y Agualongo? Perdonen si se me olvidó, señores.

—Perdonada, bella y graciosa Primavera.

—Sus adjetivos también son bellos y graciosos —repuso Primavera al catedrático, mortificada.

—Nadie puede recordarlo todo —se impacientó el alcalde. Intervenía muy de vez en cuando, pero intervenía. Ahora buscaba los ojos del obispo como si urgiera reanudar el tema. El obispo de Pasto escuchaba únicamente. Quiso opinar, cuando se aludió a vicarios y capellanes, y agradeció que nadie se percatara de su deseo. Sólo dijo, conciliador, prosigan ustedes, Arcaín, Justo Pastor, no se interrumpan.

—Benito Boves era sobrino del asturiano Tomás Boves, sanguinario general que ya se había enfrentado a Bolívar, derrotándolo en Venezuela, liderando una división que él mismo nombró *Infernal.* Era, sin embargo, bastante menos sanguinario que varios patriotas de los que se rodeó Bolívar, sobre todo los de su mismo terruño, los venezolanos Salom, Flórez y Cruz Paredes, que sucesivamente se harían cargo de Pasto, siguiendo estrictas órdenes de Bolívar, obedeciendo al pie de la letra sus decretos de asfixia y su mandato de muerte, para desgracia pastusa.

—Y son muy distintos los finales de Boves tío y Boves sobrino: mientras tío Boves murió en batalla, Boves sobrino huyó en plena contienda cuando más se lo necesitaba, huyó con los militares españoles, su vicario castrense y dos eclesiásticos «a uña de buen caballo» por el pueblo de La Laguna, pasó al Putumayo, después a Brasil, y nunca más se supo de él.

—Pero no nos adelantemos, no los ponga usted a huir cuando apenas empieza la rebelión de octubre. Los españoles huyen en Navidad. Además, Primavera nos preguntaba por Agustín Agualongo.

—Él fue en definitiva quien se haría cargo de la resistencia, en compañía de los suyos, gente de su tierra: Estanislao Merchancano, que era también letrado, el coronel Jerónimo Toro, famoso guerrillero patiano, Juan José Polo y Joaquín Enríquez, ambos con leyenda de imbatibles, José Canchala, cacique indígena de Catambuco, los hermanos Benavides, el formidable negro Angulo, líder de los negros de Barbacoas, el capitán Ramón Astorquiza, Francisco Terán, Manuel Insuasti, Lucas Soberón y Juan Bucheli, entre otros. Fue Agualongo quien decidió la participación del pueblo, justamente porque era del pueblo, un indio noble y aguerrido, más noble que cualquier criollo, un estratega que destacaba por su don de mando y su inteligencia.

—No era un ignorante, como lo pintan los historiadores oficiales, que logran burlarse hasta de su nombre, ni un «simple criado». Sabía leer y escribir, era pintor al óleo y, como muchos, se incorporó pronto a las filas realistas. Había nacido en Pasto, en agosto de 1780, y no era totalmente indio sino mestizo. Ojalá fuera un indio completo, eso lo enaltecería más.

—También él pelearía, ya no por el rey sino por su pueblo. El engaño y después la barbarie desatada en contra de pastusos sería a la larga la única explicación de su lucha, la bandera que defendería hasta morir fusilado. Fue después de su fuga de Quito, en compañía de Benito Boves, que entró a Pasto a organizar la resistencia. En el convento de monjas Conceptas recaudaron sus armas. Y, para sorpresa de los pastusos reacios, que eran las autoridades civiles y algunas eclesiásticas, reunieron su ejército de 400 milicianos, a los que se unirían alrededor de 500 montañeses venidos de las aldeas vecinas, cruzaron el río Guáitara, derrotaron la guarnición de Antonio Obando, el jefe militar que había dejado Bolívar, y reconquistaron nada menos que hasta Tulcán para los realistas.

—No demoró en enterarse el Libertador de lo ocurrido; se hallaba de festejos en Quito, al inicio de un banquete en su honor, y cuando su edecán le informó al oído del suceso se deshizo en imprecaciones, como acostumbraba, y como atestiguaron quienes lo rodeaban: «Se subió de un salto a la mesa y empezó a patear vajilla y cubiertos, de extremo a extremo». Conmocionado, sobrecogido, debía recordar muy bien a hombres temibles como los pastusos, que él ya había padecido, los mismos que lo vencieron casi sin armas en Bomboná: los había visto batirse y arrasar con los batallones Vargas y Bogotá.

—Entonces formó una división de más de 2.000 hombres, compuesta de los Rifles, escuadrones de Guías, Cazadores Montados y Dragones de la Guardia, que eran los cuerpos más veteranos del ejército del sur, y puso al frente nada menos que a Sucre, el vencedor de Pichincha.

—Pero también Sucre fue rechazado en Taindala el 24 de noviembre por el ejército de Agualongo, que sólo contaba con 700 fusileros, pocas lanzas, y lo demás garrotes de guayacán y varas de chonta.

—Se trataba en realidad de gente armada sólo de su valor: los fusiles los suplían las porras y las piedras, y el empecinamiento absoluto: sin armas ni pertrechos la orden a seguir antes de cada batalla era rotunda: «*Un palo al jinete y otro al caballo; el chuzo al estómago*».

—Sucre se retiró a esperar los refuerzos que el irritado Bolívar envió cuanto antes.

—Y fue así como el ejército de veteranos, engrosado por el Vargas, el Bogotá y las Milicias de Quito, forzó Taindala el 23 de diciembre, se arrojó sobre Pasto el 24, y, después de sangrientas refriegas aisladas, entró a matar en sus calles.

—No fue una victoria de patriotas sobre realistas; fue un horrible malentendido que Bolívar, a quien correspondía resolver, instigó; no lograba quitarse de su disparatado orgullo la espina de Bomboná.

—Es allí donde Benito Boves huye con su séquito de curas y españoles al Putumayo, para no volver jamás. El pastuso Agualongo se replegaría con sus capitanes a las montañas de Pasto, a hacerse fuerte en sus riscos. No sospechaba que el pueblo de Pasto, sin más milicianos que lo defendieran (los últimos sucumbían ante fuerzas cada vez más numerosas), terminaría inmolado; no sospechó que el perdón que él sí concedía a derrotados no se le concedería a niños, ancianos y mujeres.

—Sería el primer gran ejemplo de barbarie de la historia de Colombia, la primera gran masacre de las tantas que seguirían.

—Pan de cada día —dijo el obispo. Y hablaba por primera vez.

—También es allí donde tenemos noticia por primera vez de Hilaria Ocampo y Fátima Hurtado, antepasadas de Polina Agrado, que en paz descanse. Es allí donde empezamos a saber de su tragedia, que viene como fábula de boca en boca, allí, «en la horrible matanza que siguió, donde soldados y paisanos, hombres y mujeres fueron promiscuamente sacrificados» como señala O'Leary. Pero ¿hay que decir soldados? En la ciudad sólo quedaban lugareños indefensos, niños y mujeres. Contra ellos continuó Sucre la embestida, y cumplía órdenes de Bolívar.

—Historiadores que hablan de Sucre, su pensamiento, la claridad meridiana de sus acciones, dudan que haya participado en la masacre. Seguramente cerró los ojos y cumplió órdenes, porque eso de «cumplir órdenes» era y es la excusa universal de las matanzas. Si Sucre no entró en la ciudad durante la hecatombe sí envió al jefe de asesinos, un tal Sanders. Las órdenes de Bolívar eran irre-

213

vocables, y los Rifles y Dragones de la Guardia debieron transformarse en animales para cumplirlas.

—Los antepasados de Polina Agrado no eran nada pudientes, como sí los de Belencito Jojoa, una ironía, ¿cierto? Acá Belencito, un carpintero: allá su antepasado Santacruz, rico e influyente. Acá Polina Agrado, delicada señora con casa de tres pisos en Santiago: allá sus antepasados, montañeses oscuros, aguerridos, y sobre todo esa abuela franca y emprendedora: la viuda Hilaria Ocampo: ya los suyos se habían ido a pelear, y de ellos no tenía noticias desde hacía semanas; quedaban en Pasto sólo ella y su nieta. De no encontrarse enferma era seguro que pelearía, pero además debía cuidar de Fátima, la nieta de catorce años que, según la familia, *sufría de palabras:* a duras penas las pronunciaba, y, de pronunciarlas, las dirigía sólo a su abuela, ¿en qué idioma hablaba?, era una jerigonza de murmullos que sólo la abuela descifraba; la abuela era la única en quien Fátima confiaba: con ella reía; dormían juntas; iban a misa cada mañana, la misma abuela decía: «Sólo en mí tiene fe». Pero decía que tarde o temprano Fátima creería en los demás, para bien o para mal, y había que darle tiempo.

—Desde mucho antes la belleza de Fátima deslumbraba; sólo que su belleza, unida al encerramiento que la nimbaba («Parece una niña rara», «Es casi muerta»), tan pronto como era distinguida resultaba olvidada: era como una costumbre para todos, la belleza extraordinaria de alguien que irradiaba sólo un instante, porque enseguida sobrevenía la certidumbre de una locura quieta, ida.

—Permanecían dentro de la casa, en las afueras de Pasto, a merced del azar de la guerra. Cerca pasaba el río Chapalito, cruzado por un puente de piedra, donde nieta y abuela se paseaban a veces, y aguardaban. La abuela desesperaba del tiempo sin noticias: meses antes de su enfermedad (tenía paralizado el brazo derecho, decía que su brazo estaba enduendado) tomó parte activa en la contienda, y por eso mismo la fábula de boca en boca la recuerda. Ya desde su púlpito el vicario de Pasto le había dado la razón: defender al rey era defender a Dios. Con ese beneplácito sagrado la viuda no sólo se hizo cargo de cocinar para los milicianos sino que a veces, en el fragor de los encuentros, dejaba de lado el fogón y corría a ayudar en cuerpo y alma donde más se la necesitara. Cuando debió resignarse a la parálisis del brazo, entregó su cuchillo de cocina como un símbolo a Estanislao Merchancano, coronel del Escuadrón Invencible. Y ahora, en lugar del cuchillo llevaba escondida en el corpiño la punta aguzada de una rama de eucalipto que seguramente usó más de una vez, con su único brazo bueno, el día que los Rifles de Bolívar entraron a Pasto: uno que otro Libertador pudo caer bajo su punta, pero la fábula de boca en boca sólo nos da constancia de su uso una única vez.

—¿Una única vez?

—Hilaria Ocampo era una mujer acérrima: una mujerona de por lo menos un metro ochenta, pero con un rostro de abuelita buena, el rostro de las viejas que fueron bellas. No en vano era abuela de Fátima Hurtado: «Lindura como enferma», dirían de Fátima los soldados que la descubrieron y la eligieron para Bolívar, «pero lindura a fin de cuentas».

—La viuda había peleado contra Bolívar en Bomboná, ese domingo de Pascua Florida, el 7 de abril: se hallaba hombro con hombro con los 600 de las Milicias de Pasto que cruzaron la quebrada de Cariaco sin miedo a las balas enemigas, que subieron el cerro empinado, entraron al campo del Vargas y el Bogotá, los despojaron de sus banderas, armas y municiones, y después de dejar maltrecha a gran parte de la tropa y heridos a los principales jefes patriotas volvieron a su campo llevándose muchos rehenes: ella misma acarreó a cuatro y los puso a buen recaudo hasta que se decidió devolverlos intactos, con los otros, a Bolívar. Los pastusos del Escuadrón Invencible la convocaban; su jefe, Estanislao Merchancano, decía que les traía suerte. Ahora, con semejante parálisis traidora, no podía pelear contra el Zambo, y quedó en Pasto, con Fátima, a la espera. Ese 24 de diciembre, durante la navidad negra, no había logrado encontrar en la confusión de la matanza a ninguno de los suyos, y se atemorizó: podrían estar ya muertos: muertos debajo de los muertos.

—Cuando los hombres de Agualongo abandonaron la ciudad, ella creyó, como la mayoría, que si la resistencia había claudicado también la matanza se detendría, que Pasto había sido tomada y de nuevo sobrevendría la paz, restringida, pero paz al fin, acomodo a lo que sea, ¿a la república?, a lo que sea, a lo que ella y todos ya se resignaban. Lo que no sospechó fue la posterior acción de los asesinos del Rifles en la ciudad desprotegida: «La matanza de hombres, mujeres y niños, se hizo aunque se acogían a las iglesias, y las calles quedaron cubiertas de cadáveres; de modo que *el tiempo de los Rifles* es frase que ha quedado en Pasto para significar la cruenta catástrofe» nos dice Sañudo.

—De muy mala fama gozaba ese batallón entre las mismas huestes de Bolívar. Al mando del tal Sanders, los Rifles profetizaron días de sangre que se avecinaban no sólo sobre Pasto sino sobre todo el territorio colombiano, de allí en adelante, durante años y años que aún no terminan.

—Después de esa navidad negra 400 cadáveres de civiles de todas las edades amanecieron en las calles de Pasto, sin contar los milicianos muertos en combate, y la barbarie continuaría por tres días más, con la aquiescencia del general Sucre, que «cumplía órdenes».

—¿Pero qué suerte corrieron la viuda Hilaria y su nieta?

—Ellas fueron dos de las «Treinta Escondidas» debajo del manto de Nuestra Santísima Virgen de las Mercedes, cuando empezó la matanza, al atardecer.

—La matanza empezó al amanecer, luego de derrotados los últimos milicianos de la ciudad, y digamos que a partir del mediodía la matanza se formalizó: fue carnicería; ningún oficial se prestó a detenerla; por el contrario, las órdenes eran ésas, alentar la crueldad.

—¿Se escondieron debajo del manto de una Virgen? ¿Sobrevivieron?

—La estatua de la Virgen iba en mitad de un andamio grande, de madera, donde sobresalían las doce varas, seis a cada lado, que doce privilegiadas, las 12 Piadosas, elegidas de las mujeres más fuertes y respetadas, se llevaban a los hombros para acarrearla por las calles de Pasto, rezándole a gritos mientras los hombres peleaban. El manto colgaba de la cabeza coronada de la Virgen y se extendía a las dos esquinas posteriores del andamio, de modo que había un gran espacio oculto en su interior.

—Hilaria Ocampo había sorteado la muerte a cada paso. Lo único que le importaba era desviar a su nieta del estrago: primero habían permanecido encerradas en su casa de las afueras, la noche del 23 de diciembre y la madrugada del 24, pero debieron huir de inmediato porque fue por ese punto, cerca de la quebrada de Caracha, que empezaron a aflorar los invasores en piquetes distanciados, desde primeras horas del 24. La viuda pensó que dentro de las calles de Pasto podrían protegerse mejor, y resultó peor: los libertadores penetraban también por San Miguel y el Regadío. En muchos sitios empezaba a alumbrar el fuego, ¿incendiarían a Pasto? Conocedora de guerra, vio desanimada que no eran muchos los milicianos que resistían, comparados con los cientos de libertadores que seguían arribando en doble fila de infantería; eran destacamentos con órdenes bien repartidas, cuadros furiosos de caballería que irrumpían contra la ciudad aterrada.

—Ya en plena calle Real la viuda quiso volver a su casa, pero dudó: era la muerte por todas partes; los enemigos a pie, a caballo, se multiplicaban; no sabía qué resultaba peor: avanzar, retroceder, quedarse quietas; ningún lugar parecía bueno; lo único a su favor era un misterio: que en el azar de la muerte nadie las determinaba, como si no existieran; por coincidencia providencial ninguno de los ojos que buscaban a quién matar las veían; los numerosos ojos, enrojecidos y arrebatados, pasaban por encima de ellas, sin verlas; entre la nube de víctimas no las descubrían, no las distinguían, a pesar de la luz, porque la luz seguía, aún no atardecía.

—Habían huido por la calle Angosta, esquivando cuerpos esparcidos como manchas en las poses más inverosímiles, y debieron avanzar saltando sobre manchas, ignorándolas por fuerza, porque era ineludible que de vez en cuando las pisaran, y no se detuvieron hasta llegar a una orilla del cementerio, donde la viuda imaginó que encontrarían el mejor sitio para esconderse; creyó que a nadie se le ocurriría matar en el cementerio, y lo que vio la espantó más: su misma idea la tuvieron muchos, y también allí los mataban, en el cementerio: no distinguió si eran hombres o niños o mujeres, veía sólo manchas enrojecidas, y sobre todo las oía, un grito idéntico, inmaterial, estirado como un río.

Huyó otra vez, tirando de su nieta por las calles; a su paso las puertas de las casas caían despedazadas: entraban los libertadores a caballo, lanceando y disparando a lo que se moviera. Imposible desviarse del estrago, huían sin dirección; desembocaron en las puertas de la Iglesia Matriz y encontraron allí un grupo de parroquianos asomados al interior de la iglesia, paralizados en un silencio de piedra, ¿desentendidos?, como si alrededor no ocurriera la guerra: los rostros estatizados contemplaban algo que sucedía adentro; no sólo no se atrevían a entrar (como hubiese querido la abuela, para esconderse) sino que tampoco se atrevían a huir; seguían como fascinados ante las puertas, en un congelamiento mortal, los rostros petrificados. También ellas se asomaron y presenciaron en ese justo momento cómo le aplastaban la cabeza al viejo Galvis, de ochenta años, en pleno altar. «Galvis», se gritó la viuda, «Galvis.» Con Galvis vivían cerca, varias veces charló con él, y ahora estaba muerto, igual que estarían ellas si no las protegiera Dios: un estampido de soldados los dispersó; la viuda alcanzó a sentir en su espalda la sombra de una bayoneta rozándola. Aferró a Fátima y corrieron otra vez, porque la muerte seguía cercándolas, la muerte que todavía no las miraba, la muerte sin mirarlas, sin todavía mirarlas.

—El convento de la Merced tenía sus puertas ardiendo. Adentro, detrás del humo, las lenguas de fuego iluminaban a pedazos las sombras desbocadas de los Rifles encima de las sombras desnudas de muchachas que gritaban: en el instante mismo de violarlas las mataban, descubrió la viuda. Fátima veía, aferrada del brazo de su abuela. Entonces habló en su jerigonza de murmullos, habló por primera vez en la catástrofe: preguntaba si era que allí todos jugaban; la abuela no respondió; la atormentó lo que la pregunta profetizaba, ¿sería un juego para Fátima, si ocurría?

—Subieron al barrio de Santiago, donde se levantaba el Templo del Apóstol, y fue peor: allí la lucha proseguía, agónica: tres o cuatro milicianos resistían contra por lo menos cien libertadores, calculaba la abuela, conocedora de guerra. No podía ayudar: estaba a cargo de su nieta; tenía el brazo enfermo; sólo servía para huir. Y la hizo llorar, por fin, el fin de los acorralados: atacaban sin logros, se defendían apenas, iban sin fuerzas de aquí para allá hasta caer oscurecidos debajo de un bosque de lanzas, sin un grito, como si agradecieran, eso la hizo llorar en silencio, y la hizo llorar más otra nube de muertos, ¿muertos?, muertas, descubrió, era un rincón de muertas, comadres suyas que reconoció congelada: la sastra Otoniela, Zenaida Montúfar, la Sombrerera, las dos Patojas, la Cándida Iriarte, Facunda Bucheli, Terencia y Tila Moncayo, Cirila Cruz, la sorda Castillo, sólo bastaba mirar una cara para conocer su nombre enseguida, eso la atribuló, y por eso dejó de mirar más nombres y más muertas, pero la horrorizó en el alma descubrir que las muertas portaban banderas blancas, banderas hechas con trapos blancos, que no les sirvieron.

—En mitad de las muertas Fátima inexplicablemente echó a reír. Y su risa espantó a la abuela, que se la llevó a ciegas, sin ruta en el tránsito sobrecogedor, sin más esperanzas: creía que en definitiva la nieta había enloquecido. En Taminango, barrio de los más populares, repleto de heridos, de gritos de agonizantes y gritos de los que mataban, ya no pudieron huir más, ¿adónde?, «Dios sálvanos», oyó la abuela que gritó alguien debajo de ella, «van a matar la ciudad», era ella misma la que gritaba, y era la primera vez que gritaba. Fátima no la oyó: había sentido una caricia tibia sobre su cabeza, y levantó los ojos: las alas rozaban su frente: era un oscuro pájaro que huía remontándose al cielo, y ahora Fátima reía más, la gran risa delirante cruzaba su cara.

—A orillas del río Pasto la mortandad aumentó: en su horizonte, figuras encima de los puentes, figuras que morían, figuras que mataban, morían y mataban debajo y encima de los puentes: los rayos de un sol extrañamente rojizo las revestía, ¿adónde las conducía el miedo?, como si abrieran y cerraran los ojos aparecieron en pleno barrio de San Andrés, y fue allí donde la abuela se encontró a boca de jarro con su comadre Isaura Olarte, que lloraba. Huía con su hija, una niña menor que Fátima, después de mantenerse ocultas en el zaguán de un granero, pero debieron salir cuando el portón empezó a arder. A dos pasos del portón que ardía, y acaso por eso mismo protegidas, las dos comadres trataban de entenderse en la explosión de silbidos y disparos, quejas y chillidos y el galope sobrecogedor de caballos. Isaura Olarte hablaba de sus muertos, de su casa arrasada; decía a gritos, con voz enronquecida, que «sólo quería un soldado blanco para su hija, que no cayera en manos de uno negro, que ningún negro la preñara», y buscaba desesperada en torno suyo como invocando al soldado blanco que la salvara. «Negro o blanco, igual», le dijo la abuela, y propuso que huyeran a la iglesia de Jesús del Río, donde se hallaba la estatua de Nuestra Santísima Virgen de las Mercedes, «Allá», dijo, «ocurrirá el milagro». Isaura Olarte negaba con la cabeza: «En las iglesias matan más; es como ir y decirles aquí estamos, mátennos». La abuela quedó pasmada, los ojos puestos en el infierno: los jinetes que guiaban la matanza tenían la cara tiznada. Se sobrepuso: «Venga conmigo», volvió a gritar, pero ya la comadre y su hija avanzaban por entre el remolino, pegadas como un bulto a los muros ensangrentados. Ahora la abuela se remeció de furia: tiraba de Fátima con fuerza: «Espabílate, tullida», le dijo, y por primera vez la exhortaba de semejante manera, «qué pasa que no te mueves».

—Llegaron a la iglesia de Jesús del Río.

—Y allí empezó su desgracia.

7

—Ocho años antes de la desgracia de Hilaria Ocampo, en 1814 (cuando Pasto fue sitiada por el general Nariño, a quien los pastusos derrotaron) las 12 Piadosas sacaron por primera vez en volandas a Nuestra Santísima Virgen de las Mercedes, en compañía de las demás mujeres de Pasto, la exhibieron en pleno frenesí del combate y la llevaron sin miedo a los recovecos de más fragor gritándole que no te hagas la sorda ni te desentiendas, pidiéndole con ruegos y hasta con denuestos que tomara parte, tirando de su manto, su rosario, palmeando sus rodillas, pellizcándola en los pies de yeso como si la despertaran, rogándole que peleara también ella, que ya era tiempo, decídete a favor, Santísima Merceditas, sé fiel y sé fuerte como nosotras.

—Y decidió a favor.

—Pero las cosas no sucedieron así, exactamente: el general Antonio Nariño, ese prócer auténtico, traicionado no sólo por sus hombres sino por el destino, vio con su catalejo una gran hilera de soldados que avanzaba contra él desde el centro mismo de la ciudad: no eran soldados sino una multitud de mujeres: se trataba de una procesión que iba de San Agustín a La Merced, encabezada por la Virgen, pero la Virgen no transitó jamás por los sitios álgidos del combate, como dicen.

—Triste la memoria de Nariño, si me permiten lamentarlo. Merecía todas las distinciones antes que Bolívar, a quien aventajaba con creces en los principales sentidos: militar y estadista. En el difícil camino contra los pastusos dio pruebas de pundonor y llevó a sus hombres al filo de la victoria. Pudo triunfar cuando el mariscal de campo realista, Melchor Aymerich, apocado «protector» de los pastusos, huyó de la ciudad tan pronto supo que los patriotas se encontraban cerca; y no huyó solo: se llevó los batallones Real de Lima y Cuencanos, destinados a la protección de la ciudad. Fue allí cuando la mano del destino empezó a trazar cuando quiere y como quiere lo que quiere: tampoco la artillería de Nariño, por decisión del coronel Rodríguez, acudió a reforzar a su general: insólitamente, el coronel Rodríguez se devolvió con la artillería a Popayán. Quedaron en el campo solamente los pastusos y Nariño, que lideraba los batallones Granaderos de Cundinamarca, Socorro y parte del Cauca, ya diezmados por la campaña contra Pasto.

—Sólo fue saber que Nariño se hallaba a las puertas de la ciudad para que los pastusos reunieran las armas y salieran a defenderse. De nuevo el destino, y la desesperación: los pastusos decidieron la victoria; huyeron los hombres de Nariño, pero no su general, que siguió solo. Resistió días de hambre y frío en las montañas, convencido absurdamente de que tarde o temprano llegarían el coronel Rodríguez y la artillería. Nunca llegaron. El general Nariño se entregó por fin a un labriego que pasaba, y sólo entonces el espantadizo Aymerich regresó a Pasto, a disponer de la victoria pastusa sobre los republicanos y la captura de Antonio Nariño, presidente de Cundinamarca, gran estratega y humanista.

—Otro hubiese sido el destino de las naciones si Antonio Nariño consigue esa victoria, pasa al Ecuador y continúa su campaña, y no Bolívar, que pasó al Ecuador sin mérito propio, y que era como el revés de la medalla. No hay Dios en la historia de Colombia, ni justicia, y muchas veces son los más nocivos y parásitos quienes se salen con la suya.

—Años después, cuando Agualongo persiguió al tiranuelo Flórez, lo acorraló y casi capturó (200 infantes republicanos murieron), le tomó 300 prisioneros, más de 500 fusiles y una pieza de artillería, y se dispuso a ir en busca del Zambo hasta Quito, también las Piadosas dirían que fue un milagro de Nuestra Santísima Virgen de las Mercedes, que intervino a favor.

—Pero ocho años después de Nariño, cuando ocurrió la navidad negra, en la iglesia de Jesús del Río la viuda Hilaria y su nieta encontraron la estatua de Nuestra Santísima Virgen de las Mercedes quieta en mitad del andamio, ante las puertas, como a punto de salir por sí sola, pero sin salir nunca: las 12 Piadosas yacían estranguladas alrededor, y no había nadie más en el templo.

—Eso parecía.

—Los asesinos habían intentado prender fuego a la iglesia, y desistieron. Si los asesinos marcharon, pensaba la abuela, el mejor sitio para ocultarse era allí, entre las 12 muertas, al arbitrio de Nuestra Santísima: regresar a la calle sería tentar al destino. Todavía algunos cirios alumbraban en los muros, todo era silencio devastador, silencio de ruinas, pero oyeron al fin un quejido. Nadie se distinguía en la penumbra, entre los confesionarios carbonizados; olía a incendio sin llamas. Pero volvieron a oír el quejido, y descubrieron su rastro: alguien tenía que hallarse escondido debajo del manto de Nuestra Santísima. Oyeron cruzar a galope varios jinetes frente a las puertas, sin detenerse, y ya iban a meterse debajo del manto cuando resonaron los pasos precipitados a sus espaldas: era uno de los Rifles asesinos. A la escasa luz de los cirios, en el esplendor caliente que daban los confesionarios como carbones al rojo, la abuela vio que el soldado era muy joven, que estaba solo, y que iba contra ellas decidido a matar: lo oyeron gritar llamando a los suyos: «*Aquí hay*». La abuela se anticipó al asesino, lo encaró, llevando a Fátima del brazo, y se la entregó, resuelta, de un suave empujón: «Tenga», le dijo, «es para usted. Proteja por el amor de Dios a esta niña, que es sólo para usted». El soldado desmesuró los ojos brillantes, enrojecidos. Tenía la camisa manchada de sangre, la manga rasgada, y un sombrero de paja atado a su cuello. Miraba a Fátima sin creerla; le pareció que la bella pero extrañísima muchacha bostezaba en dirección a él como si fuera a tragárselo; entonces dejó de apuntar con la bayoneta, recibió a Fátima que bostezaba, la abrazó, ella sintió la boca pegada a su cuello, el olor a pólvora, sudor, y vio el rostro tiznado de humo donde alumbraban los ojos casi como de una inocencia atroz, pero vio también en un segundo, detrás del soldado, a su abuela, la oyó decir con absoluto sosiego: «Cierra bien los ojos, Fátima», los abrió cuando su abuela la empujaba hacia la Virgen, después de oír el chillido como de puerco herido: el *asombrado* yacía de espaldas, las piernas y brazos como si se desperezara, una mano torcida en el cuello que manaba sangre; la abuela se guardaba la punta de eucalipto en el corpiño.

—Y se metieron debajo del manto azul de la Virgen, con las otras Treinta Escondidas, mujeres de edad avanzada que solían acompañar a las Piadosas.

—Y no eran treinta exactas, como cuenta la fábula: estaban además el sacerdote Elías Trujillo y los cuatro hijos de Ninfo Zambrano, todos niños.

—Pero los descubrieron a causa del mismo quejido repetido: era uno de los niños. Los libertadores sacaron uno por uno a los escondidos y uno por uno los degollaron. Fátima sintió como si se encontrara debajo de una piedra: su abuela no permitió que se moviera. Por pura merced de Nuestra Santísima de las Mercedes no comprobaron los asesinos que todavía quedaban, en un rincón del andamio, arrebujadas debajo del manto violeta de la Virgen, dos sobrevivientes. No fue una merced completa: tres días duró la masacre. Debieron comer cera de cirios y beber agua bendita de la pila bautismal. No fue una merced: después del tercer día Hilaria Ocampo y Fátima Hurtado salieron a sumarse a la tristeza universal: habitar como fantasmas la ciudad fantasmal, y acogerse, como los demás sobrevivientes, al nuevo orden instaurado por Bolívar.

—Es decir a otra barbarie: los decretos.

—Los decretos y la trampa de Bolívar.

—Bolívar había llegado a Pasto nueve días después de efectuada su Navidad de la Muerte, el 2 de enero de 1823, y empezó de inmediato: dio un decreto de confiscación de bienes, impuso una contribución de 30.000 pesos y 3.000 reses y 2.500 caballos «que la saqueada Pasto no podía pagar». Las propiedades de los pastusos se mandaron repartir entre los militares de la república. Además, ignorando la misma constitución, que abolía el tributo de los indios, dispuso que los indios de Pasto lo pagasen (con los impuestos atrasados) como pagaban al rey español. ¿Cómo no iba a continuar la rebelión, empezando por los indios? ¿Qué clase de Libertador era ése, que sólo daba instrucciones para la ruina?

—Bolívar saldría de Pasto el 14 de enero. Pero seguía todavía en la ciudad cuando fraguó su trampa y dio su última gran instrucción a Salom. ¿Y qué hizo Salom? Cumplirla al pie de la letra. O'Leary lo resume: «Salom cumplió su cometido de una manera que le honra tan poco a él como al gobierno, aun tratándose de hombres que desconocían las más triviales reglas del honor. Fingiendo compasión por la suerte de los vencidos pastusos, publicó un bando convocándolos a reunirse en la plaza pública de la ciudad, a jurar fidelidad a la Constitución y a recibir seguridades de la protección del gobierno en lo sucesivo. Centenares de pastusos, en obediencia al llamamiento, o tal vez por temor de mayor castigo, acudieron al lugar señalado, en donde se les leyó la ley en que estaban consignados los deberes del magistrado y los derechos del ciudadano. Según ella, la propiedad y persona tenían amplias garantías y la responsabilidad de los magistrados se hallaba claramente definida. Leyose la ley, en presencia de todos los concurrentes, y como prueba de buena fe del gobierno se repartieron sendas cédulas de garantía. Pero violando lo pactado, situó en la plaza un piquete de soldados que redujo a prisión a 1.000 pastusos, que enseguida fueron enviados a Quito. Muchos de estos perecieron en el tránsito, resistiendo a probar alimentos y protestando en términos inequívocos su odio a las leyes y al nombre de Colombia. Muchos, al llegar a Guayaquil, pusieron fin a su existencia arrojándose al río; otros se amotinaron en las embarcaciones en que se les conducía al Perú y sufrieron la pena capital».

—En esa trampa bolivariana cayó parte de la familia de Hilaria Ocampo, y la otra terminaría después, en las llanuras de Ibarra, el 16 de julio de 1823, cuando otra vez Agustín Agualongo enfrentó en proporción muy desventajosa al ejército de veteranos de Bolívar.

—Contra una partida de montañeses Bolívar opuso un ejército.

—El secretario de Bolívar, Demarquet, escribía antes del combate: «Su Excelencia piensa operar según todas las reglas que previene el arte de la guerra (...) la intención de Su Excelencia es batir a los pastusos en campo abierto y lejos de Pasto para que no pueda volver uno solo (...) y que luego de derrotados se avise a los pueblos para que los hostilicen matándolos o haciéndolos prisioneros (...) y además ofreció premiar con 10.000 pesos al cuerpo que los rompa primero».

—En Ibarra, sin armas, sin logística, cuando descansaban, los pastusos fueron sorprendidos por un ataque de caballería demoledor. Los hombres de Agualongo se abalanzaban al cuello de los animales, intentando derribarlos por tierra. Combatían sin rendirse: no creían. Cómo creer en la palabra de los libertadores si el mismo Libertador brillaba por su falta de palabra, igual que brillarían sus sucesores en Colombia de allí en adelante, por los siglos de los siglos.

—Fue una batalla monstruosa, si pudo ser batalla, por lo desigual. Y como es tradición, ante ella cierran los ojos los historiadores.

—Bolívar, a cierta altura del combate, enterado de la muerte de más de 500 guerreros pastusos y sólo 8 republicanos, en lugar de suspender las acciones, de llamar al juicio o mostrar por lo menos la indulgencia del vencedor cuando ya va más allá de la victoria, hizo lo contrario, se sobrepuso a su legendaria cobardía, o la mostró todavía más, y cabalgó a disparar contra desarmados, aleccionando a sus lanceros para que atravesaran cuerpos y más cuerpos sin clemencia, hasta que la noche llegó.

—Da una idea de su sevicia el resultado final: quedaron regados en el campo más de 800 pastusos, y sólo 13 republicanos, según parte oficial. A los heridos pastusos no se les dio cuartel; se los remató. Los cadáveres no fueron enterrados, como manda la más elemental razón humana: Bolívar hizo una pira con ellos.

—¿Cómo iba a acogerse Pasto a la república? El venezolano Salom escribía a Bolívar, el 27 de septiembre: «No es posible dar una idea de la obstinada tenacidad y despecho con que obran los pastusos; si antes era la mayoría de la población la que se había declarado nuestra enemiga, ahora es la masa total de sus pueblos la que nos hace la guerra, con un furor que no se puede expresar. Hemos cogido prisioneros muchachos de nueve años. Este exceso de obcecación ha nacido de que saben ya el modo con que los tratamos en Ibarra, y sorprendieron una contestación del señor comandante Aguirre sobre la remisión de esposas que yo le pedía, según las instrucciones de Su Excelencia, y sacaron del Guáitara los cadáveres de dos pastusos que con varios más entregué al comandante Paredes, con orden verbal de que los matara secretamente (...) están persuadidos de que les hacemos la guerra a muerte, y nada nos creen».

—De la masacre de Ibarra Agustín Agualongo pudo escapar con algunos de sus hombres, y seguiría empeñado en la guerra. La suya fue una de las primeras y más importantes gestas de resistencia indígena en Latinoamérica, y Agualongo el primer guerrillero auténtico, si se quiere; a pesar de que Bolívar puso precio a su cabeza, de la persecución incesante, de sobrellevar días sin agua ni comida en el paisaje agreste que lo confinaba, pudo reunir buena parte de sus lugartenientes; ahora planeaba tomarse Barbacoas, cerca de la costa Pacífica, insurreccionar los puertos de Tumaco, Esmeraldas y Buenaventura, ponerse en comunicación con los corsarios, recibir auxilios del Perú y emprender acciones sobre el resto del Cauca, como señala otro historiador pastuso de valía, Sergio Elías Ortiz: «Esto ocurría a principios de mayo de 1824. Entretanto muchos dispersos habían ido reuniéndose alrededor del jefe y al llegar al Patía, en marcha para el nuevo plan de campaña, se unió al grupo con sus mulatos el coronel Jerónimo Toro, y las fuerzas se elevaron a poco menos de 400 hombres que debían aumentar a 500 al llegar al río Telembí, con Angulo y los negros de las minas». Allí, en Barbacoas, se libra la tragedia final del héroe. Es derrotado, apresado el 24 de junio y fusilado en Popayán el 13 de julio de 1824. Hasta último momento sus captores intentaron que renegara, ya no del rey, sino de su propio pueblo y su tierra, porque era por ellos que Agualongo moría.

—Pidió únicamente que *nunca* le vendaran los ojos.

—Días antes, cuando iba prisionero por las calles de Popayán, camino del cuartel donde lo fusilarían, alguien de entre el público se sorprendió: «¿Es aquel hombre tan bajito y tan feo el que nos ha mantenido en alarma durante tanto tiempo?». A lo que Agualongo respondió que sí, con voz recia, que dentro de ese cuerpo pequeño se albergaba el corazón de un gigante.

—No sólo valiente y esforzado en la contienda, también magnánimo, respetó la vida de cientos de prisioneros que hizo en sus batallas. Cuando persiguió a Salom, que huía por Catambuco, alcanzó en el tumulto del combate a Herrán, oficial republicano, y éste, en lugar de hacer frente a Agualongo, cayó de rodillas ante él, las manos juntas, en mitad de ambos ejércitos, gritando a Agualongo que lo dejara con vida. De inmediato Agualongo le respondió con desprecio «*Yo no mato rendido*».

—Fue muy distinto Bolívar con los 800 sacrificados de Ibarra, y con las órdenes que impartió cuando invadieron a Pasto. Bolívar no sólo mataba rendidos sino niños y mujeres.

—Y permitió que Flórez y Salom se hicieran cargo de Pasto, esbirros enloquecidos que competían en barbaridad. Salom confiscó propiedades, desterró hombres y mujeres, reclutó por fuerza a 1.300 jóvenes, y, como refiere Sañudo, «ordenó a Cruz Paredes, venezolano, que a catorce de los pastusos más esforzados los matase y enterrase secretamente; lo que cumplió este asesino apareándolos por las espaldas y arrojándolos en un precipicio del Guáitara».

—Aquí los detractores de Sañudo optan por sugerir como una puñalada trapera que uno de esos catorce sacrificados era su antepasado, y que por eso Sañudo «odia a Bolívar». Qué fácil y qué pobre explicación, como si la verdad de Sañudo obedeciera a un odio particular. No importa que entre los sacrificados hubiese o no un antepasado de Sañudo; el verdadero sacrificado fue el pueblo de Nariño, aparte de su ciudad principal, masacrada por capricho, y el posterior eterno olvido republicano a que se verían sometidos ciudad y departamento. A toda esta verdad atiende Sañudo, sin apartarse nunca de su integridad de historiador. Sólo en una ocasión da cuenta de su indignación ante Bolívar, pero de ella previene al lector, al margen de su relato histórico: «... y tanto se habían exaltado sus instintos sanguinarios que para contar sus defectos contra Pasto tengo que contener mi ira y decir, como Cicerón: *Ira que brota naturalmente de la piedad de un hijo por los insultos a su patria*».

—Desvirtuar a Sañudo indicando una simple «venganza personal» es la más peregrina interpretación de su obra. No se pueden ignorar las atinadas conclusiones de Sañudo, su examen permanente de las cosas, el desentrañamiento que hace de la historia, de los rastros de la historia, para llegar a la verdad. Se dedicó a transitar toda su vida por entre esos tan enrevesados caminos de la historia oficial, dictámenes sin documentos y sugestivas mentiras, y encontró la verdad. Y debieron ser muchas idas y vueltas a través de tantos mamotretos pantagruélicos de historiadores sin luz, dedicados a limpiar de cieno y de sangre las botas de Bolívar, porque también en ellos se sumergió Sañudo, y los rectificó. Así avanzó entre la niebla y la claridad, y dilucidó las contradicciones que tarde o temprano avisan de la verdad, a despecho del héroe inventado. No se puede vilipendiar su titánico esfuerzo crítico sobre la vida de Bolívar, y menoscabar su obra, que fantoches de la academia, calvos de entendederas, han impedido apreciar en justicia.

—¿Y la viuda Hilaria y su Fátima, después de la navidad negra?

—Fátima se encontraba en el puente sobre el río Chapalito cuando volvió Bolívar a Pasto, la mañana del 2 de enero. Desde ese puente, rodeada de frío, vio cruzar a Bolívar el otro puente: el puente sobre el río Pasto, lejos, aunque visible: acaso lo vio sin verlo, pero ¿cómo no distinguirlo en su caballo blanco, encabezando una columna inacabable de hombres armados?

—De hombres despiadados.

—Bolívar no necesitaba verla para encontrarla: al Libertador le llevaban las piezas de caza, y elegía.

—Tenía su «encargado» para estos menesteres: se trataba de un subalterno discreto, con nombre y apellidos, pero tan obvio que ningún historiador se mostró una vez interesado en mencionarlo. Algunos solamente admitieron su quehacer, y le dieron su beneplácito, celebrándolo: «Y entonces logró que aquel jefe magnífico, aquel invencible, otro Alejandro, se desentendiera por un minuto de su oficio de héroe, y le buscó y le señaló la venadilla».

—«Fue así como saltó otra canita al aire del Libertador.»

—«Lo condujo a la primera cita de la noche, lo animó, "Libertador", le dijo, "la mujer se hizo para el reposo del guerrero".»

—Pero en el caso de Bolívar no se debería decir mujer sino criatura, cría, núbil, retoño, párvula, bisoña, infantilla, carne pura.

—Muy pura su apreciación, muy puro su listado —dijo Primavera al catedrático, y éste la ignoró a propósito: lo complacía en el alma el interés de Primavera:

—El encargado era incluso hombre religioso y taciturno, justamente como los que solían emplearse en vestir y desvestir a un general de esos tiempos, peinarlo y afeitarlo, dormirlo y despertarlo; un hombre que por eso inspiraba cierto malicioso respeto en la soldadesca. Era astuto, como discreto. Sabía decir las cosas al Libertador, sin decírselas. Todo lo disponía él, desde la hora de la cita hasta el tendido de la cama. Prefería hacerse cargo personalmente, pues conocía muy bien los gustos y regustos de Su Excelencia.

—Tres días después de la llegada del Libertador a Pasto, el encargado y sus hombres «descubrieron» a Fátima Hurtado. La descubrieron en un recodo sombrío del Chapalito y, cuando la contemplaron contemplándose ella misma en las aguas, al modo de la fábula de boca en boca, supieron de inmediato que era otra *«paloma del Libertador»* como decían.

—Como envidiaban a escondidas.

—No era infrecuente que los mismos soldados presentaran estas ofrendas a Bolívar, o lo hacían por intermedio de los oficiales. Todos, como el encargado, sabían de la más urgente necesidad de Su Excelencia.

—«Fátima Hurtado era como la Virgen de Fátima» dicen que dijo Fabricio Urdaneta, nacido en Riohacha, soldado-barbero a órdenes del encargado, uno de los que descubrieron a Fátima según la fábula de boca en boca.

—Maravillados de la aparición, y guardando la cautela que se exigía en estos lances bajo pena de muerte, los soldados y el encargado la persiguieron por las afueras de Pasto, sin que la aparición se percatara. Parecían desquiciados los soldados de tanta belleza junta en una muchacha: el encargado sorprendió sus maquinaciones mientras la seguían, pero una sola reconvención suya, nombrando a Bolívar, bastó para desanimarlos.

—Y la vieron encerrarse en el silencio rural de una casa ruinosa, con un caminito de piedra cuidadosamente barrido ante la puerta, la casa donde Fátima vivía con su abuela, únicas sobrevivientes, pues nada sabían de los suyos.

—Allí tocaron los soldados a la puerta, con el encargado en medio: aguardaba circunspecto, respetuoso de las conveniencias y, sin embargo, autoritario: era el desasosiego que lo sobrecogía siempre que remataba una misión de esa especie; él mismo volvió a llamar a la puerta.

—Y abrió la viuda Hilaria Ocampo, la inmensa.

—Entonces sucedería la historia inexplicable, la fábula de boca en boca. Doña Polina la contaba muy bien, con sus dimes y diretes, sus carajazos, ¿cierto, Justo Pastor? Yo también se la oí. Ahora tendré que contarla yo.

—Si usted quiere.

—Prefiero oír a Polina Agrado —dijo Primavera.

El catedrático no se dio por aludido:

—Al encargado lo perturbó la corpulencia de la vieja que acudió a abrir. Pero se repuso y explicó, con la prudencia que lo caracterizaba en casos semejantes, que tendría que llevarse a su hija con el Libertador Simón Bolívar. Que ésas eran sus órdenes.

«No es mi hija, es mi nieta» aclaró la viuda.

Mi antepasada Hilaria Ocampo ya sabía de qué se trataba —contó Polina Agrado—: *tarde o temprano la hora tenía que llegar. Tarde o temprano iban a descubrirla, no a ella, sino a su Fátima, tarde o temprano.*

Había esquivado el cerco de la muerte en la navidad negra, la acechanza del monstruo, su zarpazo, y esta vez lo veía ineludible, a la puerta, en requerimiento de su Fátima. Ya no era el joven asesino que las asedió en la iglesia, y que ella ajustició como Dios manda, sino Bolívar, por Dios, era el Zambo.

Y se dolía de que esa misma mañana había pensado esconder a Fátima por los lados de la Laguna, lejos de Pasto, pero dejó pasar el presentimiento y lo recordó muy tarde, cuando golpearon a la puerta; era eso lo que más la afligía, olvidar esconder a su nieta cuando ya tantas miradas se cernían; no esconderla a tiempo, ¿por qué no lo hice?, se lamentaría, ¿por qué no la até a mi cintura?, ¿a qué horas se me escapó de la mirada? La confundía que su nieta no terminara reclamada por cualquier asesino al azar, que ella muy bien podría enfrentar y derrotar, sino por un encargado casi amable, vestido de paño, y unos soldados boquiabiertos, cuatro en total, los contó, preparándose, gente de parte de Bolívar, se afligió, y lo comprendió al fin, era Bolívar: detrás de toda esa desgracia estaba el Zambo.

Hoy supongo que mi antepasada no sabía si eso, justamente, que se tratara de Bolívar y no de otro asesino al azar, era mejor o peor para ellas, «Peor», debió gritarse, «es peor». ¿O las ayudaría?, pensaría aún, a despecho de ella misma, y se odiaría por pensarlo, «Peor, peor —debió repetirse—, todo es peor con este horrible Zambo hijueputa».

«Dígale, por Dios, dígale que venga él mismo por ella», dijo Hilaria Ocampo al encargado, con un asombro feliz.

¿Se arrodillaría?, hablaba como si se encontrara en una iglesia, pensó el encargado, y con razón: cualquiera diría que Hilaria Ocampo había aguardado esa propuesta toda su vida para tener que responder dígale que venga él mismo por ella.

«No puede ser», dijo el encargado.

Lo desconcertaba ese obstáculo peculiar, esa solicitud que tampoco era un obstáculo: hasta podría interpretarse como una súplica sincera, una invitación, ¿qué hacer? Sonrió por primera vez en años. Le pedían un favor elegante, al fin. No oro. No cargos. No pasaportes. No recomendaciones. Esta mujer sólo demandaba la felicidad de la presencia del Libertador, ¿era eso verdad?, debía ir con cuidado. Era cierto que tenía frente a él una vieja de voz dulce, pero oscura, pensó. Su estatura, su convencimiento, la fortaleza de sus ojos, lo inquietaban, y no sólo a él, también a sus soldados que, todavía, se abochornó, la apuntaban al pecho con sus fusiles, imbéciles, pero enseguida los compadeció: se hallaban aturdidos como él, y ninguno sabía por qué, ¿el olor?, era algo de esa vieja gigante, los ojos que penetraban, la boca apretada, las dos manos enormes abiertas como si de un momento a otro se dispusiera a matar y morir.

Con un gesto el encargado hizo que apartaran los fusiles:

«¿Usted sabe lo que me pide?».

«Que venga por ella el Libertador.»

«Imposible.»

«Tendré que bañarla y vestirla» dijo la abuela, «tendré que arreglarla como tiene que ser.» Y luego, severa: «Tendré que instruirla como Dios quiere. Vayan y vuelvan con él».

Nadie respondió.

Ella manoteó en el aire:

«Se trata de Su Excelencia el Libertador. Merece todo el respeto».

Los cuatro soldados intercambiaron una mirada alarmada. El encargado retrocedió, casi vencido.

«Dígale, por Dios, dígale que venga. Para esta mujer humilde será un honor recibirlo y entregarle personalmente a la única de sus nietas; es una gracia que me hace, yo sé que Su Excelencia cuidará de ella, la ayudará.»

Por supuesto que no vendría con Su Excelencia, pensó el encargado. Pero aceptó. Ya sabía qué pretendía la vieja. Lo había descubierto al fin entre sus últimas palabras: *cuidar y ayudar*. Volvería con la ofrenda, el pago, el oro: era eso únicamente lo que demandaba la vieja, su buen sentido común. Se había equivocado con ella.

«Sí», le dijo, «vendrá el Libertador, ¿por qué no?»

Y dejó apostados en la puerta a dos centinelas.

—Lo cierto, en definitiva, era que la noticia de Fátima había volado también a oídos del Libertador.

—Eso no se comprobó nunca.

—Se comprobó.

—No se comprobó que Bolívar se hubiese enterado por otras personas distintas al encargado.

—Se enteró, y mucho antes de que se lo revelara el encargado. Supo de la extraordinaria belleza de Fátima cuando desmontaba en mitad de la plaza Mayor, y de inmediato volvió a montar. «¿En dónde está?», dicen que dijo.

—Se burla usted.

—No.

—Se discute sobre si se enteró o no el Libertador, desde antes, de la paloma que vivía en Pasto, paloma que ya le adobaba su diligente encargado, ¿cómo comprobar cualquiera de las posibilidades? Puede ser que el Libertador no supiera, o puede que sí, y que más tarde, muy complacido al informarse del fervoroso ruego de la abuela, acudiera con el encargado.

—Según doña Polina, el Libertador llegó minutos después del encargado. Primero llegó el encargado, con un cofrecito de oro, ropa blanca y comida. Después el Libertador Simón Bolívar. Nadie sabe si se pusieron de acuerdo.

—Cuando volvió el encargado a casa de Hilaria Ocampo las noticias que dieron los centinelas fueron casi normales: habían visto a la vieja salir con la niña de la casa, y las siguieron. Las dos fueron al lavadero, en la parte de atrás de la casa, y las siguieron. Habían visto a la vieja desnudar a la niña, jabonarla, estregarla y lavarla una y otra vez enfrente de ellos, como si ellos no existieran, y sin que eso jamás les importara, ni a la vieja ni a la niña. El encargado no salía de su asombro: ¿vieron desnuda a la niña? La vieron, señor: como para Su Excelencia.

Y las vieron entrar a la casa y cerrar con tranca la puerta, allí se encontraban, señor, adentro: no era posible que huyeran.

Aguardaron otro minuto en el silencio terrible, porque de pronto nadie se atrevía a llamar a la puerta. Pero se acabó el tiempo, para ellas, y golpearon. La puerta no se abría. Los ojos sufrían pendientes de la puerta; la puerta no se abría. Lo temible era que sentían venirse contra ellos los otros ojos, los ojos de la vieja desde lo más profundo de las paredes de la casa, atisbándolos. Entonces se oyó el galope de caballos que llegaban. El Libertador desmontó.

—No se sabe exactamente si Bolívar desmontó. Dicen que esperó en su caballo, y que allí ocurrió lo que ocurrió, con el Libertador montado en su caballo blanco.

—Desmontó.

«Que la traigan» dijo el Libertador.

—Esa voz como de pájaro sólo podía ser de Bolívar.

Allí estaba el Libertador, en mitad del camino de piedra que llevaba a la puerta: los brazos en jarra; la quijada en alto; los ojos: *«de águila»*, como lo describen sus cronistas. El encargado se apartó, discreto pero cauteloso. La voz de Bolívar fue suficiente; no resultó necesario tocar otra vez a la puerta: en un instante la puerta se abrió. Y apareció la corpulenta viuda Hilaria Ocampo ante Bolívar, la misma mujer que el domingo de Bomboná había cruzado bajo fuego enemigo la quebrada de Cariaco y subido al cerro, derrotándolo, la misma mujer. Sólo que ahora no cargaba otra arma que una niña. La sostenía en uno solo de sus brazos: vestida de blanco, el largo pelo negro escurría agua sobre los hombros.

«Aquí tiene, Libertador» dijo Hilaria Ocampo, y se la ofreció.

Eso no lo cuento yo, Polina Agrado. Lo cuenta el soldado Fabricio Urdaneta, soldado-barbero allí presente, nacido en Riohacha y criado en Ocaña: se quedaría a vivir en Pasto, con los años; en Pasto tendría hijos; en Pasto moriría, de viejo; yo misma se lo escuché contar, de niña. Cuenta él, como registro primero de la fábula de boca en boca, y usted, doctor, me dirá si es o no cierto, cuenta que el Libertador se acercó a recibir a Fátima «sin dudas mayores», y que estiró cada brazo «sin un titubeo», la fue a recibir «hasta con impaciencia», y lo vieron asomarse y dar

241

un salto atrás y regresar en dirección a su caballo con el rostro demudado, a zancadas, «Reputa», alcanzaron a oír su voz, «está bien muerta».

Y que las había emprendido contra un árbol, a patadas, y que luego se arrodilló detrás del mismo árbol y empezó a vomitar. Cuenta Fabricio Urdaneta, soldado-barbero, que no sabe cómo fue que no los mandó a fusilar, a todos.

8

La risotada los reunió como un abrazo descomunal —en la sala de la casa que temblaba.

—Si no fue así —decía el catedrático—, así tenía que ser.

—Imposible comprobar si fue completamente cierto, pero fue —decía el doctor a duras penas, y reía con los demás, incluido el obispo de Pasto.

Y era que el final de Fátima y su abuela, su tragedia, los había exaltado extrañamente, al paroxismo. De nuevo bebieron aguardiente —como venían haciendo durante todo el recorrido por la fábula. De nuevo Primavera lo ofreció fastuosa a cada uno, ¿con sincera devoción? se preguntaba el catedrático, lo ofreció a continuación de la carcajada que retumbó, viril: así la oyó Primavera, en todos los ámbitos, como de velludos cazadores alrededor del fuego celebrando un chiste, pensó, soy la única mujer aquí: el fuego.

Arcaín Chivo la idolatraba, hundido en su poltrona. Y la padeció sollozante cuando ella se inclinó a él, ofreciendo aguardiente. Atrapó una copa y se la bebió de un golpe, y hurtó otra, de inmediato, que sorbió ruidoso.

—Cuando se trata de beber —dijo—, bebo como poeta, y si me escancia el licor una mujer como usted, Primavera, ¿qué otra esperanza sino beber?, usted es la mujer inaccesible, la quimera.

El doctor Proceso también escuchó. En eso hablaba a su oído el alcalde:

—¿No es mejor, Justo Pastor, acabar ya con la noche? Nuestro buen Chivo empieza a enamorar a su mujer.

—Ah, Chivo —respondió con un susurro el doctor—, Chivo el sabio, Chivo el parco, su inteligencia derrotada por un buen par de piernas, las piernas de mi mujer.

—¿De qué ríen? —preguntó el obispo, cambiándose a una silla cercana—, ¿me van a compartir su felicidad?

El doctor Proceso se sentía algo achispado; le había parecido que el alcalde y el obispo no se quedaban atrás, pero con el correr de la fábula descubrió lo contrario: no los esclavizaba la presencia de Primavera, y ni siquiera se hallaban embriagados: «Fingen beber», descubrió; y notaba en la charla final su empeño por hallar una excusa cualquiera y desaparecer. Peor aún: acerca de la carroza de Bolívar no confirmaban su acuerdo ni desacuerdo: «Se lavarán las manos y se irán», pensó.

—¿Y la música? —dijo Chivo—, ¿no coronamos con música la triste historia que resucitamos?

—También es tarde para la música —dijo Primavera asombrándolos, pues no hacía mucho ofrecía aguardiente y celebraba—, mis hijas duermen. Creo que lo mejor es preparar un café, ¿les gustaría?

El obispo de Pasto agradeció con un rápido aplauso.

—Será el café del estribo —dijo—. Debemos irnos, no demora en amanecer.

—Necesitamos café —dijo el alcalde, y aludía con la burlona mirada al catedrático.

Arcaín Chivo se tomó otra copa, atosigado. Se fue detrás de Primavera, que ya iba por el pasillo:

—Permítame acompañarla mientras prepara ese café, señora. Permítame contarle otra historia de la independencia, digna de sus oídos.

Primavera no aprobó o desaprobó. Avanzaba en silencio a la cocina: se sentía seguida del catedrático como de un perro, pensó, un perro que husmeaba. Los demás ya habían reanudado la conversación, y, sin embargo, el catedrático no entró de inmediato a la cocina: pareció dudar en esa esquina del pasillo, como si una intempestiva lucidez lo previniera de su indiscreción. Entonces volvió a la sala, pero ya ninguno de los presentes le brindó su atención, enzarzados de nuevo en la carroza que se fraguaba: el obispo insistía en desechar la exhibición: «Tendrá graves problemas, Justo Pastor, nadie se lo va a permitir». Matías Serrano calificaba la idea de pintoresca, pero inútil: dijo que el mundo seguiría igual.

Chivo se hundió en su poltrona, jadeando. Compadeció unos minutos al doctor, su visible esfuerzo por comprometer a los influyentes amigos en la empresa. Esfuerzo que el obispo y el alcalde retribuyeron sin convencimiento: «Cuente de todas maneras con nosotros —dijo el alcalde—, en la medida que nos sea permitido». El obispo se preocupó: «Tenemos que concertar otra charla; podríamos encontrarnos el 2 de enero». Chivo los vigilaba, qué feos se veían, pensó, qué horribles, qué viejos, qué esqueletos, adiós muertos yo me voy con la belleza, se gritó. La indiferencia del obispo lo animó a beber más aguardiente, y correr sigiloso en pos de la fugada Primavera.

Primavera se encontraba ante la estufa, disponiéndose a colar el café, cuando entró el catedrático Chivo tras su rastro. Descompuesto, el rostro rutilante de sudor, sin pensarlo se arrojó a los diminutos pies de Primavera —todavía más desnudos entre las alpargatas de fique—, se puso como en éxtasis de rodillas ante ellos y besó sus dedos, rápidas, silenciosas veces.

—Pero qué hace —dijo Primavera. Y ella misma se respondió sin dar crédito: *Me está besando los pies.*

Intentó apartar los pies, pero las manos del catedrático aferraban sus tobillos. Se oían en la sala las voces del obispo y el alcalde. Chivo, arrodillado, levantó la cara ebria, inflamada; era como si divisara a Primavera en el cielo y él desde más lejos, en el infierno:

—Es usted para adorar —le dijo como si llorara.

—Levántese de allí —urgió Primavera con un susurro angustiado que sonó como una advertencia pero también como una celebración. El catedrático, como toda respuesta, volvió a agazaparse y redobló sus besos, esta vez alrededor de los tobillos, y luego descendió y empezó a meter los besos por entre los dedos de los pies de Primavera, que abría la boca, estupefacta, trastornada en una oleada de calor, «Y me sigue besando los pies» se gritó, paralizada: ya ni siquiera lograba *intentar* echar los pies para atrás, «¿los pies?», se preguntó, «no solamente los pies», porque el catedrático arrodillado besaba sus pantorrillas y había elevado de pronto la mano que hervía y la deslizaba por la rodilla hacia los muslos de Primavera, dentro de la falda.

—Mi señor don Arcaín —pudo exclamar con espanto Primavera, ¿disgusto o placer?, y creía que por decirle *Mi señor don,* que nunca decía a nadie, y por decírselo con semejante acento, lo convocaba al orden—: podría gritar, me podrían oír.

Y, sin embargo, una infinita delectación la avasallaba, contra su voluntad: presentir que podían sorprenderlos en cualquier momento: era eso lo que más la perturbaba: que entraran de un instante a otro su esposo y el obispo y el alcalde a la cocina, sobre todo el obispo, pensó, pero sintió que entraban en su lugar hasta más arriba de sus muslos las manos del catedrático como alas tórridas vertiginosas entreabriéndola, «¿Me desmayaré?» pensó, asomada al catedrático que temblaba arrodillado como si orara, «me desmayaré», y abrió la boca para tragar aire porque se asfixiaba y pareció como si fuera a gritar y por eso el catedrático acabó su merodeo: bajó las manos hirvientes hasta rodear una sola pantorrilla y allí las dejó, como encadenándola.

—Usted —dijo él inmediatamente, sin permitirle reaccionar— es la remota Virgen de mi infancia, seguramente por un beso de su boca se mató mi bisabuelo, o lo mataron, o hubo esa guerra entre dos pueblos, cada uno de sus reyes la quería raptar y la quería tumbar en el lecho nupcial y comérsela, Primavera, como una gota de agua en el desierto, con sed —y mientras tanto la miraba en las rodillas, fugaz, y subió la mirada, fugaz, al sitio supuesto donde debería encontrarse su sexo detrás de la falda, y de allí subió fugaz a sus ojos, sin arredrarse, y sostuvo la mirada azul, líquida, conmocionada, la sostuvo sin inmutarse mientras ella distensionaba la boca y mostraba los dientes como si riera en silencio, y, sin embargo, parecía que lo hiciera con estrépito, él pensaba en un torrente de risa femenina cayendo sobre él, alentándolo a seguir hablando, a provocar otra muda risotada complaciente, lo retaba a hacerla reír más o a perder el juego y que la risa se convirtiera en desprecio.

—Por la esperanza de su amor yo vivo, la esperanza de que un día de la vida usted se me abra como flor, dueña de mi dolor —y recitó—: «dulce y santa lamparita dentro de mi corazón» —y la reprendió—: jamás sospechará lo que se pierde por no dejarse adorar de mí.

—Dios, qué dice, ¿sabe usted lo que me está diciendo?

El estupor quebró su voz, otra oleada de calor la recorría: Arcaín Chivo reanudaba su paseo con la mano adentro falda arriba.

—No haga eso —pareció rogar con un rugido Primavera, siempre con la muda risotada entre la cara enrojecida, y levantó levísima la pierna liberada y apoyó el pie en el hombro del catedrático arrodillado (de manera que por un instante como un esplendor Arcaín Chivo pudo vislumbrar que estaba desnuda por dentro por entero), oh sexo inaccesible, pensó, y pudo balbucear *inaccesible Primavera* incrédulo de tanta felicidad y creyó alcanzar a percibir durante el movimiento de Primavera, en el aire que provenía de adentro de su falda, su olor más íntimo, como de un agrio dulzor, pensó, y ya estiraba enajenado el cuello la cabeza la cara la boca hacia mucho más adentro de ella cuando ella empujó el pie con todas sus fuerzas y el catedrático se derrumbó para atrás contra un mueble en medio de un estrépito de ollas y cucharas que se derrumbaron al tiempo sobre su cabeza.

—Arcaín se acaba de caer —avisó la angustiada voz de Primavera—. Algo le sucedió. Se golpeó.

Llegaron los demás: tres sombras de cabezas asomadas a la puerta, grises, alargadas. El catedrático se había golpeado fuertemente en la nuca:

—Creo que he bebido demasiado —dijo incorporándose a medias. El mismo doctor extendió su mano y lo ayudó.

—Creo que es mejor que me vaya, señores —dijo todavía Arcaín Chivo, y no le era posible descifrar si se sentía enojado o embargado de júbilo, él mismo no lo sabía.

—Nosotros también —repuso el obispo—. Lo acercaré a su casa, Arcaín. Ha sido suficiente, por no decir demasiado. Se avecinan días de fiesta, pero no por eso menos difíciles de sobrellevar, ¿cierto, Justo Pastor? Prométame que volveremos a encontrarnos antes del carnaval.

—Prometido —repuso el doctor. No podía apartar los ojos de la cara enrojecida de su mujer, de la cara que también lo miraba, feliz.

Pero la felicidad de la cara de Primavera palideció tan pronto quedaron solos, mientras se alejaban las voces de los invitados al otro lado de la puerta: de inmediato cruzó la sala y empezó a subir las escaleras, con el doctor detrás, ambos sin prisa, pero huían y se perseguían.

Cuando llegaban al descanso del segundo piso el doctor la tomó por el brazo y la obligó a detenerse, «Tenemos que hablar», dijo. «Voy a ver si duermen las niñas» dijo ella. Con un brusco movimiento se deshizo de la mano de su marido, y siguió subiendo. Él dudó en seguirla; al fin se dirigió al estudio, en el segundo piso, todavía con la esperanza de encontrar las grabaciones, o por lo menos las transcripciones al papel. Allí, en el escritorio, se estuvo un buen tiempo revolviendo carpetas, sin resultado: ya había perdido los ánimos de preguntar a Primavera por las cintas y reanudar otra disputa. Subió al tercer piso con la intención de meterse en la cama y olvidarse del mundo, pero vio a Primavera en la habitación de Luz de Luna, inclinada ante su hija que dormía, y ver tan tranquila a Primavera, en tranquilo silencio, renovó su ira impotente, el sufrimiento de contar —o no contar, mejor— con una mujer como aquélla, ¿le preguntaría por las grabaciones, sin que importara la disputa? Recordó que sus hijas dormían. Dios —se repitió—, ¿era posible que Primavera robara las cintas?

Prefirió bajar otra vez al segundo piso: encendió todas las luces, fue al cuarto de huéspedes, al de planchar, al de la mesa de ping pong —todos revestidos con más aparadores de libros— y en cada uno siguió su búsqueda, entre minutos eternos: nada en absoluto. ¿Hacía cuánto se desentendió de las grabaciones?, no recordaba, ¿no guardó las cintas en una caja de cigarros de Cuba?, ¿en dónde escondió esa caja?, ¿por qué semejante desorden con su trabajo, lo único que lo redimía? El último cuarto del segundo piso —donde no guardaba sus libros porque no quedaba lugar— era el de juguetes, y allá se dirigió. Encendió la luz: pinochos de madera, osos de felpa, lagartos y ballenas, ratones inmensos, pingüinos, muñecas de plástico, de cuerda, marionetas, caballitos de madera y trenes eléctricos, patos de hule, soldaditos de plomo, bailarinas, hadas y elfos que colgaban parecieron saludarlo al tiempo con la más monstruosa risotada —así la escuchó—, una monstruosa risotada desde lo más hondo del alma de los juguetes que yacían arrumados en

250

montañas, y que eran como sus mismas hijas, multiplicadas, contra las paredes.

En mitad del salón había una mesa para jugar *Damas Chinas,* con un gran ramo de rosas rojas en un jarrón y cuatro sillas alrededor. Procuraba recordar cuándo fue la última vez que se sentó a esa mesa a jugar con sus hijas: hacía años. Pero no recordaba que en la mesa de juego se pusieran ramos de rosas, ¿qué juego era ése? Pegada al jarrón había una tarjeta. Leyó: «De un eterno admirador», y, casi enseguida, sintió a sus espaldas la presencia de su mujer que acababa de entrar, sin ruido.

—Qué —dijo ella—, ¿ahora vas a jugar a las muñecas?

Él no respondió. Tampoco se volvió. Sólo descubría en la voz de Primavera la aprensión, la duda: ¿había él leído la tarjeta?

—Necesito las cintas —dijo finalmente.

—Por supuesto que no las tengo —dijo ella. Su voz volvió a ser la misma, el mismo sosiego burlón—: seguro las tienen los juguetes, para jugar un poco.

Él se volvió a verla: avanzaba a él desde la puerta, sin titubear. La mesa de juego los separaba. La fuerte luz del salón daba contra sus rostros y los obligaba a parpadear.

—Qué sabes tú de la carroza, qué te han dicho, qué te recomiendan —preguntó el doctor.

—Se trata de Simón Bolívar —dijo ella—, padre de la patria, creo. Sé que el gobernador ha tomado medidas. Te metes en un lío, y no me importa. No me importa que te metas en los malditos líos de la tierra, pero solo. Seráfico me dijo que quieres vender la finca, nos arrastras a mí y a las niñas en tu demencia, ¿no te das cuenta?

—Nunca sabes de qué hablas —dijo el doctor. Resopló con resignación. Iba a salir cuando Primavera lo detuvo con un grito amargo, amordazado.

—Idiota —dijo.

Y luego:

—Pueden hasta encarcelarte por remedar a Bolívar, padre de la patria.

—¿Te lo dijo tu general Aipe? ¿Ya pudo hablar?

—Para tu suerte, ya *puede* hablar. Tuvo que ir a Bogotá, con los especialistas. No fue grave, para tu suerte.

Él se revolvió, poseído; quitó de en medio dos de las sillas, volcándolas de un manotazo, y avanzó a ella en dos trancos y la atenazó por las caderas, él detrás, empujándola de frente contra el borde de la mesa. El jarrón se volcó; el agua se regó con un chasquido entre las rosas palpitantes.

—Cuál padre de cuál patria —gritó—, padre de tu general Aipe, mejor —y se estrechó todavía más contra ella y, mientras con uno de sus brazos la amarraba por la cintura, con el otro le subió la falda de un tirón: resplandeció blanquísimo el trasero desnudo—: ¿entonces nadie nunca te ha mordido en los muslos? —le preguntó como si se ahogara. Él mismo se desconocía.

—¡Puto! —gritó ella—, ¡corre con tus embarazadas!

—Puto el padre de la patria —repuso él.

Y como la falda de Primavera que forcejeaba había vuelto a caer como un telón se la trizó por las costuras; Primavera gritó herida, iba a desmayarse de la rabia, respiraba enronquecida, se zarandeaba furiosa entre el brazo que la aprisionaba, pero también él la estrechaba furioso y no la soltaba, furioso con él, sobre todo, porque la deseaba. La deseaba con todas sus fuerzas, la deseaba contra su voluntad, la deseaba y no le era posible matar el deseo: se bajó el cierre del pantalón. Hubo un momento de suspensión donde ambos parecieron producir un solo cuerpo: la rabia de Primavera se desbordó al entender que se proponía enterrarla por donde ninguno de sus dieciséis amantes de su vida —los tenía contados— se había atrevido a enterrarla jamás. Se defendió como nunca: dobló la cabeza, hincando sus dientes en el velludo brazo que la ceñía. Como respuesta, el doctor arqueó su cuerpo, parecía una larva ciclópea agazapada, tomó al vuelo el ramo de rosas mojadas, lo asió por el tallo y fustigó, por una sola vez, el rosado trasero de Primavera, estrelló en su plenitud las rosas y espinas, las rosas se despetalaron alrededor, ella sintió la herida múltiple de las espinas como pequeños mordiscos y el roce mojado de los pétalos en su piel: si él, enseguida de ese raro latigazo vegetal, la hubiese besado, cualquier caricia, un ruego de amor —pensó Primavera, alcanzó a pensar—, ella se hubiese derrotado con todas las ganas, pero en ese momento él la doblaba bocabajo contra la mesa, su frondosa cabellera esparcida, la nuca ofreciéndose, allí la mordió, la estrujó, separó sus nalgas y se abalanzó a la mitad de su centro mientras en vano Primavera se revolvía, en vano lo maldecía sin dejar eso sí de registrar los pormenores, las extrañas sensaciones de una ambivalencia que todavía le era imposible de discernir, entonces gritó: «¡Cochino! ¡Nos miran! ¡Tus hijas!», y volteaba la cabeza en dirección a la puerta, y él se desprendió y miró a la puerta y ya no pudo evitar que ella girara escurridiza y brincara y corriera lanzando una risotada de odio y de burla —pues no había nadie en la puerta. Nadie. Únicamente la extraordinaria risotada de Primavera que huía, libre de él.

Se dejó caer extenuado en la silla, solo de nuevo, y

más solo porque veía asomar por entre el cierre del pantalón su sexo tembloroso y mojado, más solo que él, pensó, esta noche dormiremos solos, y, en medio de todo, y a pesar de todo, el doctor Justo Pastor Proceso López se reía, se reía, rodeado de juguetes por todas partes.

9

La mañana del sábado 31 de diciembre Primavera mandó a decir con la vieja cocinera que pasaría la noche de fin de año en casa de su hermana y se llevaría a las niñas. El doctor, que se encontraba en su consultorio, donde maldurmió sin esperanzas, no tuvo tiempo de despedirse de sus hijas: cuando las buscó se fueron: las oyó huir. Un fin de año separados, pensó, pero no creyó que les importara: ni siquiera me recordarán.

Y recibió, además, una invitación de puño y letra de Alcira Sarasti, mujer de Arcángel de los Ríos, para ir a despedir la última noche del 66: eran famosas las fiestas de Año Nuevo en casa de Furibundo Pita: igual que en todo Pasto, a las doce exactas de la noche se quemaban *años viejos:* grandes muñecos que parecían idénticos a quienes los quemaban, muñecos en tela, en fique, al natural, tuertos y desdentados, bebiendo chicha, fumando pipa, sentados en mecedoras, las piernas cruzadas, el sexo un plátano podrido; se los veía colgando de árboles marchitos: ahorcados enamorados con un poema clavado en el corazón, o recostados a la puerta como visitantes aciagos, cada uno con su respectivo *testamento* al cuello, o dormidos en catres desvencijados, todos engordados con sorpresas explosivas: luces de bengala, pitos tronadores, volcanes, diablos, voladores. En los Años Nuevos que Furibundo Pita celebraba había tiros al aire, caballos inopinados en la sala, y *chumbos:* negros pavos de crestas rojas: los atiborraban de aguardiente de anís para endulzarles la carne, los inflaban; los pavos bailaban ebrios entre los invitados que bailaban y después eran descabezados en la misma sala: todavía sin sus cabezas continuaban el baile antes de pasar a la cocina, entre gritos y aplausos y música viva de orquestas. El doctor no recordaba que lo hubiesen convocado a semejantes bacanales, sólo a esas *empanaditas sorpresa* un día de Inocentes de hacía años. ¿Acaso quería redimirse Furibundo Pita?, ¿temía ser enjuiciado, por disparador?

Y también lo llamó por teléfono una de sus pacientes, Chila Chávez, a quien sitiaba la desdicha: se había casado y enviudado ese mismo diciembre, y ahora sospechaba que estaba embarazada, ¿cuándo podría atenderla? «El próximo año, señora, cuando tanto dolor de fiestas haya terminado», le dijo circunstancial, y añadió: «Le recuerdo que el próximo año es mañana». Con la risa de mujer en el teléfono el aire se hizo femenino, subyugante, y el doctor vaciló, perplejo. Antes de despedirse Chila Chávez le preguntó que en dónde pasaría el fin de año, por preguntar algo, por cortesía, y el doctor no supo reprimir la voz lastimera: dijo que no sabía. Ella no dudó en invitarlo a su casa, como si de inmediato intuyera la pena, «Estaré sola», le dijo, «pero con usted muy bien acompañada».

Y realmente vivía sola en una de esas mansiones de Pasto desastrosamente inmensas, empotrada en la colina de las Betlemitas, una casa de cristal como una jaula que su esposo mandó construir para ella antes de morir accidentado: su camioneta perdió los frenos y se derrumbó al

Guáitara. El doctor se preguntó si iría, si sería capaz, mientras la voz todavía candente de la viuda le decía por teléfono que lo pensara. Como un destino, lo que se pretendía una consulta se convirtió en una fiesta para dos. Pero el doctor no iría, lo comprobó en su conciencia: lo único que le preocupaba de este mundo y del otro era la carroza de Bolívar: quería saber de la suerte del Cangrejito Arbeláez, sus esculturas, ¿habrían vuelto los robadores?

Al mediodía se despidió de Genoveva Sinfín, no sin advertir que lo esperaran, que pasaría el fin de año con ella y los empleados, «Con todas y todos», dijo pletórico de fingida felicidad, y le dio carta blanca para que preparara la cena, «comeremos en el jardín» dijo, «haga el tiempo que haga». Y se acordó del jardinero, de sus jornaleros: «Dígale a Homero que está invitado, dígale a Seráfico, al plomero, a ese Cabrera y a Chamorro, que hoy comeremos cuy como nunca en la vida, que se vengan con sus novias o con sus abuelas, aquí los espero». La Sinfín no salía del asombro, y el doctor pensó que era de contento. Se defraudó: la Sinfín pedía permiso en nombre de ella y los empleados para festejar el último día del año con sus respectivas familias. No pudo hacer otra cosa que abrirse de brazos, atribulado: «Hagan lo que quieran», dijo. Tendría que pasarla a solas, a no ser que se decidiera por la fiesta de Furibundo Pita, o por la viuda Chila Chávez, Dios, se dijo, ¿por qué el pánico de vivir solo?

Así conducía su Land Rover a casa del Cangrejito Arbeláez: sin mayores expectativas, resignado. En Galerías, plaza de mercado, mientras aguardaba a que cambiara un semáforo, le pareció ver en la mitad de un segundo que un simio salía de una cantina, tambaleándose, con un calabazo de chicha en la mano, «No puede ser», pensó, «¿Homero?». El simio volvió a desaparecer instantáneo en la cantina y el doctor no se decidió a comprobar por sí mismo de qué simio se trataba. Tenía que ser Homero, pensó, no podía existir otro disfraz igual en todo Pasto. Pero ya se encontrarían, pensó, ya se explicarían.

Después de esa visión, cuando el semáforo cambiaba a verde, y cuando empezaba a tomar fuerza el campero, una sombra se interpuso. Tuvo que frenar en seco: se trataba de un joven alto y muy pálido que se lo quedó mirando fijo después del frenazo e incluso avanzó a él, a la ventanilla, cuando reanudaba la marcha, como si pretendiera decirle algo: el doctor frenó de nuevo y abrió la ventanilla para escucharlo, pero el muchacho siguió de largo, sin un gesto. Ese muchacho era Enrique Quiroz, el mayor de los Quiroz, Enriquito, causante —según el catedrático Chivo— de la golpiza que sufrió a manos de encapuchados. El doctor sabía del incidente, pero no conocía a Quiroz.

Y muy pronto se olvidó del transeúnte que casi se dejó arrollar en un semáforo.

Tercera parte

1

Fingían conformar un grupo de teatro, para no despertar sospechas, como decían. En la parroquia de Nuestro Señor de los Despojos, en su salón comunal, se reunían cada sábado por la mañana para «ensayar»: montaban una versión teatral de la *Imitación de Cristo,* idea de Rodolfo Puelles, poeta del grupo, pero poeta oculto, además, pues nadie sabía —ni podía saber— de sus poemas.

El mismo Puelles los escondía: si sus camaradas se enteraban del contenido —que nada guardaba con la emancipación social de los pueblos— no solamente lo tildarían de burgués sino de pervertido. Porque escribía poesía erótica, que él denominaba: *de humoroso amor.* Su obra en gestación se titulaba: *19 culos de azúcar y una vagina encantada,* y el «Primer culo» empezaba:

Teresa en cuyo culo el vergo empieza
a desaparecer...

Eran doce, todos hombres. La única mujer, Toña Noria, espigada morena de Barbacoas, estudiante de Agronomía, había sido apartada del grupo de común acuerdo porque «su lubricidad natural incordia la actividad de los integrantes». A la expulsada no le importó: del grupo de izquierda pasó a los coros universitarios y luego al equipo femenino de ajedrez. Su ausencia sería llorada única y secretamente por Rodolfo Puelles, que ya la había inmortalizado en el más tórrido de sus poemas, «La vagina encantada», que escribió sin todavía intercambiar con Toña Noria más de una palabra, pues sólo supo idealizarla durante las largas sesiones de estudio. De semejantes acontecimientos Rodolfo Puelles pretendía resarcirse con sus poemas de humoroso amor y burlarse del mundo y de la poesía de su país, pero por sobre todas las cosas burlarse de su propia soledad, pues no conocía a sus veintidós años la primera mujer, y menos aún el amor.

Era una congregación de estudiantes absolutamente anónima, que pretendía vincularse al ejército de liberación nacional, sin que ninguno de sus miembros supiera todavía si la posibilidad de esa vinculación era real o fantástica. Se hablaba de «núcleos urbanos», «redes urbanas» y «cuadros» al interior del estudiantado; los distinguía una clara «orientación pro-china»; se atacaba no sólo al «sistema» sino al partido comunista tradicional, la «fascistización» de la universidad, el «oscurantismo proverbial», el «macartismo», la «tendencia anarquista del estudiantado», el «espontaneísmo», el «ultra radicalismo verbal», los «brotes divisionistas».

Y el único *contacto* con las *fuerzas de la revolución* era Enrique Quiroz, que decía conocer a los dirigentes y mantener permanente comunicación respecto a los pasos a seguir, pero que no daba mayores informes de la inminente vinculación por *seguridad revolucionaria*. Sea lo que sea, los viajes de Quiroz a Bogotá y otras ciudades, desde hacía meses, garantizaban alguna verdad. La gestión de Quiroz era seguida por todos con ansiedad: se hablaba incluso de la visita a Pasto de unos delegados de la guerrilla en pocas semanas: entrevistarían personalmente a los miembros del grupo, «bautizarían» a los elegidos. El grupo, con todo y no pertenecer a ninguna fuerza política real, se tildaba de radical, línea marxista-leninista-maoísta, y no definía todavía el nombre del brazo armado que se proponía consolidar, ya independiente o al servicio de la revolución organizada. En Pasto eran doce. En Bogotá los aguardaba otro tanto, y dos o tres simpatizantes en las principales ciudades del país. Los doce de Pasto se esmeraban en su disfraz de actores y aseguraban que para marzo del 67 —el 19, día de San José— representarían al pueblo de Pasto y al universo entero la *Imitación de Cristo*, obra de reflexión y recogimiento jamás llevada al teatro. Por lo menos eso decían al párroco, Joseph Bunch, homosexual encubierto —oculto, como el poeta—, que los apoyaba y que además los espiaba de tanto en tanto, admirándolos cuando hacían gimnasia para el ensayo teatral; pero ni los hermanos Quiroz ni nadie del grupo, incluido el poeta, habían leído una página de la *Imitación*, y a lo mejor tampoco el padre Bunch —se burlaban. Con semejante empresa teatral, destinada a encumbrar las tareas católicas del párroco, se sentían a salvo del enemigo: *camuflados*.

Enrique y Patricio eran los hijos mayores del arquitecto Sebastián Quiroz Carvajal: ocho hermanas los seguían. Ninguno de los hermanos Quiroz terminaba todavía sus estudios universitarios, y se disponían a viajar a Bogotá, a continuarlos. Los demás del grupo se afanaban en lo mismo; todos se irían: en Bogotá «sucedían» las cosas, en Pasto «se adormecían». Además, en la pequeña ciudad no les era posible usar sus apodos de guerra porque ya la gente sabía quiénes eran, desde niños. En Bogotá resultaba distinto: Enrique Quiroz era «Vladimir», y tenía, a sus 27 años, no sólo una sino dos familias. Una con «Tania» y otra con «Simona». Con la primera tres hijos: Lenin, Miguel Mao, y Lenina, y con la segunda dos: Simón Ernesto y el pequeño Stalin, de seis meses de nacido. En Pasto ya se avecinaba su tercera familia, a escondidas, con su prima Inés Bravo, embarazada. De todos estos hogares —tres mujeres y seis hijos— nada sabían en su casa, pero era el arquitecto Sebastián Quiroz Carvajal quien, sin soñarlo, los mantenía a todos. Lo que no impedía que Enrique Quiroz, después de recibir la generosa mesada, se refiriera a su padre como viejo retrógrado, burgués inicuo y oligarca mezquino. A Enrique no lo angustiaban las estrecheces de sus familias, estrecheces que él no padecía, y no lo preocupaba añadir más hijos al mundo. Hablaba de «más soldados para la revolución», y era por eso, justamente, que su hermano Patricio, «Boris», lo admiraba. Porque también Patricio ya había encargado su primer soldado con una indígena pura, oriunda del valle de Sibundoy, que lo exaltaba: avisaba de la incorporación indígena a «la causa»: una nueva raza se avecinaba. Patricio Quiroz era el único del grupo que no estudiaba derecho y ciencias políticas; estudiaba economía, pero se consideraba un artista: desde hacía años decía encontrarse componiendo el gran Himno de la Revolución Colombiana. Borracho empedernido, tocaba el acordeón y daba serenatas.

Los del grupo de teatro se mostraban tan responsables que el mismo sábado 31 de diciembre, último día del año, «ensayaron», a pesar de los sones de fiesta que merodeaban por las calles. Esa mañana determinaban el plan a seguir para despedirse del año y de Pasto, pues acabados los carnavales viajarían a Bogotá, todos ya matriculados en la Universidad Nacional. El plan, para cuando estuvieran allá, en Bogotá, era la conformación de una guerrilla urbana, idea que cultivaban hacía meses, y acá, en Pasto, su ciudad natal (aunque tres de los doce no eran pastusos, uno caleño, el otro chocoano y el otro llanero), era acabar con la perfidia peligrosa de un ginecólogo multimillonario, el doctor Justo Pastor Proceso López, íntimo del loco Chivo, que pretendía burlarse del Libertador Simón Bolívar, padre de la revolución, a través de una carroza de carnaval.

—Las va a pagar.

Había hablado Enrique Quiroz, principal instigador de la acción contra el doctor Proceso:

—Ese doctor es jefe y cabeza del imbécil de Chivo, ambos más locos que una cabra, pero una cabra venenosa.

Sonaban las diez de la mañana en la campana de la parroquia, llamando a misa. Tres de los integrantes dieron parte de sus acciones militares:

—Ayer le pudimos arrancar dos esculturas a ese vendido del Cangrejito, negro vergajo, artista del enemigo.

—En madera. Grandísimas.

—El fusilamiento de los 20 Capuchinos civilizadores del Caroní, por órdenes de Bolívar.

—Y el de los 800 de la Guaira, por órdenes de Bolívar.

—Así los letreritos: «Bolívar fusila a los 20 Capuchinos, 1817». «Bolívar fusila a los 800 de la Guaira, 1814», con todo y fecha, qué berracos.

—Se veían muy bonitas, muy bien hechas, para qué. En la de los 20 capuchinos estaba un Bolívar a caballo; un soldado lo informaba de la captura de los 20 capuchinos: Bolívar preguntaba, con letras de madera: *«¿Y todavía no los han matado?»*. En la de los 800 había unos viejitos amarrados a sus sillas, y así los cargaban al paredón, porque ya no podían caminar, ¿qué tal? Decían los letreritos: «La pólvora estaba cara y usaron sables y picas», «Las ejecuciones empezaron el 13 de febrero y terminaron el 16», ¿de dónde sacaron eso, esos mostrencos?

—¿Qué hacemos con la historia? —dijo Puelles—. No se sabe quiénes son, y quiénes no son.

—Nosotros por lo menos no sabíamos de esos fusilamientos, ¿ustedes?

Hubo un silencio como una guillotina que Enrique Quiroz se apresuró a sortear:

—Si Bolívar los fusiló, o los sableó, o los picó, fue porque se lo merecían —dijo—. No se puede poner en tela de juicio a Bolívar.

—Ardieron bien esos palos en la fogata que hicimos.

—¿Allí estaba ese negrazo, en el taller? ¿Se defendió otra vez?

—Se había ido, estaban sus aprendices, unos zafios.

—Cuidado con los epítetos —dijo Quiroz—. Los aprendices son el pueblo. Obreros y campesinos totalizan el futuro de la revolución. En este caso particular la ignorancia los hace inocentes.

—A lo mejor el negrazo no ha vuelto; se olió las cosas; se llevó con él gran parte de su obra; la quiere mostrar toda junta en la carroza. Eso cree.

—Reaccionario de mierda. Ya le vamos a estallar su carroza, con todos los que la monten.

—No sabemos adónde fue —dijeron los aprendices al doctor—. Desapareció en secreto.

Se encontraban en el taller del Cangrejito, vacío de obras. A pesar del mediodía parecía la noche, allí dentro. Eran tres los aprendices, muchachotes rudimentarios, recostados a las paredes, que almorzaban con envueltos de mazorca y avena helada.

—Se llevó con él sus esculturas, ayer viernes, en un camión: haga de cuenta un camión cargado de carnaval. Y en la noche llegaron los robadores; nada encontraron; sólo pudieron llevarse dos «Fusilamientos», que el Cangrejito dejó porque no los acababa.

El doctor no los veía asustados, más bien intrigados.

—Nos juraron que si seguíamos con la carroza nos iban a levantar a patadas —dijo el mayor de los aprendices, gordo, risueño—. Estaban armados, por eso pudieron robar, no se veían muy hombres.

—¿Policías o militares?

—Iban encapuchados, doctor. No creo que militares. Se les veía el pelo, y mucho, por debajo de la capucha. Melenudos. Eran ladrones, nomás, y asustados.

El doctor se desconcertó. No imaginaba quién, o quiénes, lo enfrentaban. ¿Estaba el general Aipe detrás de todo? Ahora dudaba.

—Dijeron —añadió otro, rubio, casi albino— que en todo caso nos iban a levantar a todos, uno por uno.

—Como si estuviéramos acostados —dijo el gordo

riendo. Pero el rubio tomó de nuevo la palabra, muy serio:

—En especial se refirieron a usted, doctor. Dijeron: «A ese tal por cual lo levantamos a patadas».

—Como si yo también estuviera acostado —dijo el doctor.

—Y que si sigue jodiendo lo levantan a tiros, doctor.

El gordo lanzó una carcajada; sólo entonces lo secundaron.

—Por fortuna ninguno de nosotros está acostado —se despidió el doctor.

Conducía por las calles embarradas, sin adivinar el destino del Cangrejito Arbeláez. El frío del mediodía menoscabó su ánimo, ¿contra quién luchaba?, ¿era posible que las advertencias del alcalde y el obispo se cumplieran? Lo preocupaba la suerte del escultor, ¿adónde se habría ido? Sólo el maestro Abril podría enterarlo de los acontecimientos.

Al poeta oculto Rodolfo Puelles el rumbo de las cosas no lo convencía. Tenía, y sobre todo consigo mismo, serias razones, o, mejor, una única y terrible razón, aunque reconocía, en su interior, que las cosas habían empezado de la mejor manera, pero ¿por qué jodemos las cosas?, se gritaba.

Dos años antes, los fundadores del grupo habían participado en una de las marchas estudiantiles históricas de Colombia, que convocó a más de 500 mil ciudadanos en la capital. Fue durante ese encuentro que el grupo se fortaleció en fervor y número de integrantes: incluso uno de los miembros había sido becado por el gobierno de Fidel

Castro y viajado a Cuba, a culminar estudios. Desde la isla enviaba sus cartas, vehementes y alentadoras, que el grupo leía como exitosos partes de guerra. Cuando el estudiante escribió que marcharía a Rusia a especializarse y recibir además formación política, y acaso militar, el grupo se dividió: unos alegaban que el estudiante debía regresar de inmediato a Colombia a reanudar la lucha y ocupar el sitio que le correspondía, y otros opinaban que su permanencia en Rusia era una experiencia «fundamental», que redundaría en beneficio de todos. Así se les volaban las horas hasta la madrugada, y el desperdicio de energía en semejantes controversias, y otras todavía más baladíes (¿se debe o no leer al conde Tolstoi, escritor decadente, retardatario, símbolo de la nobleza rusa?) quebrantaban la moral del poeta, y más cuando la «polémica» sobre Tolstoi no había nacido de un estudio juicioso de su obra sino del azar: el libro había caído de su mochila sobre la mesa, y a pesar de que las tapas se encontraban cuidadosamente envueltas en papel periódico, se desenvolvieron y apareció ante todos el título y su autor: «*El diablo. León Tolstoi*». Enrique Quiroz recogió el libro, lo enseñó justamente como si enseñara al diablo, y lo hizo con una sonrisa detractora, la misma que alumbraba los semblantes de los demás: los ojos atónitos escrutaban al poeta Puelles como si lo descubrieran, ¿qué se traía este Puelles, quién era, en realidad? Puelles se dispuso a la contienda, con más abulia que resolución: ya de antemano se daba por vencido —y más aún, pensó, cuando León Tolstoi era tocayo del disidente León Trotsky.

¿Era imprescindible terminar la carrera universitaria, o mejor empuñar las armas, subir al monte y educar al campesinado?

La reciente muerte del padre Camilo Torres —fundador de la cátedra de sociología de la Universidad Nacional, principal representante de la teología de la liberación, caudillo popular—, ocurrida en febrero del 66, abatido durante su primer combate, fue el detonante para que el grupo de Enrique Quiroz meditara seriamente en la creación de un frente de guerrilla urbana: el poeta Puelles respaldó la iniciativa: prefería combatir en la ciudad (no se imaginaba disparando en lo profundo de la selva), terminar la carrera universitaria y, sobre todo, perpetuar su actividad secreta, la poesía, su poesía, el humoroso amor que le brotaba por los poros, como decía. Por eso se dio a la tarea de promulgar el frente urbano y concretarlo. Hasta allí todo iba bien para Rodolfo Puelles, pero la formación de la guerrilla urbana, en Bogotá, con los Quiroz y tres más del frente de Pasto, en compañía de cuatro del bogotano, empezó de una manera insospechada.

De toda esa aventura el poeta oculto Rodolfo Puelles había regresado a Pasto aterrado, su vida dividida para siempre en Antes y Después.

Pues, como «prueba de fuego», los integrantes del grupo (sin que ninguno supiera de quién o de quiénes nació la idea, ni cómo ni cuándo) decidieron «eliminar un enemigo»: matar un policía, se repitió el poeta oculto, todavía incrédulo, un policía al que ya habían hecho seguimiento y que no hacía otra cosa que ganarse su sueldo de policía correteando carteristas en Bogotá, un policía, además, que en el momento de «caer ajusticiado» vestía de civil: lo mataron cuando salía de comprar leche en una tienda, a una cuadra de su casa, en un barrio popular. Era el enemigo. ¿El enemigo?, pensó el poeta oculto, ¿cuál enemigo? No se convencía ni riendo.

Si bien la revolución no debía conceder tregua, jamás le pareció necesaria semejante prueba, y no logró dormir en paz desde entonces, pero no logró dormir en paz —por sobre todas las cosas del mundo— porque fue él mismo, en definitiva, Rodolfo Puelles, poeta oculto, quien disparó contra el policía, un «Aindiado enrruanado que resultó policía» —como lo describieron después los de la prensa amarilla—, «Salía de comprar una botella de leche, se la robaron», «Lo matan por una botella de leche», «Era policía, de civil, compraba leche», «Llevaba con él su arma de dotación y los ladrones no cayeron en cuenta».

Ocurrió a las siete de la noche.

Enrique Quiroz lideraba la acción: cuando llegó la hora se quedó congelado. El otro Quiroz se emborrachó la noche antes, y allá se quedó. Con Puelles y Quiroz iban tres más de los del frente de Pasto —el caleño «Ilich», «Catiri» el llanero, y «Uliánov» el chocoano—, y cuatro del bogotano, regados en puntos estratégicos alrededor del objetivo: todos congelados. Sólo el poeta oculto disparó una vez, a la cabeza. Él, el más espantado y el que menos respaldaba la acción. Disparó por puro y físico miedo, pensó; recordó que se orinó al hacerlo. El policía se desplomó al instante y todos huyeron en estampida, sálvese quien pueda: no expropiaron el arma del policía, ¿alguien se quedó con la botella de leche?, nadie, invento de la prensa burguesa, dirían, debió robarla el mendigo que miraba.

Regresaron a Pasto por distintos caminos, y sólo volvieron a reunirse después de días de pesadilla.

Eso no se lo perdonaba Enrique Quiroz: que nadie ganara el arma de la víctima, que nadie la recuperara como trofeo, que no dejaran escrita una consigna, que no arrojaran de viva voz una orgullosa advertencia, un desafío, un aviso de la nueva fuerza de la revolución, «Pero qué pendejos», se gritaba, «si ni siquiera tenemos nombre».

Quiroz, como nadie, sabía de la radicalidad de la guerrilla, y la celebraba. El año pasado un comando del ejército del pueblo había ajusticiado a un desertor. Eso era otra cosa, pensó, era traición, y bien merecía ajusticiamiento. La muerte del policía era un error que Enrique Quiroz, auténtico promotor de la idea, no quiso ni pudo jamás reconocer ante los suyos, «Bolívar cometió grandes errores», se dijo, «los de un gran hombre: errores necesarios, pero no andaba por ahí confesándolos», y dijo, cuando el grupo se reunificó otra vez, al amparo de la parroquia de Nuestro Señor de los Despojos, dijo que cualquier uniformado eliminado era una victoria más para la revolución, y que no había que «sentimentalizar» la muerte de un policía, aunque se tratara de un simple y llano policía, que si bien era hijo auténtico del pueblo estaba al servicio del imperialismo, perro del amo, guardián del opresor, carajo, ésta es una guerra a muerte, como la que planteó Bolívar a los chapetones. Y dio un puñetazo a la mesa: «No se vuelva a hablar del asunto, cabrones, nadie llore».

Ya varios de los conocidos de Enrique Quiroz, simpatizantes activos de la revolución, habían subido a las montañas de Colombia a alimentar las fuerzas populares y continuar los pasos del Che y de Fidel, un ejemplo de hombres, dijo Quiroz a los del grupo.

El poeta Rodolfo Puelles discrepaba. En Bogotá, en la cafetería de la Universidad Nacional, había oído de otro «ajusticiamiento» sufrido en el monte por dos jóvenes miembros de la guerrilla: llevados por el hambre se robaron de los víveres del comando una panela. Los mataron. La muerte de estos jóvenes hambrientos ¿era un invento de la oligarquía enemiga, para desprestigiar la guerrilla, o era cierto? Y oía, sin poder comprobar la verdad, del maltrato sufrido por los universitarios recién incorporados, el desprecio a que eran sometidos si se les veía leyendo, escribiendo, y más aún si expresaban su deseo de impartir conocimientos al campesinado, o si trastabillaban en los entrenamientos, si se cansaban durante las tremendas caminatas y daban con el cuerpo a tierra. El entusiasmo revolucionario era pujante, inmensa la exaltación, pero las veladas noticias que venían del monte creaban la duda; algo malo podía estar ocurriendo, pensaba Puelles, algo nocivo en la forma como se adelantaban las cosas, como se aprovechaba o desaprovechaba la devoción, el esfuerzo.

El mismo Puelles, que cuando viajaba a Bogotá se alojaba en casa de su tío —taxista de profesión—, tuvo experiencias decepcionantes. Una de sus primeras contribuciones a la causa fue la entrega de las llaves del taxi de su tío a tres compañeros que adelantarían una «acción de expropiación» en un pequeño mercado de frutas y verduras de barrio: la noche de la entrega de las llaves, cuando los tres revolucionarios, entre ellos el caleño Ilich, se fueron en el taxi de su tío, chocaron contra el poste de alumbrado de la esquina —ninguno de ellos sabía manejar: ¿se proponían realmente adelantar una acción revolucionaria, o sólo pretendían irse de farra? Puelles comentó, ironizando, ese insuceso, esa falta de preparación, un sábado de «ensayo teatral» en la parroquia. El caleño Ilich se defendió a gritos, como si ladrara. Su cara era extraordinaria: tenía un ojo azul y el otro negro. Cetrino, descarnado, la misma Toña Noria le puso su mote definitivo: dijo que era tan delgado como un plato y desde entonces lo llamaron «Plato», aún por encima de su nombre de guerra, Ilich, que lo orgullecía. Se arrojó contra Puelles para impedirle hablar. Enrique Quiroz y el llanero los separaron. «Eso es lo que quiere el imperialismo» dijo Quiroz, «que nos matemos entre nosotros. ¿Vamos a darle gusto?»

Un silencio rendido siguió a sus palabras.

Quiroz no sólo era el líder del grupo, era el mayor de todos: 27 años. Y vio o creyó ver por primera vez a quienes lo rodeaban: muy jóvenes, pensó, acaso demasiado, y concluyó: tanta juventud es un arma de doble filo.

Estudiaban juntos a Lenin, a Mao, a Engels, llevaban en los bolsillos como estandarte el *Qué hacer, La transformación del mono en hombre* y las *Cinco tesis filosóficas del presidente Mao,* dispuestos a *vencer o morir* —como coreaban con voz recia al inicio de cada ensayo teatral, «En realidad a vencer», les dijo Quiroz, «el *cambio* es cuestión de meses, o dos años, a lo sumo», eso les dijo la mañana del sábado 31 de diciembre, porque estaba absolutamente convencido de que no sólo seguirían jóvenes cuando triunfara la revolución sino que ellos mismos la harían.

Expiraba 1966.

2

—A partir de hoy se hace seguimiento al doctor Justo Pastor Proceso López —dijo Quiroz. Lo dijo lento, más que una orden. Y, dirigiéndose al poeta Puelles, como si refrendara al destinatario—: ¿Sabes dónde vive ese doctor, no? El doctor te llevará a la carroza. Aquí tienes las llaves de la Vespa: síguelo estos días hasta el día de Negros, que cae jueves 5 de enero. Síguelo hasta el jueves, pero antes del viernes de Blancos, día del desfile, óyelo, tenemos que saber de la carroza reaccionaria y destruirla como justo desagravio a la memoria de Bolívar.

—¿Y los artesanos? —preguntó el Plato Ilich.

—Con los artesanos nadie se meta —repuso Quiroz—. A lo sumo un tramacazo, o dos, sin consecuencias. Ya dijo Cristo, perdónalos porque no saben lo que hacen.

Y seguimiento, ¿por qué?, se preguntaba Rodolfo Puelles. No ocultaba su disgusto. Después de la definitiva «charla» referente al policía, que no fue siquiera un examen crítico, y donde sólo se escuchó el veredicto de Quiroz respecto al sentimentalismo, el poeta oculto Rodolfo Puelles había comprobado que no inspiraba tanto respeto entre los compañeros, por su determinación la noche de la acción en Bogotá, sino todo lo contrario: rechazo.

Rechazo, se gritó, y rechazo del peor: asco.

Difícil reconocerlo, pero era así: había creído que la autoría iba a erigirlo como hombre sin vacilaciones, a conferirle por lo menos cierto crédito. Y no. Asco. Ésa era su conclusión después de examinar una por una la cara de sus camaradas, su trato. A lo mejor —pensaba— vieron que me oriné al disparar, pero por lo menos disparé, güevones —les gritaba por dentro. Y ya sabía que por gritar *adentro* nadie nunca lo escucharía, nadie jamás se enteraría de sus tribulaciones.

Y, sin embargo, había alguien que no sentía asco de él, y él sabía quién, por supuesto: Quiroz. Y por eso mismo, que Quiroz lo encargara de semejante labor de *seguimiento* le pareció un insulto, ¿por qué no encargar al inepto de su hermano? Y era que, de cualquier manera, al poeta oculto Rodolfo Puelles, de 22 años de nacido, le importaba un comino Simón Bolívar y el doctor Proceso y su carroza reaccionaria; lo único que deseaba era meterse al prostíbulo durante las fiestas de Blancos y Negros sin que ninguno de sus camaradas lo descubriera, sin que nadie después lo acusara de participar en crímenes de lesa humanidad, la más representativa lacra del capitalismo, la prostitución; pensando en eso Rodolfo Puelles se sonrió atormentado: realmente tenía decidido aprovechar el día de Negros y el de Blancos para hundirse al fin en el prostíbulo, descubrir y oler y celebrar un sexo de mujer de carne y hueso una cara un aliento de verdad, al fin, tocar la luna, besarla adentro, más adentro, mucho más, gritó. Ahora tendría que seguir y perseguir a un ginecólogo taciturno que, en puridad, ni siquiera era multimillonario, como lo estacó Enrique Quiroz, y debía seguirlo y perseguirlo nada menos que durante las fiestas de enero, y dar buena cuenta de la misión: descubrir dónde se escondía una insensata carroza de carnaval, qué país, ¿en dónde nací?, hubiera preferido la prehistoria.

Enrique Quiroz lo contemplaba fijamente.

Rodolfo Puelles recogió las llaves de la moto, sin contradecir.

Y sí, se deslumbró: en la cara de Quiroz no había asco sino rencor, es la envidia, se gritó, peor que el asco, debe sufrir peor.

Esa certeza asombró a Puelles: Enrique Quiroz lo abominaba por ser él quien disparó, por ser él quien *se atrevió,* pero lo abominaba sobre todo por ser él el único testigo de su cobardía, el amedrantamiento de Vladimir, Enriquito irresoluto, apocado a plenitud, ¿no se hallaban los dos hombro con hombro la noche de la acción? Esa certeza, más que orgullecer a Puelles, lo asustó. Su resolución le había ganado un enemigo: nada menos que Vladimir: era posible que Enriquito creyera amenazado su liderazgo, ¿por qué no?, así de infinita es la estupidez, pensó.

Pero después de despedirse y dispersarse el grupo, el poeta oculto tuvo un susto peor, real: ¿acaso quería Enrique Quiroz repetir la hazaña del policía, esta vez con un ginecólogo? Eso no, se dijo en voz alta, no sería posible tamaña imbecilidad, ¿o sí?, la estupidez, se repitió, y entonces se arrepintió de todo y de todos y de sí mismo, puta, gritó; una tremenda desolación lo embargó: pensaba en la juventud multitudinaria que esos años luchaba con frenesí en cada una de las universidades del país, en las escuelas y colegios, donde alumnos y profesores se aferraban a un mismo ideal, ¿qué pasaría?, ¿adónde se llegaría?, ¿no se desperdiciaba esa fuerza, no se la sacrificaba en manos de la estupidez?

En cuanto a él, hubiera querido que se lo tragara la tierra.

También el doctor Proceso se apabulló: de nuevo la lluvia lo recibía en el barrio del maestro Abril, de nuevo el volcán soplaba su hielo, de nuevo la calle estrecha, idéntica, tragada en la niebla; pero no asomaba como antes la carroza tras el muro: habían «desaparecido» la carroza, y nadie acudió al portón, ningún niño apareció; ninguna mujer que diera noticia, pensó, como si el mundo se hubiese ido a otro mundo, ¿era por el 31, último día del año, la tregua?

Subió al campero: una gallina negra picoteaba en la lluvia, un perro huía sorteando arroyos amarillos, cáscaras de plátano, muñecas de plástico desmembradas.

Condujo por entre calles vacías. Se estacionó en una esquina: no supo cuánto tiempo demoró allí, atisbando la nada. Después atravesó Pasto al lado opuesto, ganó la carretera mojada, que llevaba a la laguna de la Cocha. Atardecía. En lo alto de una curva solitaria se apeó y corrió contra la ventisca, a contemplar la laguna: no la vio; la niebla cubría de plomo la inmensidad. Entonces regresó a Pasto, sin destino. Y en la primera calle que asomó sintió por primera vez el hambre del día, y por eso mismo se creyó vivo, con una razón de vida: comer. Ni siquiera se había desayunado, tenía derecho a almorzar, pensó, aunque se tratara del último día del año.

Lo detuvo un escueto restaurante, un patio entoldado, de letras mal pintadas en su lona: FRITOS LA ESPERANZA.

Debajo del gran toldo de circo, las solitarias mesas yacían alrededor de una borrosa tarima: entrevió sombras lentísimas que transcurrían de un lado a otro. Una mujer flaca, sin edad, le puso en su mesa un plato del «frito»: trozos de puerco asado, rosas de maíz, papas hervidas, y, sin que el doctor lo pidiera, con un golpe de celebración, media botella de aguardiente y una alta copa de metal —como un cáliz.

A medida que comía, en mitad de la niebla que llenaba el salón, esforzando los ojos, pudo contemplar mejor la tarima. Había una banda de músicos, descubrió, y descubrió más: todos estaban ciegos. Los ciegos eran guitarras, quenas y charangos, tamboras y un violín, eran viejos y decrépitos, ciegos con seguridad, tenían que estar ciegos —comprobó incrédulo—: cargaban esas gafas verdes y pesadas, de ciegos; los que no llevaban gafas mostraban los ojos como llagas; el menor de los ciegos debía tener setenta años, ¿adónde vine a caer?, en una de las tamboras descifró el blanco letrero: CORREGIMIENTO LA LAGUNA, ORQUESTA LOS CIEGOS.

Seguramente su llegada —la aparición del primer comensal, el único— les dio la orden de tocar: iniciaron *La Guaneña*. Detrás de los ciegos un coro de viejas centenarias, nueve o diez, cantaba sin fuerzas, y eso parecía más una agonía que *La Guaneña*. «Así se despiden del año», se dijo, «así lo saludarán», y descubrió que bailaba en un costado de la tarima una pareja de viejos; era un baile lánguido: pequeñas nubes de polvo se desprendían de sus zapatos. Lo descorazonaba oír *La Guaneña* —himno de guerra de la época de Agualongo— transformada en un Réquiem. Bebió más aguardiente, y tampoco así se animó. Sentía como un aviso negro en la niebla, un presentimiento. Afortunadamente el mundo queda lejos, pensó, me iré a dormir. Quiso levantarse, pero sus piernas eran de otro: descubrió que en lo que duró *esa Guaneña* había bebido tres medias de aguardiente de anís, además de la primera, lo que quería decir que, sin saberlo, al solo son de esa *Guaneña* de ciegos, se había tomado dos botellas de aguardiente. «De acuerdo», se dijo, «o me levanto o estoy muerto.»

Y se levantó.

Pagó a la mujer. Una de las viejas del coro le gritó, la remota voz temblorosa:

—Feliz año, doctor Justo Pastor, que mi Dios lo acompañe, hoy como ayer y mañana como hoy.

¿Era una antigua paciente, o una paciente del cielo?, el doctor se despidió con la mano; ni siquiera lograba responder: era como si se hubiese olvidado de hablar.

Anochecía. Al lento paso del Land Rover el centro de la ciudad empezaba a llamear; abrió la ventanilla: lo abrumó el olor a pólvora y fritanga; cruzaban sombras furtivas por las esquinas; salían a la calle los primeros borrachos, crecía la música, ¿no es ésa la casa de la negra Naranja?, allí ocurrió la primera «visita» de su adolescencia: temblaba de pies a cabeza, la negra Naranja no sólo era la dueña del establecimiento, también inauguraba a los recién nacidos, lo inauguró a él, «Ya debe ser una anciana», pensó, ¿por qué le decían Naranja?, recordó el gran sexo redondo y pelado como una naranja partida, y se escalofrió. Ahora, bajo las amplias puertas del caserón, iluminadas de rojo, dos muchachas encendían cigarrillos, las faldas minúsculas, las espaldas encorvadas; se quedaron escudriñándolo, a la expectativa; una se acercó: ofreció lujuriante a su oído palabras antiguas, desconocidas, y la otra, de pelo espeso y oscuro que llegaba hasta sus corvas, seguía mirándolo con la fijeza de un instante feliz, como si lo conociera desde hace siglos, «Feliz fin de año» les dijo el doctor por la ventanilla, y ninguna de las muchachas pudo entenderlo, así de hechizada se oía su voz, «no hace muchísimo —siguió diciéndoles como si contara un chiste—, diciembre fue mes de difuntos en Pasto, pero hay que bailar y cantar, ya vienen los carnavales, aquí nadie llora, ¿o sí?».

No lo entendían. Balbuceaba. Las muchachas le dieron la espalda.

Cuando llegó a su casa vio la Vespa aparcada en el andén opuesto, y, sentado en el pequeño muro, a la escasa luz de la bombilla, un muchacho que leía, ceñudo, demacrado; llevaba puesta una boina. El poeta Rodolfo Puelles no pareció percatarse de la llegada del doctor, del ruido del campero estacionándose: así de embebido se mostraba en la lectura. El doctor entró a su casa con la esperanza de encontrar a la Sinfín, y ya no la encontró: habría querido preguntarle si el maestro Arbeláez fue a buscarlo ayer, o esa misma mañana.

Y sólo entonces se le ocurrió: Primavera, pensó, Primavera acudió a abrir al maestro, lo atendió y lo despidió, sin advertirme, Primavera, Primavera, ¿quién no quiso un día convertirse en tu asesino? Esa certeza lo contrariaba como una traición: Primavera lo había negado ante el Cangrejito; el escultor debió irse con su camión a otra parte. Y era muy posible, además, que Primavera no se hallara con sus hijas: seguramente las dejó en casa de su hermana y marchó a encontrarse con el general Aipe. Esa posibilidad lo repugnó, «Primavera», dijo, y, por un momento, involuntaria, dolorosamente, la imaginó trenzada de amor con el general Aipe, o con cualquier otro cuerpo de la tierra, y la borrachera exacerbó su sospecha: la imaginó en una chirriante cama de hotel, hendida, asfixiada, y una íntima excitación, a su pesar, lo recorrió. Estaba solo en su casa todavía más sola que él.

—Maldito seas mundo —dijo.

Y se repetía eso mismo mientras rodaba otra vez en su campero por las calles cada vez más concurridas de fin de año: ojos como llamadas, gritos, ruegos, música explosiva que rompía las ventanas.

Iba a casa de la viuda como al castillo de la doncella sin mácula.

Pero más que Chila Chávez lo acicateaba Primavera Pinzón. Ni siquiera recordaba la cara de la viuda, ¿bella?, ¿menos bella?, ¿mucho más?, no era una señora pero tampoco una muchacha, su voz la redimía, la revelaba con creces.

A duras penas pudo estacionar el campero sin chocar. Al caminar a la puerta se sintió como un ladrón a punto de robar: un muerto había detrás de esa mujer, pensó, y no por muerto menos presente, no pasaba un mes de su desaparición, quién sabe qué otras apariciones adoptaría, ¿es ese sauce que cuida la puerta?, el sauce me llama, me sigue llamando, ¿o es el viento que mueve las ramas? Se espabiló.

Elevó la mano al timbre, y no lo tocó.

No había luz en las ventanas. Era seguro que la viuda no iba a esperarlo. Y ¿si se encontraba aguardándolo?

Después de tanta tribulación la viuda era un refugio para llorar, pensó, pero llorar acompañado.

Se corrió la cortina de la sala y apareció detrás la cara de Chila Chávez, pálida en su vestido negro, espantada. Cuando lo descubrió a él pareció espantarse más, pero de alegría, con una gran carcajada muda. De inmediato abrió la puerta. Apareció descalza, la crespa cabeza arrebatada, ven, mi doctor, le dijo, pero qué cara traes de año viejo, yo te voy a poner nuevo.

Estaba borracha universal.

Borracha en la voz, como si se elevara, digna pastusa de mi corazón, pensó. Ella dijo que se había dormido y se acababa de despertar.

—Sigue, sigue, mi doctor —dijo. Señaló una sala apacible donde reinaba una radiola negra y giraba un disco de Agustín Lara. Una nativa borracha, se dijo él, ¿una derrota anticipada?, se dormirá. No, pensó, a pesar de su viudez, o por su viudez, él era el origen de su pequeña felicidad, su exaltación se la doy yo. Pero al instante supo que no, en este mismo momento no la abrazo yo sino su muerto inmortal, pensó o alcanzó a pensar hundido en el cabello perfumado de la viuda, y oía sus susurros, casi sin entenderla pero entendiéndola atónito, doctorcito mío, aquí te esperaba, mi boca y mis piernas bien abiertas, maridito de mi alma ¿por qué te me moriste?

Enfrente de la casa de la viuda, a una orilla del poste de alumbrado, el poeta Puelles se acomodó, la espalda contra el muro, para leer, «Aquí te aguaitaré, doctor, pero sólo hasta las 11, yo también tengo mi fin de año».

Único hijo, vivía con sus padres y su abuelo, el zapatero de Capusigra. Sus padres lo aborrecían —o eso creía él. Con su abuelo era distinto: jugaban al dominó, leían en voz alta las noticias del periódico, o el libro predilecto del abuelo —el *Quijote*— en la página que saliera. Era su abuelo un viejo muy viejo, pero lúcido, que lo aguardaba, y seguro querrá beber conmigo y despedir el año, pensó. Consultó el reloj: las 9. Había dejado la Vespa a la sombra de un saúco para que el doctor no la distinguiera, ¿qué hago aquí, qué hace mi cuerpo en esta calle? Se le antojaba vergonzoso y todavía más tonto hallarse ahí, al acecho del ginecólogo, cumpliendo órdenes de un orate, ¿no era mejor abandonar este zoológico cuanto antes, olvidar la tragedia del policía y empezar la vida otra vez?, ¿en una ciudad donde nadie lo conociera, Singapur?, ¿cambiar de nombre, cambiar de cara, nacer? Eso sí —se juró—, jamás olvidaría su poesía.

Había leído en un dominical sobre un movimiento de jóvenes poetas, donde confluían las novísimas ideas y posturas e imposturas de la poesía nacional. El cronista explicaba que se trataba de un montón de muchachos «enloquecidos de distinta alegría», y si bien el poeta Puelles no se consideraba enloquecido de ninguna alegría, hubiera dado una pierna por encontrarse entre poetas enloquecidos leyendo cualquiera de sus *19 culos de azúcar y una vagina encantada,* o simplemente expiando o celebrando la poesía de cualquier siglo, del primero y del último. Los poetas de todos los países que los jóvenes dementes proclamaban, los filósofos y novelistas que veneraban, ya eran viejos conocidos de Puelles —los había leído al derecho y al revés—, y eso lo confortó, no iba tan descaminado, a pesar de todo, pensó. El *a pesar de todo* era esa calle, ese doctor, esa persecución absurda, ese muerto cargado a sus espaldas para siempre: Puelles miró a otra parte y espantó la visión.

Desde la pequeña colina donde se erigía la casa de la viuda podía entreverse una franja de la ciudad, iluminada de fuego de fin de año: los voladores remontaban el cielo negro, verticales, y su estallido multicolor parecía rozar todas las cimas, pero *padre Galeras* no se inmutaba, era una gran sombra impasible, rematada fugazmente de fuegos artificiales, *yo los hago mejor* —creyó Puelles que quería decir.

Esporádicos automóviles subían y bajaban por la calle ondulada; a ese barrio alto, de casas amplias y distanciadas, no llegaban con fuerza los ruidos decembrinos; la calle era una angosta carretera que descendía; cada curva superior se asomaba a la inferior, y eran tres curvas exactas; en la cima se distinguía la mancha de concreto del colegio de las Betlemitas, mole vacía. Abajo, Pasto sin memoria, pensó Puelles, luces y más luces.

El libro que leía, *Los heraldos negros,* lo hacía padecer, no tanto por lo que leía sino porque tenía que leer con la mitad de su cabeza; con la otra mitad debía vigilar la casa en donde había desaparecido el tal doctor Proceso, ¿quién era ese tipo en realidad? Un doctorzuelo, pensó, un insecto insigne. Ya no pudo leer: se creía sentado en el hielo, las nalgas entumecidas, las piernas dormidas. Guardó *Los heraldos* en su mochila y caminó calle abajo, donde la noche era un estruendo lejano. En la primera y más alta de las curvas se metió a la oscura hondonada, entre arbustos, para orinar. Desde allí contempló la continuación de la carretera, la curva inmediatamente inferior, bordeada de otras casas, y entonces lo vio, sentado en el andén: el Plato Ilich.

El Plato no leía, fumaba; no lejos de él se hallaba, tumbada en el potrero, la Vespa anaranjada de Patricio Quiroz —los Quiroz eran los únicos «motorizados» del grupo—, ¿qué hacía Ilich allí?, ¿casualidad?, ¿apoyo logístico?, por un segundo Puelles se animó: fuera lo que fuera tenía a alguien con quien charlar para matar el tiempo, aunque se tratara del detestable Ilich, pero algo como una luz avivó su mente: «Me está siguiendo a mí», se dijo, «me ha seguido todo este tiempo, mientras yo sigo al doctor». Y ató cabos, todavía incrédulo: «Nos siguió. Comprobó adónde llegábamos, y se atrincheró allí, por donde tarde o temprano el doctor y yo tendremos que bajar, qué brutos, ¿por qué tienen que rastrearme a mí?, ¿dudan?, ah, cuando suenen las 11 de la noche el Plato deberá seguirme hasta mi casa: a esa hora me largo, aunque se muerda el codo Vladimir».

Y, mientras orinaba, recordó al caleño Ilich.

Lo conocía desde el primer semestre de universidad: anunciaba al mundo que escribía poemas; después que pintaba y esculpía; meses más tarde tocaba el saxo, y por último era un entendido en cine y fotografía. Desde mucho antes ya estaban distanciados, pero volvieron a encontrarse —y ambos se sorprenderían— integrando el grupo de izquierda liderado por Quiroz: seguramente ése era el auténtico destino de Ilich.

Y lo recordó más, padeciéndolo: tenía un rostro afilado, hosco a perpetuidad: sus ojos y su boca se signaban bajo una desconfianza incomprensible, enterrada en la malicia, una sospecha de todo, de todos, acaso de sí mismo: los inauditos ojos bicolor eran pequeños, de ave rapaz, la boca grande, amoratada, siempre húmeda; la voz grave, pero impostada; todo él era una especie de algo repulsivo desde el principio hasta el fin, pensó, el Plato era un pérfido natural, pronto a la burla como a la maledicencia, tenía la costumbre —que Puelles detestaba— de hablar mal de quien se acababa de ir: usaba el invento mordaz, la mentira sutil —que los demás, que le temían, celebraban como ejemplo de inteligencia, ¿qué tal?, se asombró.

Y lo recordó en Bogotá —los dos ya miembros activos del grupo—, el día que Ilich le presentó a su amiga «la compañera Rosaura». El orgullo con que presentó a esta amiga, una mujer madura que trabajaba como empleada de servicio «en las entrañas de la alta burguesía», de escasa estatura, casi una enana, desconcertó a Puelles: se encontraban en la habitación de Rosaura, en una desmantelada casa de inquilinato al sur de Bogotá: la habitación era una cama, una mesa y una silla, un reverbero en el piso, una olleta vacía: transcurrían veloces los ratones, asediaban los zancudos, pero justamente esa penosa estrechez enaltecía a Ilich. En la mesa descansaba, abierto por casi la mitad, el mamotreto de *El Capital* de Marx, que Rosaura señaló, «Lo estoy leyendo», dijo. Y, con gozosa sinceridad: «No entiendo una palabra, pero lo voy a leer hasta el final, como prometí a Ilich». A Puelles se le escapó una mirada de interrogación, que dirigió —arrepentido demasiado tarde— al Plato Ilich, creyendo que éste la compartiría: ¿qué era eso de leer sin entender *El Capital* hasta el final?, pero la mirada azul y negra que encontró en la cara lívida del Plato fue de plena aceptación, de orgullosa victoria. Eso acabó de disuadirlo para siempre: jamás volvería a esperar algo de semejante bovino, pensó.

Y ahora el Plato rumiaba allí, a pocos metros debajo de él, seguramente más aburrido que él. Puelles se subió el cierre del pantalón; prefirió pensar de nuevo en los poetas de Medellín: en esas cabezotas sí había luz, pensó, podría por lo menos gritar sus poemas de humoroso amor sin miedo a la crucifixión. Y siguió con la luz: los poetas estamos a años luz de esos puercos, pensó. Y acababa de pensarlo cuando un viento frío, intempestivo como un soplo a flor de piel, que parecía venir no de la atmósfera sino de adentro y más adentro de sí mismo, lo apabulló: ¿podría él considerarse *un poeta a años luz de esos puercos?* Se lo preguntó a su pesar. Una profunda desesperanza surgió dentro de él; lo sobrecogió el miedo de sí mismo: él era, ante todo, un asesino: había matado, y no en defensa propia, pensó. Lo maté con alevosía, lo maté como un imbécil, sí, pero lo maté. Muy pocas veces olvidaba lo ocurrido, y siempre se trataba de un olvido efímero: tarde o temprano, y más temprano que tarde, dormido o despierto, asomaba la apacible figura del policía que abandonaba la tienda con una botella de leche en la mano.

Como si invocara fuerzas de otro mundo, Rodolfo Puelles acudió a la poesía y eligió de entre toda su memoria las palabras de William Blake, se aferró como si se tratara de una tabla en el océano a las palabras de Blake, «Conduce el arado sobre los huesos de los muertos». Además, ¿no leyó en alguna gran novela rusa que se puede matar y robar, y, sin embargo, ser feliz?, ¿en dónde leyó eso?, y volvió a repetirse una y otra vez que él era un poeta, ante todo y a pesar de todo, y que de todos modos estaba a años luz de esos puercos, soy un poeta, eso soy, aunque se rompa el mundo.

Y, cuando entendió que sí, que el Plato Ilich lo estaba siguiendo, soltó una carcajada pura que resonó en la noche. El Plato oyó que reían encima de su cabeza, pero no supo quién.

3

—Floridita, te vamos a enharinar.

—Pero si hoy no es 6 de enero.

—De todos modos te vamos a enharinar.

Estaban a una orilla del parque Infantil. Los tres niños que le cerraban el paso eran tres desconocidos. No los recordaba de ninguna parte, y, sin embargo, conocían su nombre, y habían dicho que la iban a enharinar —nada menos que ese primero de enero, cuando no empezaban las fiestas. No lo podía entender: el 5 las gentes se pintaban las caras de negro, porque era día de Negros, y el 6 se arrojaban talco a las caras porque era día de Blancos, ¿por qué el primero de enero la cercaban estos niños? Además, ni siquiera llevaban los pomos de talco perfumado que ella conocía, sólo sucios talegos de harina. Y de verdad la iban a enharinar, pensó: si esa harina entraba en sus ojos era posible que encegueciera.

—Si hoy fuera 6 de enero, yo me dejaría —les dijo—. Pero hoy no es. Por eso tampoco me pueden enharinar. ¿No saben qué día es hoy? Es domingo primero de enero.

Encima de los techos de Pasto, nítido —azul de la pura nitidez— el volcán Galeras asomaba tan próximo que parecía escuchar.

Floridita echó a andar, y los tres niños le cedieron el paso, pero la seguían, las manos encima de los talegos abiertos. Volvió a detenerse y los encaró. Los niños retrocedieron, muy poco, no como ella esperaba. Volvió a andar, enrojecida, con pasos más rápidos, y con pasos más rápidos los niños la siguieron. Comprobó que no había nadie alrededor que la ayudara. Entonces los enfrentó uno por uno, sus ojos centelleantes, la boca apretada. Por primera vez en su vida había resuelto salir sola de su casa, sin su hermana Luz de Luna, y esto le ocurría. Por un momento se quedó mirando sin mirar la imponente silueta del Galeras, y, cuando de verdad lo miró, le pareció que se venía encima, que los aplastaba a todos: en el atardecer rojizo parecía una montaña de sangre.

Echó a andar. Su indiferencia le abrió paso. Pero oyó de nuevo:

—Te vamos a enharinar, no corras.

—¿Quién ha corrido? —preguntó. Y volvió a detenerse.

—Ahora no vayas a llorar, Floridita —le dijo el mismo niño. ¿Quién era?, ¿se conocían?

—¿Llorar yo? —preguntó riendo, y enseguida su cara se hizo una mueca de desprecio—: ¿llorar?

En realidad, sí. A punto. Y ese niño lo había adivinado. Sintió que sus piernas temblaban, pero sentía sobre todo la rabia infinita de que se dieran cuenta. ¿Qué tal que la enharinaran? Con esa harina en su pelo, con esa harina en su cara, cómo no llorar, se dijo.

Y echó a correr al interior del parque. Su repentina carrera estatizó a los niños; no se lo esperaban; pensaban que se rendiría, y se equivocaron. Sin más dudas se lanzaron en pos de Floridita. Les llevaba un buen tramo, pero lograron alcanzarla a la vera de los altos eucaliptos; allí la acorralaron.

El niño que había hablado la atrapó por la manga del vestido, al tiempo que los otros arrojaban manotadas de harina —no sólo a Floridita sino al que la tenía prisionera.

—A mí no, brutos —gritó él.

Parecían hundidos entre una niebla espesa: velos de niebla; era la harina que se estrellaba contra su pelo, su cara; cerró los ojos y sintió que uno de los niños, ¿el que había hablado?, no, todos los niños, todas las manos le subían el vestido hasta el cuello: ahora sentía por dentro los grandes ramalazos de harina igual que levísimas picadas. Empezó a llorar y sólo por eso el niño que había hablado la soltó. Los otros dejaron de lanzar más harina.

Ya se alejaba cuando la detuvo un tremendo ruido de alas en el cielo, como un aplauso. Ella y los niños elevaron los ojos: arriba, planeando encima de sus cabezas, una bandada de palomas mensajeras empezaba a remontarse, como la punta de una lanza; después descendió como un círculo, en jeroglíficos vertiginosos; ahora la bandada parecía rozar sus cabezas, y nadó al cielo de nuevo, perpendicular, en ascenso; de pronto se paralizó unos segundos, y, en un revoloteo de angustia, sin ningún orden, se arrojó a buscar los palomares, cualquier nicho protector en los muros. Y era que, inmediato como las palomas huyendo, se había oído el ronco grito voraz de un halcón, no lejos: los niños lo divisaron —una mancha veloz en el cielo— y pronto lo distinguieron encima: su ancha ala cuadrada, el pico rapaz, los amarillos ojos oteando la presa. Inmediatas como su chillido las mensajeras se dispersaron, a qué techo, a qué azotea, y el grito del halcón volvió a arrinconarlas, espantándolas con su estridencia de muerte. En un segundo el cielo quedó sin palomas, y el halcón siguió de largo, alto en el cielo, volando al volcán: ahora el volcán se mostraba perfectamente negro contra el atardecer azul; su silueta de triángulos negros se recortaba en el firmamento: los niños se quedaron viéndolo como si los encandilara: en mitad de su negrura el halcón desapareció, engullido, como apareció en el recuerdo de Floridita el niño que había hablado: era el hijo del mayordomo, el hijo del Seráfico, y ésos son sus amigos, ¿qué hacen aquí?, ¿no deberían cuidar las ovejas?, era el Toño, el Toñito, el niño al que siempre veía sin verlo: en su cumpleaños anduvo por todas partes siguiéndola, pero sólo hasta ahora podía verlo.

—Ya sé quién eres —le dijo señalándolo—. Eres el Toño, el hijo del Seráfico.

—Te ha reconocido —repetían los otros niños, aterrados. Toño palideció. Floridita se alejó corriendo. Pero su voz sentenciaba:

—Verás mi venganza.

Zulia Iscuandé la vio llegar a la casa: era una niña de pelo de anciana, blanquísimo, y debía encontrarse enharinada por dentro porque corría como entre nubes blancas, flotaba. Desde hacía varios minutos la mujer del maestro Abril se hallaba ante la puerta, sin decidirse a tocar el timbre. Quería hablar con el doctor Proceso. La llegada de la niña puso fin a su espera: cuando abrieran la puerta preguntaría por el doctor.

Zulia Iscuandé retrocedió: la niña, envuelta a cada paso en la nube de harina que esparcía, no sólo se pegó del timbre sino que dio una patada a la puerta: la nube creció, todavía más blanca. Genoveva Sinfín abrió la puerta. La niña entró como una ola, pero cuando oyó que preguntaban por su padre se volteó, furiosa:

—Papá no está —gritó—. El doctor Jumento no está nunca.

Y desapareció.

—Qué raro, comadre Zulia: esta vez la niña ha dicho la verdad —dijo la Sinfín—: su papá no está. Pero espérelo, éntrese a tomar un café, por si las moscas.

Las dos mujeres caminaban encima del rastro de harina que Floridita había dejado por toda la casa.

4

Sólo hasta el 4 de enero el doctor Justo Pastor Proceso López logró volver a su casa, de madrugada. En la puerta lo esperaba Zulia Iscuandé, visitante asidua desde hacía tres días.

El doctor venía de saciar una sed de años: la viuda lo resucitó: «Tú me pusiste al revés, Chila», le dijo al despedirse, «ahora creo en otro mundo». Se habían trenzado de amor en los rincones más insospechados de la casa descomunal, para ocuparla, decían, y en realidad la deshicieron de pasión sin proporciones, debajo y encima, detrás, en el hueco y en el muro, en la azotea, con medio Pasto atisbándolos, incluido el poeta oculto.

Los vieron bailar bambucos en las calles, anticipando su locura a los carnavales, sin ningún respeto por el difunto, decían los testigos; escarchados de frío en lo más alto de la catedral de las Lajas; a la orilla de la Cocha, comiendo trucha rosada con los dedos, bebiendo aguardiente a pico. Nadaron desnudos en las aguas calientes de la laguna Verde —allí se perdieron y los encontraron—, subieron y se asomaron sin miedo a las bocas revueltas del Galeras, y en un solo día viajaron al mar de Tumaco y regresaron, nadie en Pasto adivinaba cuál de los dos más borracho, ambos de arriba abajo en el Land Rover, que no se varó nunca, que no se accidentó —milagro de San Aguardiente, decían los testigos.

Y quedaron de verse el día de Negros, pero ya no se verían nunca.

Las aventuras del doctor llegaron a oídos de Primavera Pinzón —que no pudo ni quiso creerlas—. También supo de ellas la devota Alcira Sarasti, mujer de Furibundo Pita, que las sintió como un lujurioso pellizco. Asimismo Zulia Iscuandé se enteró de las andanzas: acechaba la casa del doctor, esperándolo cada mañana desde hacía tres días: iba en busca de las arras, un anticipo, al menos, por la carroza ya a punto. La preocupaba que su doctor, tan generoso de palabra, no lo fuera con los pagos. Y casi tenía razón: al doctor Justo Pastor Proceso López ya no le importaba tanto la carroza de Bolívar como el recuerdo para repetir de la viuda Chila Chávez bailando boleros desvestida en la azotea de su casa —la cara untada en helado de paila.

Había olvidado rotundamente a Bolívar, la carroza, los artesanos, su compromiso. Sólo pensaba en el baile de Blancos y Negros, por primera vez en su vida. Si la vida era un valle de lágrimas, como repitieron sus abuelos, él no quería vivir en ese valle, y si la vida era un circo macabro, donde sólo unos pocos enloquecidos se divertían —como también repitieron—, él sí pretendía enloquecerse los quién sabe cuántos años que le quedaban de vida.

Cómo imaginar que le quedaban sólo tres días.

Le importaba un comino Bolívar —se había dicho—: hagan un dios con él, sigan haciendo dioses, a mí sólo me mata la crica de mi viuda.

Pero era un hombre de palabra: al reconocer esa mañana a Zulia Iscuandé acechándolo en la puerta —nada menos que Zulia Iscuandé, pensó, la de ese Bolívar era un gran hijueputa— reconoció su inmediato pasado: la tomó por el brazo y la llevó al consultorio y le ofreció una copa de vino de consagrar.

—No se preocupe —le dijo—. Hoy mismo tendrá su dinero.

¿Todavía estaba borracho?

Parecía.

Zulia Iscuandé se quedó esperándolo en la soledad del consultorio, mientras el doctor salía de su casa y tocaba a la puerta del vecino Furibundo Pita, el único de Pasto que podía comprarle sin más trámites su finca, y pagársela ese mismo día, vísperas de carnaval, en efectivo.

—Aquí tienes, doctor Justo —le dijo Furibundo Pita, y extendió una mochila de fique con el dinero adentro.

Se encontraba en casa de Furibundo, en su oficina de altas poltronas de cuero. Furibundo lo contemplaba detrás de su escritorio. Ya habían firmado el papel de compraventa.

—La mochila es un regalo —siguió diciendo Furibundo—. El dinero no necesitas contarlo. Ya lo conté yo las siete veces de rigor. Ahora, si me permites, ¿qué vas a hacer con tanto dinero?, ¿hay negocios en el horno?, ¿se puede comer?

—Muchas preguntas para el que tiene prisa —dijo el doctor, incorporándose.

Se veía exultante, con la mochila al hombro. Más

alto, menos gordo, más plácido. Era una suerte que Furibundo Pita no guardara todo su dinero en el banco; había logrado vender la finca en un pestañeo, la finca que fue de sus abuelos y que en justicia debía guardar para sus hijas: ahora sólo le importaba la felicidad de pagar a los artesanos, su única felicidad, porque la otra felicidad, la carroza de Bolívar, lo tenía sin cuidado.

—Doctor Justo —dijo Furibundo Pita—: siempre supe que no maté al maestro Abril: me di muy buena cuenta. Pero ese zoquete bien se merecía una candela, por burlón. No malgastes tantísimo dinero en la carroza del Bolívar, prudencia: sería pólvora en gallinazo.

El doctor no replicó: ya todos en Pasto sabían todo, pensó. Quería salir de la oficina cuanto antes, sin aceptar el café con pan de achira que Alcira Sarasti le ofreció, tan pronto se enteró de su visita inopinada:

—Otro día será, señora.

—¿Cuál es el afán, por Dios? —dijo ella—. Estese tranquilo, que hoy no es Inocentes y nadie le da veneno: este pan de achira lo horneé yo misma hace una hora. —Y meneaba la cabeza—: Usted me ha despreciado.

—Eso jamás. Prometo visitarla el 6 de Blancos.

—Si me encuentra —repuso de inmediato la mujer.

Esa mañana la devota Sarasti —con todo y sus ropas herméticas, su velo de misa en la cabeza, su blusa negra de encaje— se le antojó al doctor todavía más apetecible que la viuda Chila Chávez. Y volvió a espiar la blusa de encaje por donde aparecía la piel de la Sarasti, como encendida; el doctor pareció dudar de su cordura, desconociéndose: «Debe ser porque la miro por primera vez con el corazón», se dijo, «y no como el médico imbécil que he sido».

La devota Sarasti no apartaba los ojos de las paredes. Enlazaba y desenlazaba las manos. Furibundo Pita tomó otra vez la palabra:

—¿Sabe algo de la venta Primavera?

Pero el doctor ya no lo oyó, había salido.

Y, sobre la mesa del consultorio, ante los ojos incrédulos de Zulia Iscuandé, esparció los abultados fajos: contó y apartó el dinero de la carroza —tres veces el premio de la ganadora— y lo devolvió a la mochila. La otra parte la guardó como pudo en los bolsillos de su pantalón, igual que si rellenara un muñeco de año viejo —así contó la Iscuandé que pensó al verlo.

—Dinero —había dicho el doctor—. Ataúd y sepultura del corazón.

—Pues si es así que mi corazón se muera —dijo la Iscuandé.

Se miraban sin encontrarse: el doctor Proceso no parecía escucharla, y Zulia Iscuandé no entendía nada en absoluto: había ido sólo en busca de las arras, y lo recibía todo. Y por lo visto ese doctor ni deseaba saber de la carroza.

—¿No quiere venir a verla? —preguntó realmente conmocionada. Y apretaba la mochila entre las manos—. Se la tenemos bien escondida.

—Saludos a la carroza —dijo extrañamente el doctor—. Que me sorprenda el 6 de enero. En cualquier esquina de Pasto estaré esperando para verla.

Ese mismo 4 de enero el poeta oculto daba su parte de espía a Enrique Quiroz, en la calle, a las puertas de la parroquia.

Oían crecer desde la esquina la voz entera de la muchedumbre, que aplaudía: se inauguraba por primera vez el Carnavalito, preámbulo del Carnaval de Blancos y Negros, imitación que hacían los niños del carnaval, con sus pequeñas carrozas, murgas y minicomparsas: cargaban sus invenciones en bicicletas y carretillas. Era un desfile de niños y niñas enaltecidos: cantaban mientras bailaban; algunos llevaban botellas de aguardiente llenas de limonada, pero desfilaban haciendo eses, imitando al detalle la borrachera de los mayores: las orgullosas madres los aplaudían. Una banda de músicos pasó lanzando los sones del *Miranchurito*. El poeta oculto se esforzaba en descifrar los susurros de Quiroz, su cólera interrumpida por la fiesta:

—Entonces no has sido capaz de dar con la carroza.

—Difícil seguir al doctor en esta moto —dijo Puelles, y señalaba la Vespa maltrecha y embarrada, a su lado—. El doctor se fue a Tumaco, a la laguna Verde, subió al volcán, llegó a las Lajas, y en todas partes lo único que hizo fue el amor. La tal carroza no existe.

—Hay tiempo hasta mañana —dijo Quiroz—. Habla con el doctorcito, hazte su amigo, tú eres inteligente, hazle entender que piensas como él, que eres de los suyos, y él te dirá en dónde esconde la carroza. Nosotros mientras tanto la buscamos por nuestro lado, es que, ¿sabes?, todos trabajamos en lo mismo, no podíamos dejarte a ti solito semejante responsabilidad, tú eras muy poquito, ya sabíamos. Te digo que te hagas su amigo.

El poeta montó en la Vespa, no quería oír una palabra más, preferible largarse al Carnavalito que tragar las quejas de ese orate. Pero entonces vio al orate encima: fue como si los dos se descubrieran por primera vez. Quiroz se encaraba a él, puso su cara a un centímetro:

—Esto es en serio, Puelles. Ese doctorcito es peor que el policía, ¿me entiendes?

Puelles no entendió.

Y después no se lo creyó.

Era lo que suponía.

«Esto no es cierto» pensó.

Y luego:

«Yo no».

—Ese doctor tiene huevo —dijo. Y ya no pudo ocultar su desesperación—: Vale una lenteja. La carroza es habladuría. Piénsate las vainas: ese doctor es un angelito del Señor.

—Es veneno, y del más puro, del peor. Nada menos que un *contra Bolívar,* ¿entiendes, güevón?, *contra el pueblo.* Esta vez explicaremos quiénes somos, para que no quepa la duda. Esta vez dejaremos nuestra firma imperecedera. Una nueva fuerza se avecina. El futuro, nosotros. Este pueblo es mi pueblo, tu pueblo, nuestro pueblo, ¿vamos o no a defenderlo? Ni un paso atrás, ni pa' tomar impulso, y a los ricos: ¡mamola!

Puelles asintió con la cabeza, al tiempo que encendía la Vespa y aceleraba sin saber adónde.

Huía.

Huía, zigzagueando entre los cuerpos que orillaban la calle, fila de manchas regándose al Carnavalito: vio dos muchachas vestidas de verde, gemelas, un borracho abrazado a un árbol, hablándole al mismo árbol, otro dormido en el andén, tres o cuatro monjas tomadas de la mano, ¿monjas o disfrazadas?, y en eso lo reconoció: el doctor Justo Pastor Proceso López, su perseguido: encorvado, las manos en los bolsillos, gordo pero alto, un inmenso sombrero negro como de hippie viejo, inmóvil, ¿en qué se fijaba con tanta atención?, nada menos que en la fachada de puertas cerradas del caserón de la negra Naranja.

El poeta oculto se escalofrió.

Frenó y se apeó de la moto. Y acompañó al doctor, se puso a su lado, un silencio de dos, ¿dudará de mí?, no, es frecuente en el carnaval que un aparecido siga tus pasos, doctor, pobre doctor, o, mejor, doctor dichoso entre mujeres. Aunque se tratara del Carnavalito —pensaba Puelles—, ese desfile de hadas y monstruos era igual que el carnaval de Blancos y Negros que se avecinaba: las fauces eran idénticas. Un clamor jubiloso recorría la calle, tambores de juguete: duendes y payasos se enfrentaban. El doctor se volvió a él: ninguna cara de niño podía ser más inocente, más feliz, y sacó del bolsillo una botella de aguardiente y regó a propósito la mitad: el aguardiente pareció hervir en el pavimento.

—Por los muertos —gritó.

Puelles se escalofrió otra vez: semejante saludo casi lo desquició.

—Por ellos —contestó.

El doctor le extendió la botella; Puelles dio un sorbo largo. El doctor no quitaba los ojos del caserón:

—¿Cuándo abrirán?

—Esa casa es de la noche —dijo el poeta.

—Pues el amor debería ser de mañana y tarde, para

desahuciados. Ahora habrá que esperar. —El doctor recibió la botella, y lo miraba con atención—. ¿Le gustaría almorzar conmigo?

El poeta Puelles se acabó de escalofriar.

De nuevo los ojos del doctor recorrían el caserón de la Naranja. Bebió con sed.

—Y el tiempo pasará más rápido —decía.

Dejaron a cuidar la moto en un garaje, y no almorzaron: sin ponerse de acuerdo, sin descubrir quién inspiraba a quién, de la calle iluminada del Carnavalito pasaron a una especie de laberinto subterráneo —como después de un salto—, una taberna próxima al caserón de la Naranja, sin nombre ni ventanas, sólo una puerta de metal y unos escalones como un descenso al infierno —creyó Puelles: desembocaron en una sala medio iluminada por velas enrojecidas, donde la música se reduplicaba en parlantes oblongos, negros, que colgaban del techo: en la estancia completa de cuerpos las sombras bailaban *La Múcura* y coreaban, una sola voz, un solo cuerpo y un mismo sudor: olor de ropa caliente y mojada, los ojos como teas, centenares de ojos alumbraban blancos en la penumbra, porque todavía más adentro no había luz, sólo esa tea multitudinaria de ojos encima de cuerpos agazapados, anudados, cuerpos dormidos que bailaban.

Y avanzaron tanteando como ciegos.

En la mesa pidieron aguardiente. Casi todas las mesas se encontraban ocupadas por parejas abrazadas, estrechándose. Qué sitio para hablar —pensaba Puelles—: pero sólo bebiendo podría *hablar* con el doctor, *atreverse,* pensó, y otro tanto podía ocurrir con el doctor: se explayaría, incluso aclararía de una vez que la carroza era una mentira, y todos contentos, pero, ¿y si la carroza existe? *¿Y si la carroza existe?* dijo en voz alta, al tiempo que un mesero les servía el aguardiente.

—¿Cómo dice? —preguntó desde el otro lado de la mesa el cándido doctor. Con *La Múcura* estallando era difícil escuchar.

—¿La carroza existe, o no? —se resolvió a gritar el poeta, y se bebió de un tirón el aguardiente.

El doctor dudó un instante. Al fin se encogió de hombros. Asintió en silencio —no como si respondiera, sólo como si hablara consigo mismo—, y bebió su aguardiente, se acomodó el ridículo sombrero, puso un billete encima de la mesa y se incorporó.

—No se vaya, doctor Proceso —lo atajó Puelles—. Doctor Justo Pastor Proceso López. Siéntese un momentico, debo contarle algo de su interés. Después se puede ir donde le venga en gana, ¿la negra Naranja?, yo también estoy que la visito desde mis quince años, pero escúcheme y el tiempo pasará más rápido, como usted quiere.

El doctor se sentó otra vez. ¿Quién era este aparecido?, ¿lo conocía? En alguna parte lo vio.

De manera que lo iban a matar.

Por lo menos eso era lo que gritaba en su oreja, a susurros grandes, el muchachito. Qué noticia extraordinaria: según el muchachito debía visitar «de rapidez» el caserón de la Naranja, y luego hacer las maletas y huir del país «hasta que todo pase», con mucha razón dicen que

Pasto es la *Ciudad Sorpresa de Colombia,* ¿me está tomando el pelo?, se burla usted de mí.

—No, doctor, no me burlo: el día de Inocentes ya pasó. Simplemente lo prevengo, usted decida. ¿Recuerda la paliza al loco Chivo?, ¿quiénes zarandearon al Cangrejito Arbeláez, artista del enemigo? Ahora las cosas van de mal en peor, doctor, ya no sólo lo trompean, lo hacen saltar al otro lado. Usted verá. Salud.

—Y todo esto por la carroza de Bolívar —se deslumbró el doctor—. ¿Quiénes son ustedes?

—Eso todavía no lo sabemos —dijo Puelles. ¿Se entristecía?—. O no lo saben ellos —se apresuró—. Yo ya no voy en su costal.

El doctor Proceso se bebió otra copa y recordó: este muchachito demacrado era el mismo que leía ante su casa, la noche del 31. De modo que ya desde esa noche lo seguía. Era un estudiante, alumno de Chivo, cómo no, uno de los que patearon a Chivo por las calles hasta el hospital, ahora un inconforme, ¿qué pasaba con la juventud? No hacía mucho el mismo Chivo le contó que se había «importado» de Italia un eximio profesor de filosofía: bajo su égida los alumnos no sólo empezaron a vestir de negro y a fruncir el ceño como ancianos amargos sino que muchos se suicidaron y dejaron notas postreras con la misma explicación: desesperanza de la existencia, o algo así. ¿Por qué los muchachitos se prosternaban?, ¿por qué permitían que los hundieran en la idiotez? Por muchachitos —se respondió—, pero éstos eran distintos, revolucionarios a la moda, y por lo visto él era el enemigo del pueblo, el número uno, ¿qué voy a hacer?

—Entonces tengo el tiempo prestado para ir al caserón —preguntó como una burla.

—El tiempo de un gallo y su gallina —se burló Puelles todavía más. «Un hombre entero, este doctor», pensó, «tiene arrestos para reír: pero no imaginas cómo va de seria la advertencia, doctor.»

La música era otra, el restallido igual, y, sin embargo, se entendían lo suficiente mientras bebían desaforados. Puelles quería entrar en lo de la Naranja ese mismo día del Carnavalito, cuando abrieran —si abrían—, y con o sin doctor: quería visitar esa casa cuanto antes, pero despertaba su curiosidad el *porqué* de la visita del doctor: sabía de su mujer, la famosa Primavera Pinzón, la mayor de las Pinzón, la conocía lo suficiente para soñar, qué animalote de mujer, qué soberbia gota de agua pura, ¿para qué diablos necesitas el prostíbulo, doctor?

—Busco una mujer para llevársela a un amigo —dijo el doctor.

—Loable servicio, señor. Yo sólo busco la primera mujer. Salud.

De un momento a otro caminaban por las calles de Pasto, lejos de la taberna, ¿hablaban desde hacía cuánto?, ya era la noche, minutos antes Puelles se había sentado en el andén a vomitar, ahora cruzaban por tercera vez ante la casa de piernas cerradas de la Naranja, dijo Puelles. Seguro no trabajan por el Carnavalito, dijo el doctor, también ellas sacan a pasear a sus hijos. O también ellas salen a desfilar, dijo Puelles, y subieron por calles estrechas, empinadas, querían seguir derecho hasta el volcán, pero los detuvo su misma charla en una esquina, el doctor se oía a sí mismo: De un pueblo en la miseria, sin industria,

sin hospitales, de un pueblo sin escuelas, sin..., de un...
¿qué puede salir de ahí?, y la voz de Puelles desde algún
sitio: Dicen que la revolución, señor. Sí —rió atónito el
doctor—, pero por un minuto, porque el pueblo se em-
borracha y a dormir otra vez, durante siglos, a soñar, como
ocurrió... ¿cuándo ocurrió la última vez?, se emborrachó
hasta el perro.

—Como nosotros —dijo Puelles.

—¿Qué puede salir de ahí? —repitió el doctor.

—Sueños, usted lo dijo.

Ya los últimos grupos de niños se dispersaban; eran
niños con el disfraz al hombro, casi dormidos, unos todavía cantaban de la mano de sus padres, otros daban chiflidos encaramándose a los árboles, en peligroso equilibrio,
pájaros en rebeldía, no queremos ir a la casa, es el Carnavalito, ¿borrachos de verdad?, muy posible, se respondió
Rodolfo Puelles, el doctor decía que los niños eran felices
porque no conocían el amor. Y no conocen sobre todo la
vejez, completó el joven Puelles: se rieron de eso un minuto, esperpénticos, a bramidos, se asfixiaban, casi no lograban decirlo al unísono: *pobres niños cuando envejezcan.*

Otro gran sorbo los aplacó.

Pasó un camión lleno de jóvenes que gritaban contra el mal gobierno, eran consignas en pleno Carnavalito
—contra el imperialismo yanqui, contra la oligarquía chu-
pasangre, «Y al vivo y al bobo mátenlos a todos», coreaban, «Y al mulo y al burro uno por uno». De modo que
sale de ahí la revolución, dijo el doctor, ¿de verdad Puelles creía en eso? La revolución con esas bestias no, se re-
beló Puelles. Revolucionarios matando a diestra y siniestra —siguió el doctor—, ¿los oyó?, incluyen en su lista a
mulos y burros, con semejante proyecto no creo que va-

yan a morir en el intento, se van a morir de viejos intentándolo. Ya no participo en eso, dijo Puelles exasperado, ¿cómo promulgar a los cuatro vientos que él era un poeta, que cuando hablaba él hablaba su poesía?, si yo fuera capaz recitaría a gritos este humoroso amor que me sale por los poros, y alguna muchacha tarde o temprano me redimiría, pensó.

Estaban sentados muy juntos en una de las bancas de madera del parque Infantil, a pocas cuadras de la casa del doctor, la ropa mojada en aguardiente, al doctor le habían robado su sombrero —una mano estirándose desde un balcón—, Puelles tenía los ojos enrojecidos, desmesurados, igual que si alucinara, sus manos temblaban, cada uno bebía de su propia botella, mi problema, dijo de pronto Puelles como si renunciara a la vida, mi problema no es estar solo sino conmigo, doctor, imagine un hombre que ya no podría ser amigo ni de un perro, ¿quiere que le cuente algo, señor?, yo he matado, ¿se da usted cuenta de lo que digo?, soy un asesino, ¿usted sabe lo que es eso?, yo ando conmigo como con un esfuerzo enorme, y el mismo Puelles se preguntó si iba a llorar, no diga eso, dijo el doctor, y trató de incorporarse: ¿o es que va a asesinarme a mí? Eso nunca —se asombró Puelles—, y el doctor: ¿con una sola muerte basta?, mejor máteme de una vez, no me haga perder tiempo, y otra vez apareció la mutua risotada asfixiándolos, el doctor intentó levantarse y no lo logró, tengo que ir a mi casa, dijo, la negra Naranja que espere a mañana.

Doctor —le preguntó Puelles encarándolo, y aferraba uno de sus brazos—, ¿por qué no deja en paz a Bolívar?, suspenda esa vaina y todo se arregla, el doctor manoteó el aire, bebió, no se puede dejar en paz a los muertos si los muertos no dejan en paz a los vivos —sentenció—, bueno, se corrigió estupefacto, yo pensaba eso, ahora no sé qué pienso, estoy en paz con vivos y muertos, yo, lo único, que, quiero, es, amar.

¿Sí? dijo Puelles resucitando, ¿volver con la viudita?, quiere pan caliente, qué linda es, aquí las viudas suelen ser casi unas niñas, doctor, y a buey viejo pasto tierno, ¿cierto? Puelles sí se pudo incorporar y abrió los brazos, aleteó, subió de un salto a la banca, se irguió: mi libertad vuela por dentro, gritó sin saber por qué, quieto como una estatua, desde abajo el doctor se lo quedó mirando: en toda mi vida me importaron muy poco las estatuas, dijo, pero hoy las empecé a despreciar: en Pasto hay muchas para derrumbar, podríamos derrumbar estatuas —propuso exaltado: siempre me pareció inaudito que semejante cretino de la libertad se saliera con la suya al paso de los años, en cada pueblo tiene su mentira a caballo, en cada parque, en cada plaza, en cada ladrillo, debería tenerla en el cementerio de Pasto, ¿de qué sirve publicar esa verdad?, no sé, pero no voy a impedir que mi carroza siga su destino, es mi esperanza, ¿ve? Entonces —dijo Puelles, absurdamente, como si replicara a eso— ¿no cree usted que a los nuestros los torturen? Claro que sí, dijo el doctor —parecía que hablaban de torturas desde hacía tiempos—, y estoy seguro que además ustedes torturan a los otros, y tortura va y tortura viene y pasarán generaciones, el doctor intentó otra vez incorporarse, una mano lo detuvo, lo sentó de nuevo, ¿qué hacía allí el catedrático Arcaín Chivo?, ¿desde cuándo?

Pues estaba sentado a su lado Arcaín Chivo, emérito dómine, y su probable alumno aventajado, de pie frente a ellos, se balanceaba escuchándolo, ¿cuánto tiempo había pasado?, ¿te estoy imaginando, Chivo?, dijo el doctor. No me imagina, Justo Pastor, pasaba por aquí y me lo he topado celebrando el Carnavalito como cualquier niño en el parque Infantil, y lo veo feliz, pero temo que deba darle una mala noticia: alguna vez nos toca ser mensajeros del infortunio: se nos fue Matías: nos dejó: murió nuestro buenísimo Matías Serrano, murió mientras dormía, antenoche, ¿usted qué hacía, Justo Pastor?, lo hemos buscado por todo Pasto. El doctor se encogió de hombros, como si nada. Sólo así el catedrático Chivo calibró la desmesura de su borrachera, lo increpó: «Y cuando se empiecen a morir todos los amigos, ¿qué haremos, Justo Pastor, encogernos de hombros?», de nuevo el doctor se encogió de hombros, pero esta vez habló: «Morirnos también, qué tal que no, ¿cómo seguir viviendo entre desconocidos?». El catedrático se dio por vencido, sus ojos hallaban la explicación en las botellas de aguardiente desperdigadas y en el espectro estudiantil que se balanceaba escuchándolos, de modo que reanudó su saludo, lo veo feliz, Justo Pastor, nada menos que en compañía de este desorientado, usted se llama Rodolfo Puelles, ¿sí o sí? Gracias por la orientación, dijo Puelles, la necesitaba, o yo soy muy joven o usted muy viejo. De nada, replicó Chivo, y se animó, ¿indignado?, pues sí, dijo, el mundo se divide en jóvenes y viejos, ¿quiere que lo acabe de orientar?, yo a usted lo conozco bien, usted es de la cuerda del Enriquito Quiroz y compañía, ¿sí o sí?, otros desorientados. Qué sabe usted de orientaciones, dijo Puelles, y escupió, Chivo lo acechaba: ¿quiere que le recuerde a Kierkegaard?, preguntó, viene la desorientación porque se llega a ponderar lo contrario de lo que realmente se quisiera, tal como ocurre cuando uno se mueve abstractamente en definiciones dialécticas, donde no solamente sucede que uno dice una cosa y se refiere a otra, sino que se dice la otra: lo que uno cree que se dice no se dice, sino que se dice lo contrario, ¿me entiende?, por lo menos procure entenderme y luego ya no me entienda. Ah qué gran esfuerzo entenderlo —dijo Puelles—, y el doctor: amigo Chivo usted parece más borracho que nosotros, en vano el doctor intentaba incorporarse: ¿de verdad murió dormido ese Matías?, qué gran sabio para morir, y otra vez no pudo levantarse. Déjeme ayudarlo, lo llevaré, dijo Chivo. Déjelo conmigo, lo llevaré yo, dijo Puelles. A mí nadie necesita llevarme, yo mismo me llevo —el doctor no lograba levantarse—: ¿en qué se encontraría soñando cuando murió?, o me levanto o estoy muerto, debo volver con la mujer que no me ama, mi mujer.

—Me llevan muchas botellas de ventaja —dijo Chivo—. Aquí yo sobro.

Se fue rápido, por el sendero de piedras. Ya no lo veían: sólo se oía su voz, entre la noche:

—Hasta mañana, Justo Pastor. Mañana es día de Negros, le dolerá la cabeza.

Y todavía gritó:

—Vigile sus compañías.

Ya Puelles y el doctor casi no se escuchaban, Puelles explicaba al doctor que los hermanaba la muerte: era la muerte la que tarde o temprano los hermanaba, sí, doctor, repetía: si hay algo que nos hermana es la muerte, pero ¿hablaban del matrimonio, o del fallecido Matías Serrano?, matrimonio —dijo el poeta Puelles, que no conocía mujer—: cada uno piensa en la muerte del otro. Haberlo dicho yo —dijo el doctor—, si tú murieras mujer yo sería el más feliz de la tierra, y entonces sí se puso de pie, y se quedó con el índice elevado, en actitud del que va a decir algo definitivo, quisiera que fueras mi hijo, le dijo por fin a Puelles. Puelles arrojó una risotada: yo no quisiera que usted fuera mi padre, mañana o pasado sería huérfano, el doctor dijo que quería abrazarlo, pero no lo hizo, lo hizo Puelles, lo abrazó, usted es un buen tipo, y recomendó subrayando las sílabas como si regañara a un niño arisco: mejor vuélese a Singapur, quédese allá un siglo y sólo regrese cuando las bestias desaparezcan, usted es igual que mi abuelo, otro buen tipo, terco, como usted, discutimos la última vez sobre si Pedro Infante era una voz más pura que Javier Solís, una discusión seria, dos compadres en México la dirimieron a tiros, mi abuelo me dijo que para dirimirla en Colombia no sería raro que a un abuelo le dé por matar a su nieto, tiene su gracia, ¿cierto?, un día me dijo que cuidado: las piernas de las mujeres son en realidad tijeras: tú ya sabes qué te cortarán, yo quiero mucho a ese abuelo, lo quiero a usted, lo que le digo es presagio, soy vaticinador, únicamente le digo: *lárguese*, y después de decir eso la cara del vate alumbró de curiosidad —como si asomara otro Puelles, el auténtico—: ¿es cierto doctor que usted se acuesta con todas sus pacientes?, ahora el doctor lanzó su risotada: está usted demacrado, tiene que dormir más, y se alejó a la calle, al fin podía caminar, Puelles dejó de mirarlo: o yo soy muy joven o él es muy viejo, y siguió de pie, columpiándose en sí mismo: si se sentaba en la banca no volvería a levantarse, bebió más.

Solo. En el parque. No había siquiera un transeúnte a quien dirigir la palabra, una muchacha a quien ofrecer esta flor de palabras, qué piernas vi hoy, qué caras sedientas, qué culos, y llegaba en destellos el transcurso del día, los acontecimientos como un río por los ojos, voces veloces, retratos de rostros asustados de muchachas huyendo, ¿qué les dijo?, ¿se bajó el cierre del pantalón, se los mostró?, había dejado la Vespa de Quiroz en un garaje de Pasto, ¿en cuál?, mañana me voy donde la negra Naranja, el día de Negros ajusta perfecto, mañana arderá París cuando me pinte la cara de negro, a lo mejor me encuentro al doctor, dichoso entre beldades, ¿qué más hicimos de Carnavalito?, habían pasado por la iglesia de Santiago, allí brindamos, allí el poeta pintó un letrero negro en la pared blanca: DESCANSA EN PAZ, DIOS, y el doctor no se quedó atrás: DIOS BENDIGA ESTE NEGOCIO, tenía su humor, y vieron pasar a las monjitas, las piropearon, tres o cuatro monjitas que no escandalizaron, ¿las perseguimos?, a todas les suda la entrepierna, dijo el doctor, ¿o dijo él?, qué memoria: tengo lagunas como cielos, estrellaré la Vespa de Quiroz, la cara de Puelles se ensombreció, puta, gritó aterrado: ¿por qué salimos de la taberna? Recordaba de pronto los ojos como globos negriazules del caleño Ilich, su torcido perfil de alambre en la silla contigua, escuchándolos todo ese tiempo, ¿escuchó la delación?, doctor lo van a matar, Ilich los había seguido hasta lo más hondo de la taberna, Puelles lo saludó con un guiño, intentó explicar: «Enriquito ordenó amigarme con este buenazo del doctor, ven te lo presento», pero Ilich abandonó escurridizo la taberna, sin un saludo, Puelles se dejó caer sobre la hierba, bocarriba, puta, gritó, encima de sus ojos el parque entero se oscurecía, se apagaban las bombillas, puta, daba susurros, y se quedó profundo, parecía un muerto.

Todavía le quedaba otra sorpresa de Carnavalito al doctor Justo Pastor Proceso —aparte de la sorpresa de su muerte inminente, que ya había olvidado.

La sorpresa lo resucitó a tiempo, porque ya no le era fácil caminar: la beata Alcira Sarasti, que esa misma mañana lo había invitado a un pan de achira, pasaba por allí —o estaba allí, a casi media noche, en la puerta de su casa, aguardándolo.

—Esto es triste, doctor —la oyó decir—: Arcángel no vendrá hoy por la noche, lo vieron muy bebido en su nueva finca de Sandoná, ¿por qué se la vendió?, no vendrá a dormir y no sabré qué hacer.

Tampoco yo sabré, pensó el doctor.

—Su mujer y sus hijas no están —siguió la devota como si contara qué día es hoy—. Se fueron a una murga en El Tambo, con todo y criada. A mí me dijeron que vendrían mañana, día de Negros.

Sólo entonces Alcira Sarasti se dio cuenta: «Está borracho perdido», y quiso pasarse a la otra calle, cruzar corriendo hasta la acera opuesta, «aquí todos los hombres andan borrachos, beben porque sí y beben porque nó, Santísima Virgen de las Mercedes, Pasto sigue enfermo y sin remedio», pero ya era tarde: el doctor extendió la mano como si la saludara y la atrajo con fuerza y con mucha más fuerza la besó, estrujándola. Después sólo le dijo al oído: «Sígame», y ella lo siguió.

«Más que borracho, inmoral» pensaba la devota, oyéndolo reír; el doctor no lograba abrir la puerta, pero cuando la abrió la devota entró de inmediato, sobrecogida.

De modo que lo iban a matar, recordó el doctor, y se paralizó: pudo recordarlo cuando se halló adentro, en el alma de su propia casa: cualquier asesino podía ocultarse en la pared. Esa certidumbre lo remeció, despertándolo, pero también muy pronto la certidumbre se esfumó: cobró fuerza la ausencia de Primavera: de modo que Primavera no vivía alrededor, ah, cuánto le importaba su presencia —a pesar de los pesares, pensó.

Y se olvidó de Primavera al percibir, detrás de él, la sombra perfumada de la devota Sarasti alentándolo en silencio. Era una sombra que ardía, quemaba el aire, una sombra al rojo. Olvidó su muerte próxima, olvidó para siempre que lo iban a matar, y contempló maravillado, bajo la noche cerrada, a la devota Sarasti: sí, comprobó, el calor se desprendía de ella, físico. Veía el calor como un color anaranjado alrededor de la cara lívida. Ella había unido la palma de sus manos como si rezara, y sus labios rezaban, sin duda, ¿qué invocaba?, ¿fuerza?, ¿protección?, ¿a qué santo se encomendaba?, el doctor veía desprenderse la luz a lo largo de su vientre, otra boca sinuosa y flotante, ¿o sufro un delirio?, la beata Sarasti era una tea viva, levitando, «A usted ni la ciencia la podría explicar», dijo. «¿Cómo dice?» preguntó la devota, pero ya él la arrastraba de la mano, dando tumbos. En las escaleras, rumbo a la cama, el doctor trastabillaba una y otra vez, pero allí aparecía la mano de la devota para socorrerlo.

«Descansemos» dijo ella como un ruego. Qué voz de iglesia. Rezaba. En mitad de la cama el doctor creyó oler el incienso. Ella, la voz mística, siguió sincerísima: «Tanta emoción no me ocurría desde la primera comunión: es la primera vez que estoy con un hombre distinto a mi marido, y eso, se lo juro, es más terrible que la primera vez que estuve con mi marido».

El doctor Proceso a duras penas escuchaba, no sabía qué y cómo había pasado, no se acordaba. Antes de que la realidad asomara a su cara era preferible buscar otra botella de aguardiente, o la realidad será peor, pensaba, ¿estuve soez con ella en esta cama?, la amenacé con morderle su pan de achira, así se lo había dicho, y se lo mordió hasta oírla gritar, y ahora sentía la pierna de la beata encima de su pierna, estregándolo agradecida, oía su voz de misa, de Elevación. Aún no amanecía en el aposento: el día de Negros sólo alumbraba, leve, en las comisuras de las ventanas. Una de las ventanas daba al huerto de la casa, la otra a la calle: el doctor no supo ante cuál de las dos ventanas se recortaba la cara y silueta de Primavera Pinzón.

«Imposible» pensó.

—Qué par de conejos —oyeron—. Han estado magníficos.

Sí. Era la voz de Primavera Pinzón —diamantina porque parecía que los cortaba en la oscuridad; una voz muy distinta a la voz de misa cantada de Alcira Sarasti, una voz ronca pero femenina a plenitud, y con todo y eso un rugido.

Ninguno de los dos se movió; sólo escuchaban, transidos.

—No me lo figuraba —oyeron—, tanta acrobacia, doctor Jumento, qué elasticidad de muñeco de caucho, por Dios, qué saltos, que empujones, qué ganas, ¿por qué nunca me regalaste un poquito?

—Primavera —dijo el doctor.

—Qué.

—Podemos hablar más tarde.

—¿Sí? ¿Pintados de negro? —preguntó ella. Y luego—: Y en mi propia cama, y con semejante dechado de Dios: la santita Alcirita Sarasti.

Se oyó el sollozo de la devota.

El doctor se sentó a la orilla de la cama. En la incipiente penumbra se esforzaba por encontrar la ropa de Alcira Sarasti.

—No hay ropa —anunció Primavera, pletórica—. La tiré a la calle.

Se oyó la exclamación de incredulidad de la Sarasti.

—Tiré tu ropa y la ropa de tu santa —dijo Primavera.

El doctor quiso mirarla a los ojos: difícilmente distinguió su rostro. Feliz de perversidad, mujer endiablada, pensó. Y, sin embargo, sin explicárselo, le entraron ganas de reír.

Primavera dio un paso a él:

—Si ese Furibundo se entera —dijo— no deja vivo ni al perro, ¿no te preocupa? ¿Estás muy valiente o muy borracho?

De la calle saltaron voces de festejantes, gritos pendencieros. Un volador estalló en el cielo, su resplandor alumbró de azul la habitación: el doctor descubrió que era cierto: no había ropa por ninguna parte; para traerla de la calle habría que superar el escollo formidable de Primavera Pinzón, metida en su levantadora blanca, feliz ¿o infeliz?

—Ahora —dijo el doctor incorporándose— tendrás que prestarle un vestido, para que se vaya.

Otro sollozo de la devota.

El doctor Justo Pastor Proceso López, desnudo como se hallaba, y sin pretender cubrirse, fue a la ventana abierta de par en par. Se asomó y vio la ropa de la devota y su propia ropa desparramada en la calle, a la luz de los postes; incluso adivinó los zapatos, aquí, allá, bocabajo, de costado, todo sórdido y torcido como cuando ocurre un accidente de tránsito, pensó, con muertos.

Se acercó a Primavera, la tomó por el brazo y, sin esfuerzo, sólo con el aliento de su cólera, la sacó de la habitación. Cerró la puerta.

—Aquí no termina —gritó del otro lado Primavera.

Oyéndola gritar el doctor descubrió que estaba borracha. Se preguntó si sus hijas se hallaban en la casa, escuchándolo todo. La mujer de Furibundo Pita lo aguardaba de pie, cubriéndose los pechos con las manos.

—¿De verdad ha tirado mi ropa? —preguntó con un hilo de voz.

—Fue capaz —dijo el doctor—. Lástima que no se tirara ella.

Y abrió de par en par los armarios de la habitación.

—Y ya amanece —se quejó la devota Sarasti. Ahora se cubría con la sábana, era un fantasma espantado. El doctor eligió cualquier vestido de la percha.

—Ni siquiera están mis zapatos —dijo Alcira Sarasti.

De la sorpresa, la sábana resbaló por su cuerpo, y no se percató: buscaba con los ojos por toda la alfombra. Se arrodilló y tanteó debajo de la cama; no le importó doblarse como un espectáculo: el doctor lo celebró.

—Póngase esto —dijo entregándole el vestido—. Y estese tranquila, yo la acompaño hasta abajo.

—Qué dirán en mi casa —sollozó la devota—, qué cara harán las del servicio cuando me vean llegar con otro vestido, y sin zapatos.

—Es carnaval —dijo el doctor.

La Sarasti arrojó un profundo suspiro, como si asintiera.

—Y en todo caso recoja sus cosas en la calle, póngase allá sus zapatos, ¿sí ve?, no hay problema.

La Sarasti terminó de vestirse como pudo, se acomodó el pelo. Tenía la cara demudada, y temblaba tanto que el doctor la compadeció: a fin de cuentas era la única que no se bebió un solo trago de relajación, la habían operado sin anestesia. Abrieron la puerta de la habitación: nadie. Bajaron por la escalera; iba adelante el doctor, desnudo, pendiente de otras sorpresas: Primavera podía arrojarse contra él, las uñas a los ojos, como una vez ocurrió.

Para respiro de la Sarasti no hallaron indicio de Primavera. Silencio absoluto. Pero ya en la puerta principal oyeron de nuevo la voz sibilina:

—No le sienta mi ropa, señora. Casi no se pudo meter en mi vestido. Por lo general, dicen, pantorrillas gruesas culo grande.

—Primavera —dijo el doctor.

—Y tú, doctor Jumento, hay que ver cómo boteabas, con toda tu tripa. Pero ningún colchón de grasa de vaca te hubiera aguantado mejor.

—Es gorda, pero mujer de verdad —dijo el doctor. Le parecía increíble semejante conversación, y, sin embargo, era cierta: allí estaba él dirimiendo esos detalles con dos mujeres. Dio rienda suelta a la risa, aunque breve, amarga, como si llorara. Y terminó—: toda una mujerzota.

—Cuidado, Alcirita —siguió impertérrita Primavera—, si su santo marido la ve llegar sin sus zapatos la pasa a la luna.

—Ah, no se preocupe —dijo pasmándolos con su voz de catedral Alcira Sarasti—. Él no está. Él ni se dará cuenta. Él no me quiere, como sí me quiso aquí en su cama el doctor Justo Pastor, que Dios lo bendiga.

Y salió.

Así quedaron, congelados, mirándose a los ojos, Primavera Pinzón y su marido desnudo: todavía la voz de iglesia los fascinaba.

Y ya el doctor emprendía la retirada a su consultorio, desnudo a través de la sala, cuando Primavera avanzó a él, titubeante, deslumbrada, y se arrodilló frente a él, rodeándolo con los brazos, apretando su mejilla contra su sexo, como si por primera vez lo reconociera. Él le puso la mano en el pelo y la acarició, ella se sacudió como por una descarga, dio un salto atrás:

—No me toques.

De verdad estaba borracha, peor que la viuda Chila Chávez, peor que el estudiante Puelles, peor que yo, pensó el doctor. La oyó como a una sonámbula:

—No me toques. Yo sólo quería burlarme de la mosquita. Ver cómo lloraba, seguramente rezaba, ¿oíste cómo se despidió? ¿Te ríes? Se levantó la bata al fin la santa putita de Dios.

El doctor se limitó a callar. Todavía se sentía imbuido en la intempestiva caricia de su mujer. Primavera lo trastornaba, lo remontaba a la locura: no la podría entender nunca, o sólo después de muerta, pensó, cuando la mate, si la mato, mejor tomarse otro aguardiente y cuanto antes mejor, irme a dormir al consultorio, ¿la odio?, pero qué falta de vergüenza, pensó odiándola, vienes a mortificarme por la Sarasti y tú muy bien le abres tu madriguera a generales y jornaleros hasta en los sueños, ah pero qué bello culo rosado llevas, Primavera, al final de los finales cualquier amante tuyo me envidiará, yo te idolatro.

Primavera lo contemplaba escudriñándolo: no lograba intuir qué maquinaba. Cómo adivinarlo.

Es muy tarde para todo lo que pueda suceder entre nosotros —seguía pensando el doctor—: nunca más regresaremos a lo que acaso nunca existió. Pero este día de Negros la negra Naranja lo resucitaría, la negra Naranja aparecería como la explicación de su vida, una negra solución, la solución más negra, y, sin embargo, solución. No: la solución estaba ahí, en la carne viva de Primavera, pensó, en tus ojos vida mía mirándome con amor, la imaginó otra vez de rodillas, abrazada a él, y ahora sólo deseaba estrecharla, hacer cualquier cosa por besarla, preñarla por tercera vez, multiplicarla: si ambos se lo proponían lo lograrían, pensó.

—¿Dónde dejaste a las niñas? —preguntó como una seña angustiada, una tregua.

—En sus camas —gritó ella, y su voz se recrudeció de rencor—: donde tienen que estar. Tuve que dormir con

Floridita, tu hija asustada. Ni ellas ni yo queremos verte jamás, yo quiero el divorcio.

El doctor, que avanzaba a abrazarla, se contuvo: se irguió en toda su estatura; de pronto tenía el rostro pétreo, desconocido.

—Será después del 6 —dijo.

Mirándolo así, como si dudara en un trance de rabia, ella pensó que podía otra vez sujetarla del brazo, abrir la puerta de la casa, echarla y cerrar. Era capaz. De pronto pensó que podía matarla, de eso sobre todo era capaz, pensó, creyó descubrir que en realidad quería matarla, y lo temible de todo era que ella, en ese momento, arrepentida de todo lo que ella misma había forjado, hubiera querido que la matara, no le importaba, o que al menos la arrojara a la calle, a empellones, para entonces gritar a carcajadas mátame si quieres, pero de pronto pensó que hubiese querido mejor que la violara, era mejor, por sobre todas las cosas, que primero la violara y luego la matara, pero él no haría nada parecido, ¿tú cuándo serías capaz de matarme, doctor Jumento?, se preguntó con lástima —lástima de él, que no la mataba, y lástima de ella deseándolo.

Y lo escuchó, hastiada:

—No vamos a malograr el carnaval con un divorcio, nadie nos haría caso.

Se miraron por última vez, antes de separarse. Pero no como si midieran sus fuerzas: sólo con una suerte de tristeza: finalmente nada de lo que deseaban había sucedido.

5

Un sueño lo despertó: sabía que era el único pasajero de un tren, y lo sabía dolorosamente, por la certeza de su propia soledad. El paisaje que corría veloz por la ventanilla era otra soledad: un único árbol se repetía infinito en el horizonte, un mismo árbol desprovisto de hojas, seco, gris. Pero llegaban dos pasajeros más. Dos pasajeros que con su imposible presencia deshacían de un soplo su soledad: no sólo se sentía salvado sino eximido para siempre de la soledad. Los pasajeros eran un hombre y una mujer de negro, con negras maletas de viaje, y se sentaban frente a él sin saludar: las rodillas de la mujer casi tocaban sus rodillas. El hombre tenía los ojos cerrados como si durmiera hacía tiempos: a pesar de los ojos cerrados él reconocía los inconfundibles ojos grises de su padre, mirándolo, y descubría que la mujer que se hallaba a su lado era su madre, mirándolo. Y la soledad regresaba infinita porque de inmediato recordaba que ambos estaban muertos (muertos en el sueño y en la realidad). Les preguntaba asombrado: «Qué hacen aquí, si ustedes están muertos», y la cara de su madre se volvía a él con la mayor naturalidad, casi como si lo felicitara: «Vos también».

No había dormido más de tres horas: eran las nueve de la mañana del jueves 5 de enero, día de Negros. Recordó que esa madrugada le habían tirado su ropa por la ventana, pero recordó también que su consultorio era además habitación, desde que empezó la desgracia de su matrimonio: tenía cobijas y almohadas. De una gaveta sacó una muda de ropa y se vistió procurando hacer todo el ruido posible, para matar el silencio de soledad que lo aplastaba —y que era el mismo silencio de su sueño. El reloj-calendario del consultorio sonaba con fuerza: a su tictac el silencio se redoblaba. Se tocó en la cara la barba de ocho días, y oyó agradecido la voz de Genoveva Sinfín, del otro lado de la puerta:

—¿Doctor?

Abrió la puerta como la salvación.

—Es una gracia —dijo la Sinfín— que a estas alturas de la mañana los pobres de Pasto duerman, como usted. Debieron beber del río que se convirtió en aguardiente, como usted. Aquí traigo sus zapatos y su pantalón que me encontré en la calle, doctor, iba a comprar sal para los envueltos y qué veo, ¿qué puedo estar viendo?, los zapatos y el pantalón del doctor ahí tirados, ¿son ésos los zapatos y el pantalón del doctor?, sí, ésos son, yo misma los he lavado mil y una veces, los conozco de memoria, allí estaban, doctor, parecían un borracho dormido, pero eran sus zapatos y su pantalón con los bolsillos bien cargados, dé gracias a Dios que yo los vi primero, ningún pobre apareció, ya se sabe que los ricos tienen más suerte que los pobres, ¿es justo, don Justo Pastor?, ¿no le parece que va siendo hora de no beber?, una buena ducha lo ayudaría, un caldo levantamuertos, ¿o se le antoja un cuy?

Le entregó los zapatos y el pantalón con los bolsillos abultados de billetes.

—Esto no se tira por la ventana así como así —dijo todavía, amargamente, y se fue, antes de que el doctor respondiera.

El doctor guardó otra vez el dinero en el pantalón recién puesto. Se puso los zapatos mientras pensaba que, por el contrario, tendría que beber más aguardiente si quería recuperar su cara, despertar: pues no lograba salir de su sueño: sabía que estaba despierto, pero seguía padeciendo la misma soledad, no podía salir de su sueño.

Genoveva Sinfín había dejado abierta la puerta del consultorio, que daba a la sala. En el rincón más distante, cubiertas de sol, niñas y muchachas se pintaban la cara de negro. De pie, disfrazadas de flores, se contemplaban a los redondos espejos de mano, y se examinaban con una fijeza extraordinaria, ¿qué miraban allí? Reconoció a sus hijas, en mitad de primas y amigas, ambas extasiadas, los estrambóticos pétalos de papel no las ocultaban, los largos pistilos que temblaban, ¿de qué flores se disfrazaron? Ya todas tenían la cara negra. Algunas se embadurnaban el cuello, los hombros desnudos. El doctor agradeció las voces cristalinas, el jardín de ojos iluminados, la cantidad de flores humanas que lo libraban del sueño. La risa distinguía a Floridita, la risa cantarina pero extravagante que le recordó a Primavera: de Primavera no había ni la voz, pensó, ¿y si me encontrara a Primavera disfrazada de flor?

La Sinfín reapareció. Traía en una bandeja dos cuyes asados, humeantes, que el doctor se comió con las manos, como se deben comer, y se los comió con todo y cabeza, pero se los comió de pie, entretenido con el grupo de niñas que se pintaban; no quiso sentarse a la mesa; se hizo servir un vaso de aguardiente y se lo bebió a la salud de usted, señora Genoveva interminable. La Sinfín meneaba la cabeza, desaprobándolo. La Sinfín aparecía donde tenía que aparecer, veía y lo sabía todo, era un oráculo, pensó. Le preguntó que en dónde se encontraba Primavera:

—Se baña ahora, doctor. Tuvo una madrugada cruel.

Y luego:

—Debe ser por esa crueldad que se irá de la casa, sola. Se irá de la casa a jugar el día de Negros, sola. Las niñas se quedan aquí: es su gran Fiesta de Flores.

Él se dirigió a las escaleras, siempre seguido por la Sinfín. Bordeaba la orilla del jardín: ninguna de las flores reparó en él; Luz de Luna ni siquiera lo soslayó: negra se veía más bella, pensó, los ojos irradiaban, pero, ¿no parecía brotar un monstruo, de esa flor?, ¿pelos, lengua y colmillos?, ¿a quién se le ocurrió una rosa carnívora como disfraz? A Floridita, descubrió.

Llegó a su aposento del tercer piso, donde percutía el agua de la ducha en el baño interior. Al oír caer el agua imaginó la desnudez de Primavera, verídica, como delante de él. Se estremeció a su pesar. Entonces sacó de sus bolsillos los fajos de billetes y los desparramó encima del lecho. Pero lo pensó mejor y volvió a guardarse uno de los fajos; tomó otro y lo entregó a la Sinfín, que lo recibió como si nunca lo hubiese recibido; se lo escondió en el corpiño y se santiguó.

Bajaron las escaleras sin prisa, pero parecía que ambos huyeran. Sólo se escuchaba la voz de la Sinfín, compadecida, acaso para ocupar al doctor en asuntos menos sombríos que Primavera:

—Qué linda esa carroza de carnaval que usted mandó construir, doctor, pero también qué triste, ¿no? Ayer noche la vi, me invitaron a verla, gracias a que soy de esta casa, su casa. Yo sé dónde la esconden, por si quiere ir a remendar cualquier error antes del desfile, eso me dijeron que le diga, que allá lo quieren los compadres, ¿por qué no acude?, los tiene entundados esperándolo, anímese, doctor, vaya y mire: una sola de las manos del Bolívar es tan grande como la puerta de la catedral, los ojos haga de cuenta dos ruedas, se mueven de arriba abajo y brincan a los lados no sólo como vivos sino como enloquecidos y la miran a una como si se la fueran a comer, qué nariz de árbol, qué botazas, qué espuelazas, la espada de un Goliat, me contaron que la entera cabeza debieron sacarla por el techo de la casa: cómo sufrieron para pegarla al cuerpo, dicen que todo junto pesa dos toneladas, muchos trabajan ahora para agarrar la carroza al camión, con tal que el motor funcione y que don Martín no se nos emborrache y en lugar de pasear por Pasto se suba al volcán y se desgüalangue adentro con su Bolívar a cuestas, es un Bolívar inmensísimo, la nariz como si todo le oliera mal, la jeta igual que si empezara a maldecir, y qué lindas, qué vivas esas muchachas que lo arrastran, parecen a punto de cantar, así de verdaderas las hicieron, doctor, la risa de sus boquitas es bien bonita, plácida como los gatitos que toman el sol, pero esa cantidad de muertos alrededor, esos gritos sin gritar, esa como lluvia de sangre, esas manos atadas y tanto dolor, da miedo de solo verlo, ¿fue verdad?, ¿o fue sólo un mal sueño?

—Fue en Pasto —dijo el doctor.

—¿No quiere tomarse un café, qué quiere hacer?

—Me voy.

—¿Entonces es cierto, no quiere ir con la carroza?

—Mañana será.

Y el doctor salió al día de Negros.

Iba pensando en el día de Negros como el historiador que no era: de un clamoroso estupor había nacido esa fiesta en 1607, cuando los negros esclavos se arrojaron a celebrar un «día libre», la libertad de un día en todo el año concedida por el rey español. En Pasto el día libre sólo empezó en 1854: los negros salieron a bailar a las calles y se permitieron pintar con carbón la cara blanca de los amos, y debieron hacerlo con amoroso terror, o con el justificado propósito de matar, pero con la certeza de tocar, en últimas, una piel idéntica, la misma sangre por dentro, la misma mierda con diferente culo, pensó. Los carnavales se iniciaron en 1926, siempre bajo ese estandarte: la libertad de un día, su celebración: pintarse las caras, ¿esconder el rostro?, esconder el rostro y convertirse en todos: grita el que calló, baila el que no bailó y ama el que anduvo sin amor —como exactamente yo, pensó, hundido en la muchedumbre de una esquina de carnaval: allí no necesitó pintarse la cara: en menos de un minuto se la pintaron hasta el cuello los primeros jugadores del día, contentos de sorprender a un incauto sin una pinta en la mejilla: pero el incauto sólo quería ser pintado cuanto antes: la casona amarilla de la negra Naranja lo aguardaba a diez pasos, abierta.

Entró sin que nadie reparara en él. Había pequeñas

salas, escasamente iluminadas, y a diferencia de las calles de Pasto que trepidaban de luz y chiflidos, sólo un bolero suave aunque desesperado se oía en los parlantes ocultos: «Humo». Debajo de ese bolero el carnaval no se sentía: debía ser por el ambiente eterno de la casona, bíblico, irrefutable, que se imponía, hubiese carnaval o estallara el Galeras.

Una que otra muchacha aparecía y desaparecía.

Eligió la mesa próxima a la escalera por donde subían las muchachas acompañadas, y por donde bajaban después, solas. Alguien, una sombra, le sirvió una copa doble de aguardiente. Había una foto en la pared, encima de su mesa, una foto en sepia, en un marco desgastado: brotaba la negra Naranja de un largo vestido de lentejuelas, sonriendo en mitad de hombres felices, sin duda extranjeros, exploradores recién llegados del amazonas, sombreros y cantimploras, botas, escopetas, y todos enarbolaban sus copas a la salud de la negra. Leyó debajo de la foto: «Negra Naranja inaugura su primera casa en Puerto Asís, Putumayo, año de 1916. La acompañan de izquierda a derecha Wilson Fallón, Joel Schloss, Richard Cross, James Reed, Hermann Price, David Dávoren, Alfred Wills y Félix María Lindig, sus más rendidos admiradores». Y en la foto sobrevivían las firmas de los ocho rendidos, difusas y arabescas, alrededor de las aspas de un ventilador.

No lejos, en una tarima alfombrada, adornada de flores, con rojas cortinas como un teatrillo, había un trío de músicos que fumaban sentados, los instrumentos muertos en mitad de las rodillas. Antiguos carteles de publicidad los rodeaban: QUESO DE FLANDES, CIGARROS DE AMBALEMA. El doctor agradeció la segunda copa de anís: de nuevo no pudo ver quién la servía. A su alrededor había rojizos canapés y mesas de caoba, espejos de cuerpo entero, un piano de pared, lámparas de aceite, un reloj sin agujas; los hombres bebían en los discretos rincones, sentados en sillas de cuero; muchachas como sombras aguardaban recostadas de pie contra las paredes, ¿y el estudiante? —se acordó el doctor, y buscó a Puelles con la mirada: Puelles por ninguna parte.

Nada había cambiado en esa casa desde que la visitó por primera vez: la casa entera olía a desinfectante. Sintió deseos de orinar: a la entrada del baño leyó el mismo cartel que lo asustó de adolescente: CUIDADO: TIERRA DE BRUJAS. Pero encima del orinal vio dibujos obscenos y rótulos nuevos: uno de ellos muy bien pudo escribirlo cualquier alumno de Chivo, pensó, o el mismo Chivo en persona: «El amor constituye el único principio universal de una síntesis completa». Más abajo leyó: «Como quien dice el amor es Religión de la Humanidad, güevón». Al volver a su mesa vio que dos disfrazados de frailes, o dos frailes, peleaban sin mayores consecuencias en un rincón; se zarandeaban por las sotanas a gritos; uno quería irse, el otro no. El primero se resignaba a esperar «sólo un minuto». El doctor se sentó, y otra vez una mano escanció aguardiente en su copa, que él bebió con desesperanza. Los tres músicos ya no fumaban en la tarima: el rojo telón se abrió de par en par.

De allí emergió medio vestida de amarillo la negra Naranja, los brazos abiertos como si se dispusiera a estrechar el mundo, «Aquí sólo se puede ser feliz», gritó, «no hay de otra». Un gran aplauso la acompañó. Qué dientes grandes de coco, te comerán vivo, pensó, no tiene edad, se ve más joven que yo, me atendió de muchacho y parece una hermanita menor, es imposible, pero qué negra incendiada.

«Como pueden ver» dijo la Naranja con un susurro, igual que si leyera su pensamiento y le respondiera, «yo no envejecí: fue al revés», y, con un grito formidable: «a mí se me volvió viejo el mundo, señores». Otro aplauso siguió. «Que cada quien busque su cada cual» gritó, y, con una venia amarilla sonrió a los presentes y tan intempestiva como apareció desapareció en la nube de humo rosado que arrojaban sobre ella sus muchachas. Quedó el eco de la invicta risotada, como un rugido.

—Habrá que hacerle caso —se dijo el doctor.

—Cuando quiera —dijo a su lado una muchacha. ¿A qué horas se había sentado con él? Era la muchacha que escanciaba el aguardiente. Sólo supo preguntarle su nombre.

—Aquí soy la Oscurana —dijo la muchacha—. ¿Qué me invita a beber?

Era toda espíritu, inmensos ojos líquidos, grandes ojeras violáceas, muy frágil, pero tenía unas manos dos veces más grandes que las del doctor.

Entonces llamaron su atención los inauditos nombres de las muchachas que la negra Naranja llamaba ahora, con un altavoz, desde el segundo piso de la casa, como si exigiera reportes; las exhortaba a subir y cumplir con su deber.

—¡Espesa!, ¡Silencia!, ¡Barba Roja!, ¡Pájara!, ¡Beba Veneno!, ¡Lampiña!, ¡Culpa!, ¡Oscurana!

—Ésa soy yo, si se acuerda —dijo la muchacha.

Pero mandó a decir con las que subían que estaba enferma.

—Soy médico, por si la puedo ayudar.

—No estoy enferma. Sólo que ya sé quién me espera allá arriba, y me cansé de ese bruto. Tiene una de burro que no puedo más, es el propio burro, más bruto que cualquiera.

Era joven, pero se marcaban los estragos del insomnio en su cara:

—Y usted, señor, ¿se me acomida?

—No soy yo, es para un amigo —dijo el doctor. El recuerdo de la viuda Chila Chávez y la devota Alcira Sarasti, que acaso aguardaban por él ese día de Negros, contribuyó a su negativa, porque había estado a punto de tomarla de la mano y llevársela, o que ella se lo llevara a él, pensaba, hasta la última noche de los tiempos.

Y explicó a la Oscurana quién era Belencito Jojoa.

—No da un brinco —dijo ella—. Se me muere.

Se quedó con los brazos cruzados, pensativa, calibrando la pintura que hizo el doctor de Belencito Jojoa:

—Enfermo y además viejito: imposible.

—El amor hace maravillas —dijo el doctor.

—Debe ser un costal de huesos, ¿o es de los gorditos?

—Más bien seco.

—Se desmenuza.

—No sea pesimista.

—Gordito o flaquito tendría que choferiarlo.

—¿Choferiarlo?

—Montarlo y manejarlo.

El doctor imaginó a Belencito recibiendo a la Oscurana en su lecho, las manos estiradas, y oyó su voz, nítida: «Choferíeme, choferíeme, béseme el alma».

—Un abuelito valdría el doble —siguió la Oscurana, implacable—, es más esfuerzo, aunque parezca mentira. Nos pone a pensar en la muerte. Sucia vejez. Además, cuesta mucho la visita a domicilio, que es un riesgo, ¿qué tal que lo cuiden las Franciscanas? Ya me ocurrió una vez. Y no sé si la Naranja me permita salir hoy, que es día de Negros, porque aquí llegan a montones con el Carnaval, y no sólo llegan ellos sino ellas, a que les prestemos las camas. Difícil, señor. Tendría que pagar con oro.

—Con oro se pagará —dijo el doctor—. Y tendrá que ir de enfermera, para que nos dejen entrar. Yo el doctor, usted la enfermera.

—El disfraz tiene otro precio.

—Pero no se pinte de negro. Que la vea tal cual.

—Voy a hablar con la Naranja —se decidió la Oscurana—. Usted espéreme afuera, en la puerta. Ella me dirá cuánto le cobro, y nos vamos. Si la Naranja no permite que me vaya, no importa, yo me escapo: ya quería largarme de esta ratonera para siempre.

—Lo que sea —dijo el doctor. Y salió de la casona, al estruendo del carnaval.

Pasaba una comparsa y los jugadores se apretujaron alrededor: flotaban caras pintadas de negro —o de negro y blanco—, olía a cuerpos, alcohol, perfume de pomadas. Uno de los festejantes ofreció al doctor un cigarrillo, que él aceptó. «¿Entonces?» preguntó el festejante, «¿valen la pena?» El doctor asintió con la cabeza y el festejante se metió a la casona.

Fumaba con fruición, las serpentinas colgaban de su

cuello, el confeti encendía de colores su barba de ocho días. Le ofrecieron aguardiente a pico, y aceptó. Tenía la cara pintada, pero igual, pensó, era bastante posible que lo reconocieran: Pasto era un pañuelo: en cualquiera de sus esquinas el mundo entero te encontraría. Supuso la cara que haría el obispo y cualquiera de sus doctos amigos si lo descubrían al pie de la casona, como a punto de entrar o como un recién salido. «Les daría envidia —pensó—. De todas maneras el Avispo me excomulgaría.»

Pero qué digo —pensó enseguida—, protégeme oh Matías, protégeme hermanito mío, donde quiera que estés, en cualquier infierno o paraíso, aunque yo sé bien que en esos pueblos no creías, decías: «El día que te mueras te conviertes en mosquito, nada más».

Ese día ninguno de sus amigos lo sorprendió. Nunca sospechó con quién tropezaría.

—Bueno —le dijo Primavera—, esto sí que es un equívoco.

Vestía de amazona, la negra fusta en las manos, casaca apretada, el pelo recogido debajo de un redondo gorrito negro. En la cara pintada sus ojos azules la distinguían del mundo, y su voz. Sí, era Primavera, se aturdió. El blanco atuendo de amazona, negro de huellas de manos en sus pechos y su espalda, en su trasero, daba buena idea de lo tanto que la habían homenajeado ese día, y seguramente a su placer, pensó. Su voz y el ligero balanceo de su cuerpo —hablaba con los brazos extendidos como si se dispusiera a volar o como si ya volara— anunciaban su creciente borrachera, si no se hallaba ebria por completo:

—Mi doctor Jumento sale de una buena casa, la más codiciada de Pasto, la más cara, la exclusiva para padres de familia, funcionarios de gobierno y hasta clérigos disimulados. De verdad —seguía su andanada Primavera, y ahora su voz cambió, se puso íntima, ensoñada—: una no deja de admirar a esas muchachas, una algún instante de la vida se soñó con ser de ellas.

Sus acompañantes ya se habían distanciado: iban en cadena, hombres y mujeres intercalados, asidos uno detrás de otro; por fin se detuvieron a esperar: intuían el gran malentendido y se alegraban, al disimulo. Más adelante, un coche del siglo XIX, tirado por una mula reluciente de guirnaldas, repleto de desafiantes muchachas todavía sin pintar, era abordado de pronto por una jauría de jugadores: crujían los amortiguadores del coche, reventaban uno por uno sus resortes, se ladeaban a uno y otro lado los ocupantes, y por fin el peso desmedido resquebrajaba los ejes, que se partían, dando al suelo con todos, cuántos cuerpos encima, cuántos debajo, enlazándose y desenlazándose vertiginosos, cuántos brazos y piernas, cuántos rostros que se estregaban a hurtadillas como besos desesperados, manos voraces que se metían por dentro, bocas y risas y chillidos, la calle entera explosionaba de aullidos, se derrotaba la mula, caía desfallecida agitando peligrosamente las patas entre cabezas de muchachas y borrachos, progresaban los gritos de pánico sobre los gritos de júbilo. Los acompañantes de Primavera, entre los que muy bien podía encontrarse el general Aipe —creyó el doctor— corrieron a ver de cerca el accidente. Primavera no se inmutó: allí seguía.

—¿Qué tal estuvo, doctor Jumento? —preguntó.

—¿Estuvo? —dijo el doctor. No entendía, y era sincero. Ambos se contemplaban muy próximos, los mismos dos enemigos de esa madrugada, enfrentándose.

—La muchacha, doctor Jumento, ¿o debo decir las

muchachas? Después de zarandearte tan bonito con esa beata, cualquier milagro puedes hacer, ¿no?

—¿Qué muchacha?

Primavera lanzó una carcajada.

—Ah —dijo el doctor Proceso—, la muchacha. La estoy esperando. Se la voy a presentar a Belencito Jojoa.

Primavera Pinzón, que ya volvía con su grupo de amigos, se detuvo, paralizada. Se volvió a él, se le encendieron los ojos: la sorpresa iluminaba su rostro, a pesar de tenerlo tiznado. Era realmente como si se hubiese ruborizado, y se trasluciera el enrojecimiento del asombro en la voz:

—¿Es posible?, ¿le llevas al fin a Belencito su muchacha? Qué gran amigo, qué atrevido, mi héroe.

Se empinó, fugaz, hacia el doctor, y, fugaz, lo besó con fuerza en los labios.

—¿Nos vamos, Primavera? —se oyó que la llamaban sus amigos. Ya los del coche accidentado se habían puesto de pie, uno que otro magullado, sin novedad. Muchachas y borrachos se sacudían la ropa como si nada hubiese ocurrido; hasta la mula resucitó: un espontáneo le daba a beber aguardiente a pico; música y baile prevalecían otra vez, gritos de juego. Pero en mitad del alarido hubo un silencio que los rodeó.

—Yo me quedo —dijo Primavera—. Me quedo con mi señor esposo, como lo indica Dios.

Ninguno de los del grupo objetó. Uno detrás de otro, aferrados por la cintura, jugando al trencito como los niños, reemprendieron el baile entre la muchedumbre.

Primavera se colgaba del brazo del doctor. A él le pareció que iba a caer; la abrazó.

—Esperemos a tu muchacha —la oyó. Tenía fastuosa la voz: un feliz ultimátum.

En ese mismo momento apareció la Oscurana, en la puerta. Llevaba una pequeña maleta debajo del brazo, seguramente con el disfraz de enfermera, ¿o se fugaba para siempre de la ratonera?

—Qué bella es —dijo Primavera—. Una auténtica flor de la selva para Belencito Jojoa, atención de su servidor el doctor Jumento, mi consagrado esposo.

La Oscurana alcanzó a oírla. Se aproximó a ellos con desconfianza. Tuvo que desembarazarse de un borracho que pretendía bautizarla en la mejilla con la «pintica» de costumbre, y lo hizo de un empujón, sin vacilar: el borracho rodó por la acera, no se levantó.

—A mí nadie me pinta —gritó la Oscurana.

Nadie más se le acercó.

Y quedó a un palmo de Primavera:

—¿Quién es ésta? —preguntó—. Parece borracha, ¿o se hace?, ¿es una trampa? Págueme ya, o yo no voy a ninguna parte. ¿Quiere que le diga cuánto?

—Págale ya, querido, cualquier cosa —dijo Primavera—, ¿no ves que para estas muchachas es lo más importante? Págale ya y vámonos solos, yo voy a reemplazarla.

Sin creer lo que oía el doctor extendió varios billetes que la Oscurana despreció: lanzó un verde escupitajo a los pies de Primavera, y se metió en la casa.

Fue así como el doctor Justo Pastor Proceso López y su mujer Primavera Pinzón quedaron solos otra vez, en la calle hasta los topes de carnaval. Ahora ninguno parecía acordarse de la madrugada de ese día, con la devota Sarasti a bordo, la ropa en la calle y la desnudez. Tampoco dijo Primavera de los fajos encontrados en la cama; otro futuro inmediato los suspendía: Belencito Jojoa tendido en su cama, esperando sin esperar la sorpresa de carnaval que le fraguaban.

El doctor no creía —o no podía ni quería creer que Primavera cumpliera con el reemplazo de la Oscurana. Pero empezó a creer, viéndola caminar a su lado, casi una adolescente decidida: entonces la deseó: seguramente por eso mismo la deseaba. «Que suceda lo que tenga que suceder —pensó—, aunque sería preferible que demos un par de vueltas para que lo piense mejor, si acaso lo piensas, Primavera.»

Atardecía, y el sol, que hasta ese momento alumbraba las más íntimas simulaciones de la fiesta, sus recovecos, sus intestinos, yacía ahora tragado entre nubarrones; un cielo caliginoso ensombrecía el horizonte, ¿iba a llover? Primavera no pronunciaba palabra. El doctor aguardaba. Se alejaron del parque Nariño, que hervía de jugadores, y siguieron con su paseo a ciegas, sin destino: ella creía o parecía creer que iban a casa de Belencito, y él no la disuadía. Oyeron una huidiza conversación entre dos viejos: «A ése lo mataron hace tiempos», «Y cómo no, si le gustaban las mujeres casadas». Ella se aferró de su brazo: «Bebámonos otra copa», y se metieron en uno de esos toldos improvisados a la orilla del carnaval, donde aparte de bailar al son que les tocaran los jugadores comían y se recuperaban, volvían al juego o se fundían para siempre. Allí se ensimismaron con la Ronda Lírica; oyeron enardeciéndose el *Sonsureño*, el *Agualongo, Sandoná* y *Cachirí*. Los de la Lírica retumbaban con las flautas y los violines: coronaron con *La Guaneña*. Sólo oírla y Primavera se lanzó a bailar al corazón de la muchedumbre: dio un salto de venada, arrojó la fusta, se deshizo de la gorra, su pelo cayó alborotado, giraba como si flotara y siguió bailando delirante a saltos y torbellinos, en espirales desenfrenadas, los pechos arrebatados, acompañada por furiosos esporádicos: muy pronto le hicieron ruedo, enalteciéndola, mientras el doctor la contemplaba, fascinado. Acabó *La Guaneña* y regresó victoriosa como una llama, espléndida, burlona, «Estoy exhausta», dijo, pero no parecía.

Compraron más aguardiente —una botella para nosotros y otra para Belencito, y siguieron a la deriva por entre los barrios del Pasto carnavalesco. Las carrozas que se forjaban para el 6 de enero permanecían ocultas detrás de quién sabe qué muros, a la espera del desfile de mañana. Todavía el doctor se preguntaba si su carroza se hallaría cerca, era posible, ¿por qué no? ¿Qué tal una bella coincidencia y encontrar el escondrijo del Bolívar en unión de Primavera? Presenciar con Primavera la carroza resultaría más apasionante que cualquier baile frenético en la calle, entre una multitud de posesos. ¿En qué sitio de Pasto se erigía su carroza?, ¿en qué casa, galpón, patio o garaje? Mañana era la hora de las horas, el desfile. Ah, Tulio Abril, Martín Umbría, el Cangrejito Arbeláez y los demás artesanos no se iban a quedar atrás, impondrían al Bolívar a su muy buena manera, avisarían de su nefasta memoria, no se arredrarían. El doctor no temía que los artesanos quedaran mal con él: no iban a quedar mal con ellos mismos —se gritó—, darían la cara, a despecho del gobernador Cántaro, de su general Aipe y los fanáticos.

Eso se repetía, yendo detrás de Primavera, sola, varios metros delante de él en la interminable reunión de cuerpos que avanzaba igual que un río. La alcanzó. La rodeó. Allí se besaron un instante como un siglo: nada oscuro, nada aciago había ocurrido nunca entre los dos, ninguna viuda, ningún general, ninguna devota, ningún jayán, tenían dos hijas, Dios.

Las calles los dejaban pasar, reverenciándolos.

Pero no demoraría el carnaval en remecerlos, arrebatándolos del éxtasis, o empujándolos a otro éxtasis más alto: vieron en Pandiaco, a boca de jarro, intempestivo, un hombre que orinaba debajo de un árbol; ya no pudieron sortearlo: el hombre tenía que estar borracho, se tambaleaba: en realidad orinaba encima de una mujer tendida en el césped, bocarriba —más borracha que el borracho que la orinaba, la mujer reía sordamente, báñame gatico, envenéname.

Se besaron; era como si todo se empeñara en estrecharlos, encresparlos, a pesar de la misma sordidez.

En lo alto de una calle del Tejar la gente se agolpaba: un buey enorme, rojizo, demasiado manso, ¿lo habrían emborrachado?, era exhibido por dos niños orgullosos: de sus cuernos colgaba sobre su cara una máscara de tela fosforescente, la cara de un diablo concupiscente, la lengua repasándose los labios; de su cola habían amarrado un tridente de latón con cascabeles que sonaban. En esa calle, prendidos de la belleza de Primavera, y con el buey detrás —igual que un ídolo testigo—, se arrodillaron frente a ella tres borrachos, las manos juntas como si rezaran, y cada uno iba diciendo su nombre y profesión: «Paquito Insuasti, matarife», «Hortencio Villarreal, talabartero», «Y yo soy Rafico Recalde, orfebre, todos morimos a sus pies, virgencita». Maravilló al doctor que Primavera se pusiera a la altura de sus adoradores: a cada uno dio un sonoro beso en la boca, y por cada beso la gente aplaudió y redoblaron los tambores: no sólo con eso quedó contenta Primavera: levantó la máscara del buey y lo besó en los belfos: entonces pareció caer la música del cielo y hombres y niños y mujeres se arrojaron a bailar, con el buey en medio. Por primera vez en años el doctor Proceso —que se jactaba de no bailar— bailó con Primavera hasta la hartura. El ejercicio los salvó del aguardiente que bebían, y los salvó además las tantas empanadas de añejo que se comieron.

Así bailaron por muchos barrios de Pasto: los vieron en el Churo y la Panadería, en San Andrés y San Ignacio y San Felipe, en el Niño Jesús de Praga, en Maridíaz, en Palermo y Morasurco. A la altura de los Dos Puentes, cuando descansaban sentados en un muro, cabeza contra cabeza, tomados de la mano, de nuevo el carnaval vino a recogerlos en la figura de un hombre que pasaba con su perro, atado de una cabuya. Primavera se burló en silencio de que el hombre y su perro llevaran cada uno una ridícula capa negra, y se burlaba sobre todo de que el hombre hablara a su perro, que parecía atento y lo seguía. El hombre hablaba a su perro como para que el mundo oyera: «Tú sabes muy bien que yo se lo dije, se lo advertí, tú me escuchaste decírselo, tú sabes que yo se lo dije, se lo advertí, Dios quiera que no esté muerta, se lo suplico a las Ánimas Benditas, y si está muerta tú tranquilo, sólo se estará haciendo, tú no le hagas caso, ningún caso cuando nos abra la puerta, o cuando venga a saludarnos, o cuando sepamos que no se hace la muerta, ay Ánimas Benditas».

Allí Primavera se descompuso: «La ha matado», dijo, dando arcadas.

«Es sólo un actor burlándose de nosotros», dijo el doctor. Nunca imaginó la reacción de Primavera, que luchaba contra sus náuseas, doblada sobre el muro. Pero enseguida terminó dormida un largo tiempo, en brazos del doctor —que también sucumbía al sueño mientras anochecía, al son de los tambores distantes y cercanos, el tam-tam carnavalesco, enronquecido, como un corazón ubicuo.

Las primeras gotas de lluvia los despertaron. Brindaron con más aguardiente, y repitieron.

Sólo en el Mijitayo presenciaron los últimos retoques a una carroza de carnaval: aunque ya era la noche trabajaban todavía los artesanos a la luz de las bombillas. La llovizna leve pero uniforme resonaba en los techos de zinc. Las altas puertas del garaje, abiertas de par en par, permitían a los curiosos contemplar la carroza a plenitud: nocturna, bajo la lluvia, resultaba todavía más prodigiosa: era un cóndor vivificado, en el nido más alto de los Andes, y extendía las ciclópeas alas como si acabara de llegar: yacía bajo sus garras un toro descomunal, enteramente negro, agónico, los enrojecidos ojos implorantes, el hocico abierto. Había entre sus patas una frase en letras góticas que el doctor no tuvo tiempo de leer. «Qué pasa que no vamos donde Belencito» había dicho Primavera, impaciente, aferrándose de su brazo.

«Allá vamos» se decidió él.

Y hacia allá se dirigieron, a la media luz del carnaval. Los últimos jugadores insistían, daban vivas y gritos esporádicos; la muchedumbre subía o bajaba por las calles encharcadas, a recogerse. En los andenes pululaban enroscados los borrachos, dormidos o despiertos, sus voces gruñían a su paso. Subían por Santiago, cerca del barrio Obrero, y la lluvia creció. Hubo un espasmo en la ciudad: de pronto se había ido la luz eléctrica: las gentes se alumbraban con velas y lámparas de querosén. Detrás de las ventanas las luces de las velas titilaban «como pupilas de fantasmas» dijo Primavera: tenía el aliento aguardentoso, la voz embriagada, «Sobreexcitada, mi pobre Primavera —pensó el doctor—. Quieres y temes lo que se avecina». En el Obrero, de calles embarradas, desde una oscura esquina señaló a Primavera la casa de Belencito Jojoa, ¿iría?, ¿se atrevería?

—Vamos de una vez —dijo por toda respuesta Primavera. Y su impaciencia turbó al doctor.

Pero, un instante después de que llamaran a la puerta, la vio arrojarse de un salto de pantera a las sombras del antejardín, lejos de la vela que alumbraba la entrada, no quería que la descubrieran —eso no me lo esperaba, Primavera, pensó.

—Belencito se nos acaba de ir —anunció solemne en la puerta doña Benigna Villota.

Sostenía un candelabro debajo de la cara. Otras caras amarillas de mujeres, viejas, expectantes, la acompañaban.

El doctor no entendió. Iba a preguntar que adónde se había ido Belencito —pues pensaba que en efecto se podría haber ido como en sus mejores tiempos— cuando entendió. Lo entendió más al escuchar la risa de Primavera en algún lugar del jardín que rodeaba la casa: reía de los nervios, pero reía, en todo caso, como en el circo.

—Si usted quiere, doctor —dijo la Villota—, éntrese a rezar con nosotras por el alma de nuestro Belencito. Fíjese: siempre hizo las cosas a su manera: ahora, por ejemplo, se le ocurrió agonizar en pleno carnaval, nos puso en las duras, casi no se consigue un cura, que están de fiesta, pero se consiguió, y ahora que se acaba de morir y lo velamos la luz se fue, ¿no es otra ocurrencia de Belencito?, puede ser, ¿quiere Belencito decirnos algo?, también puede ser. Gracias a Dios el padre Bunch tiene la paciencia de Job, en un minuto empezamos: serán muchos los rosarios esta noche por el alma de un pecador, gran pecador, es cierto, pero uno que quisimos y queremos. Aquí están todos sus hijos, eso fue lo que dejó, hijos y nietos por docenas, que seguirán su ejemplo, como lo quiere Dios.

Y la cara de Benigna Villota desapareció, seguida por las demás viejas, mudas, enjuiciadoras.

Habían dejado abierta la puerta.

A Primavera, que oía oculta detrás del capulí, precisamente a la orilla de la ventana medio iluminada donde velaban a Belencito Jojoa, le había dado un ataque de risa; para que no la oyeran se cubría ella misma la boca con la mano, una rodilla en tierra, temblando como posesa en mitad de tiestos de flores y matas de yerbabuena. Seguía, sin saberlo, al pie del aposento del difunto, extraviada en la locura de su risa, al pie del aposento en que debían encontrarse el padre Bunch, las viejas y sus hijos y sus nietos: de la ventana empañada parecía brotar un silencio que olía a sebo; las sombras trascurrían. Hasta allá fue a buscarla el doctor, debajo de esa ventana: la encontró de espaldas, la rodilla en tierra, sin vencer aún la risa sorda que la encogía. Y la atrapó por los hombros, no supo si de gozo o exasperación, sin explicarse aún qué iba a hacer,

344

qué le iba a hacer, ¿matarla al fin?, se gritó, ¿estrangularla?, ¿besarla hasta el mordisco?, ¿morderla hasta la sangre?, ¿reír con ella?, ¿reír todavía más, enloquecidos, sin final? El pelo revuelto de Primavera, su nuca, el como perfume del sudor del aguardiente en el aire repleto de yerbabuena lo trastornó, el hombre que querías hacer feliz está bien muerto, le dijo al oído, ella volvió la cabeza, la boca abierta de risa, la boca mojada de lluvia, y él la besó al fin.

—Entonces, Primavera, ¿era esto lo que queríamos?

Ella se asfixiaba de reír; puso la otra rodilla en tierra y quedó a gatas en el jardín tumultuoso de flores; iba a incorporarse pero él se lo impidió; sin ningún esfuerzo deslizó el pantalón de Primavera hasta las corvas:

—Y que el mundo vea tu culo maravilloso, ¿no?

—Y allí le dio un sonoro manotazo.

—Qué —se revolvió Primavera.

—Grita más duro para que el mundo oiga —gritó él.

—Qué haces —gritó ella.

La lluvia se acrecentó.

¿Entonces éste era mi destino?, le dijo el doctor al oído, ¿tener que subvertir el orden con mi mujer? Ella dijo sí, y lo dijo después de un silencio de lluvia que los desquició, arqueándose debajo de él, que la encontró: de la pura ansia cayeron de costado, él no se desprendía, y fue cuando los ojos de Primavera miraron arriba, a la ventana de luz de cirios, sus ojos miraron sin mirar, transidos, pero miraron por fin caras de niños que los miraban detrás de un silencio aterrado. Se sobrecogió, pero en mitad de su cataclismo ya eso no le importó, no hizo nada, no podía. Que la vieran los niños —se resignó feliz, y dijo todavía, sin saber qué decía: «Podríamos empezar la vida, otra vez».

—Hoy mismo —dijo él.

—¿Hasta que muramos?

—Hasta que reventemos.

—Reventemos me gusta más —dijo Primavera, y volvió a buscar la ventana: más rostros de niños alucinados. Testigos.

La lluvia caía tórrida encima de ellos, otro cuerpo encima de sus cuerpos, Primavera no volvía del cataclismo, mátame de una vez —su voz retumbó en el aguacero.

—¿Eso quieres? —rogó él.

Ella resbalaba bocabajo en la hierba mojada, creía que resbalaba como de la cima de un caballo veloz, resbalaba como un ruego feliz, mi asesino, dijo, y se acordaba del semental que vio de niña cubriendo de espuma y de fuerza a la gran yegua amarilla, pero un chillido que parecía de pájaro la devolvió de su cataclismo a la realidad: era la cara de una vieja persignándose espantada detrás de la ventana donde antes sólo había caras de niños.

Otras caras de mujeres chillaban detrás de la primera, y más caras amarillas se turnaban para mirar, todas agolpadas detrás de la ventana. Una de las viejas golpeó el vidrio con los nudillos como si lo quisiera romper.

Sólo oírlas y Primavera quedó vestida otra vez.

El doctor, aturdido, oía los gritos delante de la lluvia, sin comprender. En un segundo vio que cruzaban sombras de viejas enlutadas frente a él, corrían detrás de Primavera, y corría, entre las más enardecidas, Benigna Villota, la que más profería insultos, inflamada de ira, pero ya la elástica pantera había saltado el pequeño muro del antejardín.

Por esa calle solitaria corrían las viejas en pos de Primavera, puta perra pecadora, gritaban, mil veces sacrílega, cójanla, pélenla.

Fue la última visión que tuvo el doctor de Primavera: corría grácil en la calle de velas amarillas, mientras lanzaba al cielo su más ebria risotada, bajo la lluvia. Muy pronto dejó rezagadas a las iracundas.

El doctor tomó la calle opuesta, feliz, enteramente feliz: pensaba encontrarse con Primavera en su casa, para empezar la vida, otra vez.

6

Pensaba que atardecía, pero era el amanecer: todavía un delgado rastro de niebla se arremolinaba en la esquina donde el poeta oculto Rodolfo Puelles dudaba si atardecía o amanecía. Y justo cuando dudaba, a esa hora fría del 6 de enero, en esa esquina desconocida, vio bajar desmandado desde las calles más altas el fantasmal Carro de la Otra Vida —que dicen que todos ven, estén o no soñando: lo vio pasar como un remolino de polvo, abriendo un gran surco en la niebla, chirriante y oscuro, repleto de las Brujas de Sapuyes, del Loco y el Mandingas, del Mendigo, el Cartabrava, la Mujer Mula, la Duenda y la Turumama, de todos los endriagos y ocurrencias de esta y otra vida, lo vio atravesar sin frenos las esquinas, llevándose a dentelladas la tristeza y los males del cuerpo, pues dicen que a su paso todo se hace joven, las cosas y los hombres, y celebran su veloz aparición hasta los muertos, ahí van, ahí viajan los Espíritus, el Viejo Bombo, el Padre Descabezado, el Gritador, la Tunda, Los Taitapuros, el Puerco Roncón, la Madre Dolorosa, ahí vamos, salud —saludó Puelles extendiendo el brazo con la botella vacía, pero no oía los pitos del carnaval ni la explosión de voces maravilladas ni el invisible corazón de los tambores. Si el mundo duerme —descubrió— es porque amanece, apenas despunta la fiesta del 6, no me la he perdido, la sangre me hace cosquillas, y arrojó la botella vacía contra un árbol —que la recibió alargando una de sus ramas, eso vio.

Puelles no estaba borracho: estaba pasmado.

Un día antes, el 5 al mediodía, en pleno maremágnum de carnaval, había llevado la Vespa a casa de Enrique Quiroz, y no lo encontró: jugaba el día de Negros, no había nadie en su casa, excepto *su servidumbre* —pensó—: muchachas y criados de sus fincas que no celebraban el día de Negros porque debían trabajar. Con ellos dejó la Vespa, y una razón escrita de borracho: «Rodolfo Puelles dice adiós. No cuenten con Puelles para nada».

Nunca sabría si los criados entregaron la razón, pero fue Enrique Quiroz quien lo encontró a él, horas más tarde —o los dos se encontraron en un sitio que ninguno había soñado: la iglesia.

Una iglesia abierta en pleno carnaval —se había dicho Puelles asomándose. Iba camino del caserón de la Naranja, pero la iglesia abierta en día de Negros lo intrigó. Ni un eco, ¿nadie? Desde lo hondo del altar el padre Hoyos se dirigía al confesionario, y se encerraba, ¿qué hacía en esa iglesia el padre Hoyos?, ¿qué hacía encerrándose en el confesionario?, ¿a quién pretendía confesar? A mí, se gritó. Y avanzó al confesionario mientras pensaba: «¿Cómo se enteró?» Y era que desde hacía un siglo —desde un día antes, el 4 del Carnavalito—, el poeta oculto Rodolfo Puelles no se acordaba del que compraba leche en la esquina, del muerto, y la iglesia abierta lo convocó, irrecusable: *su muerto*. El padre Hoyos fue su profesor de Religión cuando niño, le dio la hostia sagrada el día de su primera comunión, lo confesó, ¿por qué no volvérselo a decir a alguien?, un padre jesuita se ponía en su camino para escucharlo, ah, pensó, le diría: «Padre, alívieme de mí mismo». Con el doctor Proceso había intentado compartir la carga del policía, y, sin embargo, el doctor no lo escuchó, o sí, escuchó demasiado, le dijo: «Si me va a matar máteme ya, no me haga perder tiempo».

Rodolfo Puelles se encaminó resuelto al confesionario. Le diría al padre Hoyos: «Acúsome padre de no acudir a misa hace años», y el padre le diría: «Usted no ha venido a confesarse de eso». Y él: «Usted ya sabe de qué quisiera confesarme». Y el padre: «Todo el mundo lo sabe. Ahora tiene que saberlo Dios».

—Qué vas a hacer allá, a qué vas —le dijo urgente la voz de Enrique Quiroz.

Quiroz se encontraba en mitad de una de las bancas de la iglesia, y *rezaba arrodillado*, ¿rezaba? La iglesia no estaba vacía: allí rezaba Quiroz, arrodillado. El perplejo Puelles vio que Quiroz se incorporaba, convocándolo con la mirada. Y salieron de la iglesia en completo silencio, uno detrás de otro.

Afuera ya no parecía carnaval: el encuentro con Quiroz o Enriquito o Vladimir ensombreció el día y decapitó la alegría —pensaba el poeta oculto—, el sol se sepultó, iba a llover, qué tedio, qué bostezo, qué fastidio este adefesio, y, sin embargo, lo obedezco, ¿por qué mi oprobio?, podría tumbarlo si quisiera, soy más que él, en lo que él más pregona, ya lo he demostrado.

Callados en mitad del griterío, siempre uno detrás de

otro, llegaron a la parroquia de Nuestro Señor de los Despojos, donde se hallaban el Plato Ilich y tres desconocidos, ¿quiénes?, no los había visto nunca, ni en Pasto ni en Bogotá, y eran tipos antiguos, pensó, de unos cuarenta años, en overol, nada prendidos: no los conmovía la celebración, más bien hoscos, no lo miraron a los ojos cuando saludó. Había gente de barrio festejando el día de Negros en los corredores de la parroquia, con la anuencia del padre Bunch —que en algún escondrijo debía hallarse rodeado de jóvenes—, pero el poeta oculto Rodolfo Puelles no los sintió, le parecía que las caras y gritos de alegría acentuaban su tristeza descomunal, que era la misma tristeza de la parroquia y del mundo entero, alrededor.

El Plato y los tres desconocidos se hallaban nada menos que en el rincón más sagrado de la iglesia de Nuestro Señor de los Despojos, detrás del altar, cerca de la puerta a Sacristía, y se hallaban alrededor de lo que parecía el muñeco de un asno de carnaval. Lo aparejaban para el 6 de enero —comprendió Puelles. Lo animarían dos jugadores: uno delante, los brazos enfundados en el hueco de las patas delanteras, prolongadas cada una con un palo como un garrote, los hombros y cabeza ocupando la gran cabeza de burro, y otro atrás, sus brazos enfundados en las patas o garrotes traseros, encorvado, su cuerpo la cola del animal —le será difícil bailar, pensó Puelles.

Los cubría el brillante disfraz, los faldones multicolores del lomo que rozaban sus zapatos, la exuberante cola de cabuya y la gran cabeza de asno de fábula: Quiroz iba adelante —se le reveló ahora—, el Plato detrás, ¿a qué horas se metieron?, y manipulaban las patas como las de un asno enloquecido, dando topetazos, yéndose a izquierda y derecha, en círculo, en zigzag, de pronto se arrojaron contra la pared y la molieron a coces: saltaban pedazos de ladrillo pulverizado: así de inmensa era la furia con que la acometieron. El Plato y Vladimir, cubiertos del manto esplendente, la cola de asno batiéndose, la cabeza de asno riéndose, dieron todavía una vuelta en torno al altar, se arrodillaron frente a la cruz, piadosamente, y siguieron trotando acompasados. Galopaban, manoteaban, rebuznaban. Iban a sudar mucho allí metidos, pensó Puelles: era un burro en su total estupidez, adornado con telas de colores, relleno de paja y fique, y con cuatro mortales patas de palo, y con todo y eso un burro de verdad, nadie sabría si fue un asno de verdad o de mentira, pero un asno en total, el que patearía al doctor Proceso matándolo por fin de una coz acérrima, mañana mismo —pensó—, 6 de enero, si hoy 5 no lo encuentran.

Quiroz emergió del asno, y luego el Plato.

—Me voy a buscar al puerco —dijo el Plato.

Puelles se apabulló: era como si le respondieran.

El Plato Ilich se limpiaba el sudor de las manos en las rodillas; tenía la cara pintada de negro, pero los globos de sus ojos bicolor relumbraban blanquísimos; no buscó a Puelles al despedirse, como si Puelles no mereciera un gesto. Sólo se despidió de Quiroz.

Y Enrique Quiroz le había dicho, igual que un ultimátum:

—*Traerásmelo.*

Los tres desconocidos se dedicaban a medir y sopesar el asno, a revisarlo —pensó Puelles— por dentro y fuera, peor que un arma.

—Este asno es para mañana, por si hoy no lo encontramos —dijo Quiroz—. Buenas patadas le daremos, disfrazados. No te asustes, Puelles, no nos maldigas, no lo vamos a agravar a tu amigo, aunque de vez en cuando habría que matar un hijueputa para que nos crean, ¿no? Pero ya Ilich lo encontrará. El puerco vendrá. Razonaremos. Nos dirá en dónde destruimos su carroza, y felices. Y si Ilich no lo encuentra, pues mejor: mañana lo encuentro yo. Y que salga la carroza a desfilar, la volaremos en vivo. Hasta me he puesto a pensar que sería más bonito.

Sólo oírlo y Puelles se sobrecogió: el disparate era verdad. Qué día de Negros: esa mañana se despertó al descampado, en un recoveco del parque Infantil; al mediodía dejó en casa de Quiroz una nota de borracho, fatal —por lo descabellada; pero jamás imaginó esta pesadilla: él, en la parroquia, presenciando la hechura del asno mortífero, qué día negro, pensó, y se dedicó a escuchar sin entender las razones de Quiroz: su pálida boca se movía frente a él, sin sonido, y él asentía, los ojos de Quiroz nunca parpadean, pensó, uno de los desconocidos preguntó que en dónde quedaban los orinales, quiero orinar, también yo —dijo Puelles, y lo condujo a los baños de la parroquia, pero no entró, se fue, huyó de la parroquia, pudo hacerlo. Se les escapó.

Haría un último esfuerzo por el doctor, la advertencia definitiva, su obra de caridad para el día de Negros, ¿estoy realmente preocupado?, allá él. Y se encaminó a casa del doctor cuando ya atardecía. No lo encontró —como no encontraría a nadie ese día de carnaval. En casa del doctor había una «fiesta de flores» según dijo la vieja cocinera que acudió a la puerta. Detrás de ella pudo entrever el montón de niños disfrazados —no sólo de flores sino de helechos, de encinos y arrayanes, los rostros pintados. Existían todavía mamás en Pasto que preferían que sus hijos no salieran a jugar el día de Negros sino que celebraran adentro, prisioneros de la seguridad, pensó. Iba a partir, preguntándose en dónde encontraría al doctor, si en casa de Chivo o en casa de la viuda conquistada. Intentaría prevenirlo, su buena obra del 5. Después emigraría a su propia casa, a beber y oír el disco de la Ronda Lírica con el abuelo.

«Y descansaré», pensó.

—El joven no parece que haya almorzado —lo acometió entonces la Sinfín—. ¿Para qué bebe?, ¿para no sentir miedo?, ¿no quisiera mejor unas empanadillas con dulce de calabaza?, hay sopa de guineo con espinazo de cerdo, hay envueltos de maíz, usted, si me perdona, parece un espanto, ¿qué hacen hoy los jóvenes que no comen? Así no podrán beber como hombres.

En ese momento llegaba otro invitado a casa del doctor: debía ser el último niño de la fiesta, el demorado —pensó Puelles. Tenía un penacho en la cabeza, como una corona de hojas de plátano. Lo traía un campesino: era el viejo Seráfico, mayordomo de la finca de Sandoná, con Toño, su menor. Lo traía él mismo, maravillado de que hubiesen convidado a su hijo a una fiesta en casa del doctor.

Floridita salió a recibir al invitado. Detrás de su disfraz de planta carnívora, con dientes y colmillos que brotaban de los pétalos, fulguraba su sonrisa muda, endurecida:

—Mañana se lo llevamos a la finca —dijo al mayordomo sin más explicaciones.

A Puelles le pareció que el niño recién llegado transpiraba en el terror. «Qué niño tímido», pensó. Detrás, el griterío de los demás niños recreció, con furia. Floridita aferró de la mano a Toño y se lo llevó al griterío, para siempre.

Genoveva Sinfín repitió la invitación al poeta y al mayordomo. Ninguno de los dos aceptó: Puelles aseguró que volvería más tarde, y Seráfico se puso digno: como el doctor había vendido la finca de Sandoná él no tenía derecho a comer en su casa, dijo.

—No sea necio —le dijo la Sinfín—. Aliméntese, que aquí la carne sobra, y Sandoná queda lejos.

El mayordomo se metió sin responder al carnaval que rebosaba y desapareció.

Tampoco el catedrático Arcaín Chivo se encontraba en su casa. A Puelles lo divirtió no entender el latín que presidía la puerta del catedrático, un letrero en madera que decía: ALTERIUS NON SIT QUI SUUS ESSE POTEST.

«Allí está pintado», pensó, «otro desorientado.»

En casa de Chila Chávez nadie acudió. Recostado al sauce que cuidaba la puerta, Puelles se sintió desmayar: la vieja cocinera tenía razón: el periplo del 4 de enero, sumado a las vueltas del 5 de Negros, cuando ya anochecía, le hacía temblar las piernas. Pero siguió bebiendo del aguardiente a mares que ofrecían, y de brindis en brindis llegó a su casa, transfigurado: parecía de cera. Escuchó las noticias de la familia: el abuelo estaba dormido.

Qué gran desconsuelo que el abuelo durmiera.

Su madre le sirvió de comer un cuy frío, papas frías, arrugadas, y tajadas de plátano que parecían de hielo: «Te lo comes todo, y a la fuerza», le dijo. Enseguida su padre se empecinó en que durmiera: quería llevárselo cargado hasta la cama, «Estás muy borracho, so bruto, así no se puede ir por el carnaval, sí borracho, pero no muy, ¿me entiendes?» Puelles lamentaba que su abuelo durmiera: acaso el abuelo sí podría salvarlo de su muerto (por fin le revelaría todo al abuelo), pero no se sintió capaz de despertarlo, y recordó su frase célebre: «Si hay algo que me mata es que me despierten cuando duermo, ¿qué tal que sueñe con la que quiero?, odiaría al que me despertó». «¿Y si te salvo de un mal sueño, abuelo, alguien justamente a punto de matarte?», pensó Puelles que le diría, pero pensó también que el abuelo respondería: «No te arriesgues».

No. No despertaría al abuelo.

Rodolfo Puelles dijo que iría a dormir, se fue a su cuarto por sí solo, cerró la puerta: con una venia saludó a sus libros que rodeaban su catre —demasiados libros, pensó, castillo inexpugnable: a veces, en mitad de tantos libros, experimentaba la misma desolación que padeció el día que visitó un hospital de desahuciados.

Saludó, empujándola con su frente, la pequeña marioneta de madera que colgaba del techo: un Quijote atribulado. Y oyó cómo plañía el conocido ratón que moraba en el armario y que vivía precisamente de sus libros, y se extendió cuan largo era, bocabajo, vestido y con zapatos, las manos anudando la cabeza: durante un minuto hizo un solemne esfuerzo por dormir, bostezó y cerró los ojos, ya duermo, pensó, ya estoy dormido, ya sueño, pero muy dentro de él el caserón de la Naranja seguía rondándolo: la suerte del doctor no le importaba, la noche en la ventana era una invitación, había estrellas en el cielo. Se descuidaron sus padres: se les escapó.

De lo ocurrido esa noche —y hasta la madrugada del 6 de enero que confundió con atardecer— el poeta oculto Rodolfo Puelles no recordaría nada en absoluto: no sabría si llegó noctámbulo y sonámbulo donde la Naranja, si conoció a su muchacha —aunque semejante hecatombe tendría que recordarla para siempre, pensó—, no sabría cómo despertó en esa esquina apartada, con una botella vacía en la mano, no descifraría si vio o no vio el Carro de la Otra Vida, no se acordaba ni de él ni de su nombre —se aterró—, ¿cómo me llamo?, mañana me llamaré igual que ayer, pero hoy ¿cómo me llamo?

—Caín —gritó.

Y bajó por la calle solitaria.

Llegaba a la plaza Desconocida —desconocida porque no la reconoció, sólo distinguía un campanario en el cielo—, cuando algo saltó a sus pies: una piedra: era un sucio papel, atado con cabuya a una piedra. Miró bien, distinguió las letras: un mensaje, a la manera antigua —se regocijó. No había nadie en esa cuadra, ninguna ventana se abría o cerraba, nada avisaba de alguien que acabara de arrojar un mensaje a la manera antigua. Desamarró el papel con la mano que temblaba, y leyó: «Llo soi la que aller usté preguntó en la tienda si abía amor y llo dije que no. Pues encontremonos en la puerta de la iglecia hoi a las dies».

Acarició el papel, desarrugándolo, y contempló en derredor: nadie: puertas y ventanas herméticas; sólo bajaba por la calle el campero de Furibundo Pita, ¿o el Carro de la Otra Vida?, temible expendedor de leche que aprovechaba la madrugada para repartir sus cantinas antes de que la fiesta iniciara: el Carro de la Otra Vida surcó pitando la plaza vacía y desapareció. Cayó en cuenta de que a su lado había una de esas tiendas de esquina, con dos escalones de piedra y un portón verde, cerrado: *Tienda La Pirinola.* Su antigua ventana parecía sellada, ¿de allí arrojaron la piedra?, ¿allí preguntó él si había amor?, ¿lo preguntó ayer a una muchacha?, ¿y esa iglesia tan blanca era la iglesia de la cita? Guardó el papel con todo y piedra en el bolsillo, esperanzado. Distinguió el reloj de la iglesia: siete de la mañana. La cita era a las diez, en plena fiesta de Blancos, que no demoraría, ah, qué hacer, en dónde conseguir otra botella —se angustió, y qué frío sentía, qué frío.

Se extendió en el andén, a la vera de la tienda, la espalda contra el muro, una pierna sobre otra, y se durmió. Lo despertó la marimba descomunal que unos festejantes de Tumaco tocaban a su lado, ensayando para la comparsa. Alargó el brazo y recibió la botella de carnaval y se la bebió sin respiro —a la salud de la música, gritó. Una salva de aplausos lo confortó. Empezaba a fluir más gente al día de Blancos; se arrojaban las primeras andanadas de talco, las serpentinas revoloteaban desde las terrazas, subían y bajaban como serpientes en el aire amenazándolo, en la ventana de enfrente vio asomada la cara extraordinaria de una muchacha: el largo pelo negro rodeaba el óvalo blanco, los ojos de agua, pensó. Por la manera de asomarse, las manos aferradas a la cortina, cubriéndose del cuello para abajo, concluyó que estaba desnuda: aún no disfrazas tu desnudez, ¿eres mi amor?, alguien decía a su lado: «Más claro no canta un gallo», y oyó: «Soñé que la gata ladraba, ¿puedes creerlo?», percibía los ojos de agua, inquietos, fulgentes de pasión de carnaval, excitados del paso de hombres a sus pies: he conocido muchachas realmente bellas, pero una cara de ojos como ésta sólo en Pasto de carnaval, ¿me arrojaste tú la piedra del amor?, eso le gritó en el estrépito del baile, y sabía que nunca lo escucharía, pero ella escuchó porque sus ojos lo encontraron un instante, y sonrió: ¿era ella?

Se abrió interrumpiéndolos la puerta de la tienda: una vieja de por lo menos cien años retiraba las telas de araña de la puerta con su escoba, y se balanceaba cadenciosa, al compás de la música repartiéndose: ésta no puede ser mi muchacha, es muy tierna. Pasaron corriendo unos avestruces verdes por la calle, sonaba *La Guaneña* a todo trance, le pareció que un águila de páramo volaba encima de los techos, al cielo del carnaval, un águila real, dijo, ¿o un gavilán?, era un halcón de garganta blanca, si pudiera abrir los ojos y volar, Viva Pasto, gritó, Ciudad Sorpresa, desde aquí no veo el volcán —dijo a nadie, y nadie lo escuchaba, el Galeras no me ve, el *Urcunina* sagrado, ¿dónde vive mi muchacha?, final de amor: perdonar y ser perdonado, pensar a solas en tu sola voz desnuda, así los dos nos salvaremos de los dos, ¿quién me regala un pan?, de todo esto me reiré un día, se despreciaba a sí mismo allí tirado, sucio cuerpo cruzado en el andén, el tiempo estaba quieto o había pasado, el poeta oculto Rodolfo Puelles sólo veía huesos cayendo, una lluvia de huesos ante sus ojos, interminable, una lluvia de fémures, cráneos, omoplatos, un aguacero de sus propios huesos mojándolo, sentía que estaba mojado de sangre: era el aguardiente que regaban en su cara otros borrachos, «Levántate Lázaro», decían, les respondió: «Tráiganme a Jesús». Creyó que el tiempo se hacía espeso, irrespirable, zumbaban a su lado enjambres de niños-insecto, ¿a quién se le ocurrió traerlos a volar?, lo saludaba un hombre-puma, se preguntó si los perros participaban del carnaval o los habían escondido o huyeron asustados de los tambores batiendo sones en los cuatro puntos cardinales, sentía que encima de sus ojos se volcaban los festejantes uno a uno, las nubes de talco, los pechos se destrozaban de cantos, pero no veía un solo perro, desde que salió de su casa no recordaba un solo perro, rió estupefacto, todo en la calle se volvía blanco, más blanco, como si hubiese caído la nieve —gritó— la nieve de Pasto: el carnaval, Viva Pasto Carajo: y no se podía mover.

Si se apareciera esa vieja cocinera, bruja de las que ya no aparecen, mujer sabia para ofrecer platos, un sancocho sería un milagro, debería comer carne, un pobre animal, comemos hasta insectos, un día de estos nos comemos a nosotros —ya nos estamos comiendo—, habría que gozarse el carnaval, ¿qué estoy esperando?, pero no lograba pararse, manoteaba, la ventana seguía sin cara, sin muchacha, de nuevo quiso levantarse en busca del carnaval, fue inútil: cayó otra vez —como el héroe aqueo, dijo, y, al caer, tembló la tierra: «qué hace llorar al héroe», dijo de memoria, «qué invocar el mar que se pierde, es el más fuerte y veloz entre los héroes, el que podría dar fin a la guerra, hijo de una diosa, condenado a una vida veloz, más veloz que él mismo: llora por Briseida, la de hermosas mejillas, que se han llevado los dioses, los rencorosos dioses que hacen lo que quieren a despecho de los héroes», guardó silencio y aguardó el aplauso, lo escuchó universal, saludó con la mano, amo el tiempo, gritó, y decidió esperar, que el carnaval me busque, que pasen por aquí las carrozas, que pase el Simón Bolívar como el castigo que mereces oh Quiroz horrible oh Plato mastín, pero ¿no tengo una cita de amor en la iglesia? Buscó el mensaje que guardaba en su bolsillo y lo declamó al mundo, con todas sus fuerzas; después dijo: *esto sí es un poema de amor* —a medida que se comía hambriento el papel: ahora esa muchacha será mi novia por obra y gracia de mi borrachera y me dará el amor que pregunté; será la mujer de mi vida, me enseñará su ortografía, haremos el amor trescientas sesenta y cinco veces al día para burlarnos de la muerte como se debe, pero tenía que acudir a la cita, ¿y cómo?, no se lograba mover, ay, que venga ella, como el carnaval, ¿quiénes pasan ahí?, los veo, los estoy viendo, ¿por qué no me saludan?, ah, viejos, la calle, las paredes, los tejados se agolpaban encima de él, los ruidos múltiples de colores, voces insaciables, rostros impronunciables, y sí, se remeció, los veo pasar, ¿o alucinaba? Vio pasar a los poetas borrachos de luz, allí iban sus sonoros nombres: Helcías Martán Góngora y Guillermo Payán Archer, ¿no escribió uno de ellos que el mundo es una amarga feria de almas vacías?, adónde huir, adónde, y vio escalofriándose al único poeta grande, Aurelio Arturo, solo: el traje oscuro, sombrero blanco. Y seguía detrás una cantidad de amigos, ¿en qué momento cada uno de ellos se hizo de niebla y desapareció?, sintió una gran desesperanza de sí mismo, tirado allí, sin lograr moverse, esclavo —peor que las enteras masas de hombres que un día recibieron *un día de regalo* para ser felices, enteramente peor que todos ellos, pensó, ¿de qué servía saludar fantasmas de poetas que pasaban?, ¿a qué razón esos espectros y Carros de la Otra Vida?, ¿cuándo sería capaz de escribir una poesía pura?, ¿o eran las vaginas encantadas su poesía?, ¿poseía la poesía?, tengo que pasearme lúcido un minuto por el carnaval, a ver qué pasa, no pasa nada, el carnaval es ebriedad total, aliéntate, pero lo derrumbaba recordar que no recordaba nada en absoluto de la reciente madrugada, un detalle al menos, un guiño de la memoria, nada, ¿qué hizo?, ¿asesinó?

Creía o soñaba recordar que caminaba perdido por las afueras de Pasto: el carnaval retumbaba abajo, pero él seguía alejándose de Pasto, terco: quería llegar hasta Tumaco, bebía. Cruzó un puente sobre un río claro, un paraje que no conocía, y por la carretera polvorienta vio pasar al caballo, la negra cabeza ladeada, trotando indeciso, y, detrás, torpemente, una mujer vieja, con sombrero y chal negros, con un lazo en las manos: no parecía venir de ningún carnaval, pero había manchas de talco en su falda. Gritaba de vez en cuando «Eh, eh», y se detenía para tragar aire. Él la contemplaba del otro lado de la carretera: tenía las piernas hinchadas, iba descalza, los pies del color de la tierra, debía estar enferma, la piel de la cara llagada, partida, como si se desprendiera. Volteó a mirarlo, un segundo, y lo pasmó la nariz como tajada a lo largo, una herida antigua que parecía de resina, los dos colmillos sobresaliendo del labio lo saludaron sin sonido, los ojos relampaguearon temibles, y siguió corriendo. «No lo alcanzará nunca» pensó, y, como si ella lo hubiese escuchado, su rostro horrible volteó a mirarlo otra vez. Él cerró los ojos, de lástima, de vergüenza, de asco, de pánico, para no verla, pero seguía padeciendo esa cara de mujer dividida: pensó que era una cara que odiaba, que lo odiaba a él y que él la odiaba, era como una venganza, se soñaría con ella, pensó, y la siguió, los siguió, a su pesar, hasta la cima de la carretera, y los descubrió no lejos, en una explanada: ella había logrado enlazar al caballo en el cuello sudoroso, y tiraba del nudo corredizo, lo apretaba. El caballo se erguía en los cuartos traseros, todavía sorprendido de la captura, y manoteaba. Ella se acercaba encorvada y seguía gritando «Eh, eh» hasta hacer de la voz un susurro festivo, y el caballo dejó de manotear, dobló la negra cabeza, permitió que ella se acercara y casi lo rozara y como un odio fulgurante se irguió y abalanzó contra la vieja, la pateó en el pecho, la derrumbó y se lanzó al galope, arrastrando el lazo que serpenteaba ensangrentado en el polvo de la carretera, entre curvas de humo. Él corrió donde la vieja y se asomó: el sombrero negro a un lado, blanco de polvo, como ella; en la tierra las manos de palmas gordas y abiertas, cruzadas por la herida del lazo, las pantorrillas gruesas, cobrizas, tatuadas de cicatrices violáceas. Pensaba que debía compadecerla, pero la cicatriz en mitad de la cara lo detuvo: parecía, ahora, una carcajada espantosa, burlándose de él. «Ese caballo es endiablado» la oyó decir —la oyó—, qué voz sibilina, qué voz que escalofriaba, «pero hoy yo estoy más endiablada», dijo, «ya sabrá lo que yo soy», y la vio incorporarse como si nada; la falda se abrió: un agrio olor a leña quemada brotó de su cuerpo. Entonces oyó de nuevo el galope, cada vez más cerca, retumbante, no lograba ver al caballo, de dónde venía, de qué lugar, de qué región galopaba contra ellos, y ya no pudo con el espanto, oía el relincho como una tromba, el galope seguía acercándose, lo oía golpear adentro, palpitar, oía golpear su propio corazón contra la tierra, Puelles había puesto su cabeza bocabajo, sobre la piedra del andén, la vieja se enfrentará al caballo —dijo a los que pasaban—, el caballo la matará —gritó—, si su abuelo viniera a recogerlo, el abuelo era capaz, mi salvador, estaría buscándolo, se acordaba del abuelo bailando con una escoba —más botellas viajeras surcaban de mano en mano la multitud, iban y venían de una orilla a otra de la ciudad, alguien gritó carajo beban que el diablo está de fiesta, apareció la botella flotante y Puelles bebió, agradecido.

El doctor Justo Pastor Proceso López despertó el 6 de enero en su cama, sin Primavera a su lado. Era el día más importante de su vida: el de su muerte —como diría Enrique Quiroz.

Un día antes, en la parroquia, el mismo Quiroz había dicho: «Lo quiero vivo, para enterrarlo yo». Y, como Ilich se presentó sin noticias, había estallado: «Si no es hoy, es nunca». Impartió órdenes: ocho miembros del grupo, liderados por «Boris» —hermano de Quiroz— y «Catire» el llanero, visitarían esa noche un galpón de las afueras de Pasto donde creían —por dudosa información— que se encontraba la carroza. Su misión era única: dinamitar la carroza de Bolívar, sin preámbulos. Mientras tanto, Ilich y Vladimir rebuscarían al doctor por cielo y tierra. Y, sin embargo, después de recibir la orden los del grupo no se movieron. Un silencio pesado los enterraba en su sitio. No era su misión la que parecía conmocionarlos —la pulverización de la carroza—, sino la misión que se imponían sobre sí Quiroz y el Plato, una misión que todos en su íntimo interior daban por hecha, y que por eso mismo los arredraba. Sencillamente, no querían dar crédito. Y allí seguían, rodeando a su jefe y al Plato, como a la espera de una explicación: ¿estaba todo decidido? ¿Encontrarían al doctor Proceso? ¿Y luego?, ¿realmente ocurriría? ¿Tenía que suceder? No apartaban la vista de Quiroz y del Plato, maravillados, pero todavía incrédulos, se diría que atemorizados. Quiroz y el Plato se dejaban contemplar enaltecidos. Fue una situación abrumadora, de un silencio que, a pesar de todo, enjuiciaba, y que duró sólo unos segundos; Quiroz y el Plato habían enrojecido; siendo tan distintos, ahora se parecían: tenían la mirada fija, los ojos desmesurados, como si ambos acabaran de recibir un idéntico y terrible insulto, y sólo a los dos, como a uno solo, les correspondiera actuar en consecuencia. Finalmente ambos, en su actitud y determinación convencieron al grupo: ostentaban la seguridad absoluta de que su acción era la justa: de su resultado dependía el mundo: eran unos predestinados, iban a matar.

—Qué esperan —los increpó Quiroz—. Arranquen de una vez.

De inmediato el grupo saltó lejos de la parroquia, sin una palabra. Sus sombras avanzaban resueltas en la noche de calles mojadas. Quedaron solos Quiroz y el Plato.

—¿Lo haremos? —gritó Quiroz.

—Sí —dijo el Plato, pero lo dijo con un ronco susurro feliz.

—Sí —repitió Quiroz. Y ambos lo gritaron al tiempo mientras echaban a correr bajo la lluvia, a la búsqueda del doctor Proceso.

Y en efecto lo buscaron el resto de la noche, infructuosamente: no se hallaba ni en su casa ni en la casa de ninguno de sus cómplices. En su frenesí, corriendo de calle en calle bajo la lluvia del 5, rodeados por todas partes de carnaval, Ilich y Vladimir imaginaban desesperados que se cruzaban con el doctor en más de una ocasión y que no lo reconocían —así también era Pasto. Y todavía sin enterarse de la suerte de los dinamitadores, cuando sólo quedaban pocas horas de sueño, acordaron ultimar la misión el 6 de enero, durante el desfile de carrozas, el día más importante de su vida, el de su muerte —había dicho Quiroz—, tendrá que aparecer para desaparecerlo, será el fuego de nuestro carnaval, la gran prueba.

La mañana del 6, un ruido como de golpes amortiguados a los pies de su cama había despertado al doctor. Descubrió que los golpes sonaban dentro del baúl donde Primavera guardaba las sábanas. Oyó el grito vencido, el llanto sin esperanzas de un niño. Quiso abrir el baúl, pero estaba cerrado con llave; debió romper el cerrojo. Del baúl saltó despavorido espeluznándolo un niño que huyó sin decir palabra. Tenía el pelo trasquilado, bañado en estiércol de pájaro, ¿quién era? Lo oyó bajar a sollozos las escaleras y salir de la casa con un portazo lejano.

—Qué pasa aquí —dijo el doctor para sí mismo.

En el piso yacía desparramada su ropa de la noche del 5, todavía mojada, embarrada, avisando de quién sabe qué encuentros o desencuentros, ¿dónde estás ahora Primavera, dónde vuelas? Se puso la bata y se asomó a la ventana que daba al huerto. Vio a la Sinfín, a Floridita y la muchacha de servicio alrededor de un simio, *el simio* tirado bocarriba en el pasto, como una cruz: Homero.

—Qué pasa aquí —dijo el doctor.

—Nada, señor, que el Homero se chumó y no hay quien lo despierte —respondió la Sinfín—. Disfrazado de mico se ha paseado asustando a medio Pasto, pero más se asustó él, parece.

—Quítele el disfraz, y que respire —dijo el doctor—. Voy para allá. —Iba a retirarse de la ventana pero la pregunta que urgía lo derrotó—: ¿Dónde está mi mujer?

—Se fue a recoger a Luz de Luna, que durmió donde su tía Matilde. Ya vuelve. Dejó dicho que la espere.

La Sinfín lo examinaba desde abajo; sus ojos, acostumbrados a distinguir en el cielo, seguían examinándolo mucho más adentro; su cara doblada sonrió con indulgencia:

—La señora despertó con usted, doctor, sólo que despertó primero, muy temprano. Tenía que ir por Luz de Luna: la niña se quedó a dormir donde su tía, sin permiso, ¿ve usted? Espere a la señora, y no desespere, ¿qué más puede hacer?

—La carroza —dijo el doctor—. ¿Empezó el desfile?

—Hará una hora. Usted sólo párese en la avenida de los Estudiantes y la verá pasar tarde o temprano, ¿pero no prefiere esperar a la señora? Espérese y la ve con la señora, será más lindo.

El doctor no respondió. Su vida entera gravitaba en otra pregunta: ¿adónde pudo ir Primavera, con quién? La excusa de Luz de Luna le parecía ridícula —y también él se creyó ridículo, dudando. No quería recordar los pormenores de la noche, en casa del finado Belencito, debajo de la ventana con testigos, no quería recordarlos: su sabor agridulce lo abochornaba. Se convenció a sí mismo de buscar y encontrar a Primavera en pleno día de Blancos: al tenerla frente a él, cara a cara, ya sabría él qué haría, o ya los dos sabrían qué hacer.

Cuando bajó al huerto la Sinfín y la muchacha despojaban del disfraz al jardinero: acababan de quitarle la cabeza de gorila, dando paso al rostro enrojecido, rugoso y mojado en aguardiente. Completamente borracho, seguía profundo, decía incoherencias, se abofeteaba él mismo, y todo ante la vista de su hija Floridita, curiosa de cada gesto, de cada balbuceo, concentrada hasta el deleite. La presencia de Floridita le recordó de inmediato el lloro del niño encerrado, hacía unos minutos. Se espantó mirándola, tan tranquila. La oyó:

—Parece muerto. —Y rozaba al jardinero con la punta de su sandalia.

—Déjelo, niña —dijo la Sinfín—, déjelo dormir, que le hace falta.

El doctor recogió el disfraz, y, como hacía diez días exactos, se lo terció a los hombros. Después se dirigió a su hija:

—Había un niño encerrado en el baúl de las sábanas.

—¿Entonces estaba ahí? —se sorprendió Floridita—.

Ayer jugábamos a las escondidas. Nadie pudo encontrarlo, nos ganó a todos.

—Ay, Floridita —intervino la Sinfín, y meneaba la cabeza—. El mundo es malo malo malo.

Y no dijo más.

—Se fue corriendo, ese niño —dijo el doctor—. ¿Quién es?

—El hijo del Seráfico —lo informó la Sinfín—. Yo pensé que ya se había escapado, desde ayer. Pero es un niño avispado, sabrá llegar a Sandoná.

—¿Lo invitaron a la fiesta de flores? —se admiró el doctor.

—Es un niño bueno —dijo como toda respuesta la Sinfín—. No sabe leer y escribir, pero le gusta cantar. Agradezcamos a Dios que sigue vivo.

Floridita y la muchacha de servicio soltaron una risotada. La Sinfín desaprobó con la cabeza.

—El mundo es malo malo malo —repitió.

La Sinfín tenía los ojos entornados, afligidos, casi al borde de las lágrimas —creyó el doctor—, y seguía absorta, como si percibiera, en el horizonte estrecho del jardín, todo el porvenir, los años próximos y distantes, y los descubriera grises, iguales, realmente idénticos, pero también fatídicos: se daba palmaditas en la frente al tiempo que decía como un reclamo a nadie el mundo es malo malo malo.

El doctor ordenó a Floridita que subiera a su cuarto:

—Hoy no hay carnaval para ti. Te encierras allí, hasta mañana.

Floridita se encogió de hombros.

—No me importa —dijo—. Yo juego sola.

Y se fue.

Entonces se oyó el lamento del jardinero, como si despertara.

—El pobre sufre por amor —dijo la Sinfín—, y no aprende; sufre sin aprender, sufre hasta en la última víscera.

—Ay madrecita —dijo Homero—, dónde estoy, qué me hicieron, qué sol hace, qué vergajos, ¿dónde están?, quiero vengarme.

Abrió los ojos y miró en derredor; no pareció reconocer a nadie, pero sí parecía recordar, muy lejos:

—Que me traigan a la bandida, me mató la india, que me la traigan, no se puede vivir sin ella.

La muchacha de servicio, atenta, soltó a reír otra vez: buscaba los ojos del doctor —como invocando su aprobación, pero el doctor no compartió la burla.

—El amor es de cristal, compadre —decía la Sinfín inclinada a la oreja del jardinero—: tarde o temprano se rompe. No se ponga melancólico, siga mi consejo, un buen almuerzo y mucho sueño, nada más.

—Pues dele de comer —dijo el doctor— y que se duerma. Usted siempre tiene la razón, Genoveva. Resucítelo.

—Doctor, doctorcito —decía Homero, reconociéndolo, y extendía sus brazos—, devuélvame el disfraz de mico. No trae suerte. Yo se lo quemo.

Pero ya el doctor había abandonado el jardín.

—¿De qué te disfrazas, papá?

El doctor estaba en su habitación, en el momento de calzarse la gran cabeza de simio. Desde la puerta Floridita lo acechaba: sin sentimiento. Si ésa era su hija, pensó, era su hija desconocida. Además, ¿no debía encontrarse encerrada en su cuarto?, ¿por qué hacía esa pregunta si ya sabía de qué se disfrazaba?, ¿o quería iniciar la conversación, ser perdonada?, pero ¿qué era eso de encerrar a un niño en un baúl, toda la noche?, ¿y el pelo trasquilado, y el estiércol de pájaro?, ¿cómo la castigaría? Y, sin embargo, una suerte de ternura lo poseyó: era su hija menor.

—De orangután —le dijo.

Hubo un silencio extraño: el doctor pensó que era la primera vez que se miraba a los ojos con Floridita:

—¿Quieres que te diga para qué me disfrazo?

Pensaba que tenía por fin la oportunidad de una charla con su hija. Ya se le había ocurrido la respuesta —cuando ella preguntara para qué: «Para asustarte mejor» le diría, imitando al lobo de la fábula. Después la abrazaría.

Y, sin embargo, Floridita no accedió:

—No —dijo—. No quiero saber para qué.

Lo dijo como si ganara el juego.

Estaba recostada a la puerta, y lo miraba centelleante: en ese momento parecía que iba a llorar, o a insultarlo: se dio vuelta y huyó. Él acabó de calzarse la gran cabeza de simio: el dispositivo en la garganta no servía, oyó su voz tal cual: «Qué pasa aquí» había dicho. Tenía grabados en su memoria el par de ojos centelleantes de su hija. «Es otra Primavera», pensó, «es más ella que yo, odia: es más fuerte que yo.»

Minutos después de que el doctor Justo Pastor Proceso López saliera de su casa disfrazado de orangután, llegó a buscarlo a la puerta un asno de carnaval.

371

Floridita, Genoveva Sinfín, la muchacha de servicio y el jardinero resucitado estaban asomados al balcón. Los presidía Matilde Pinzón, recién llegada en compañía de sus dos hijos y Luz de Luna: todos esperaban a Primavera para salir a ver el desfile, ¿en dónde se había metido Primavera?, Matilde se impacientó: ya los tenía acostumbrados. Y qué sorpresa, de pronto los mismos del desfile se aparecían en su calle, bajo el balcón: nada menos que un reluciente asno de carnaval que cabrioleaba ante ellos, entre la gente feliz. Incluso constataron que el asno multicolor se paraba a la vera de la casa, ofrendaba reverencias igual que si los saludara, y daba suaves coces a la puerta, como si llamara. Se alzó la música alrededor: era un reventón de panderetas y tambores. Vieron emerger del asno al que ocupaba la cabeza: su cara pintada era una mueca de felicidad, tenía tinturada la melena de rojo y azul; sacó una botella del gabán y la blandió.

—¿Y el respetable doctor? —gritó a los del balcón—. Quiero brindar con él.

La Sinfín gritó que el doctor no se hallaba en la casa:

—Espérelo y volverá.

—Nosotros lo buscaremos —gritó el risueño Quiroz. Iba a meterse otra vez en la cabeza de asno, cuando la niña desde el balcón llamó su atención:

—¿Buscas a mi papá?

—Claro que sí —dijo Quiroz.

—Pues no lo encuentras —gritó la niña—. Está disfrazado.

Quiroz quedó suspenso, la cara de la niña esplendía, era como si dijera: «¿No me vas a preguntar de qué se disfrazó mi papá?». En ese momento el Plato Ilich salía de adentro del asno; se limpiaba el sudor de la frente, su

rostro pintado se derretía, su pelo era un emplasto amarillo:

—¿Y de qué se disfrazó? —gritó.

La niña no lo dudó:

—De orangután —les dijo.

Y, sin todavía saber por qué, Genoveva Sinfín sintió
como si de verdad se oscureciera el aire, se concretara el
sentimiento de fatalidad que esa mañana la recorrió, y se
persignó mientras oía a Floridita responder.

¿Y por qué orangután? ¿A razón de qué este disfraz?
Asfixia. ¿Me propongo descubrirla sin que ella me descu-
bra, seguirla sin que sepa quién soy? Qué pueril.

Nadie lo señalaba, su disfraz carecía de alma: el simio era otro más del carnaval: de seguro Homero ya lo
hizo aborrecer. Iba bordeando la calle repleta de manos
y cabezas estiradas como ramas hacia la avenida: al menos el disfraz servía para que no lo reconocieran. No se
vislumbraba ninguna carroza desde el obelisco; el carnaval se acrecentaba a gritos; cualquier brazo, cualquier
mano podía alargarse a él desde cualquier lugar, acariciar-
lo, estrujarlo o estrangularlo, pensó. En eso lo arreme-
tió un trío de formidables marranos, uncidos como caballos de las cruzadas: en sus lomos brillaban las cruces
rojas sobre mantones de seda, chillaban enloquecidos,
debió saltar, una pareja de enanos los dirigía; muy cerca bailaba un corro de negras con velas encendidas en
las manos; una se puso a bailar frente al gorila: su silueta ardía entre gotas de sudor; oía cascos de caballo repi-
cando en las aceras, oía sus relinchos; olió el humo acre

de la mariguana: jóvenes imberbes la fumaban a su lado, chupaban ávidos de los cigarros, alguien gritó que se veía venir la primera carroza del carnaval: codos y rodillas lo empujaron, una niña lloraba perdida, corría sin ninguna ruta por el carnaval, sin una brizna de talco en el vestido —como protegida por una cúpula invisible: llevaba en su mano un girasol más grande que ella. Un dedo se hundió en su pecho peludo, tres, cuatro, cinco veces: una voz:

«Yo sí sé quién está ahí dentro».

Era Matilde Pinzón. Sola. Sin Primavera.

«Yo todavía no sé» le respondió el doctor.

«¿No la encuentras?» preguntó ella. Su lengua brillaba rojísima: parecía a punto de la carcajada.

«¿No encuentro a quién?»

«Vete a la casa y la esperas», dijo Matilde compadeciéndolo, «yo te la busco.»

El doctor no supo qué replicar: Matilde Pinzón era idéntica a Primavera, pero algo repulsivo la distinguía, era una mujer sombría, su gesto una burla perpetua. Se le antojó inexplicable resultar descubierto en su disfraz de simio nada menos que por Matilde Pinzón, ¿cómo lo descubrió?

«Justo Pastor», dijo ella todavía, «pon de tu parte y todo se resolverá, tú y Primavera son la pareja ideal, cada uno comprende al otro, se escuchan sin hablar.»

Sí —le dijo el doctor—: Primavera y él se comprendían tan bien que él perdía todas las cosas y ella las encontraba:

«Ahora por ejemplo estoy buscándola», dijo.

Matilde Pinzón echó a reír.

«Entonces primero tendrá que encontrarse ella —dijo—

para que te diga en dónde está, qué humor tienes, Justo Pastor, ese humor, por lo menos, no lo pierdas.»

Y se alejó: un hombre entrado en años, que no era su esposo, la aguardaba prudente, un brazo abierto; el doctor lo reconoció: era el riquísimo pero ya decrépito Luisito Cetina, dueño de los hoteles *Luz del Pacífico*. Los vio alejarse furtivos en el gentío. El sol crecía; el simio se metió más a la orilla de la avenida, no sólo empujando sino derrumbando cuerpos, y nadie protestó, era la fiesta.

No quería enterarse de qué o quiénes desfilaban, quería perderse cuanto antes; anunciaban una orquesta; sintió que se encendían en el día unas luces fuertísimas, sin origen: empezó a retemblar en la médula del pavimento la orquesta desaforada, la gente tronó en una ovación, los cuerpos como uno solo se balanceaban desesperados, los rostros manchados de talco y pintura se restregaban, un oleaje de faldas multicolores lo encandiló, dos muchachas que bailaban —las serpentinas y el aserrín como un pegote en los cabellos— se besaban vorazmente, idas, felices; alargó la peluda cabeza de simio por sobre los escotes de las mujeres que celebraban, alguna se colgó de su brazo unos segundos, un borracho giraba enloquecido sobre una pierna y no caía, las mujeres parecían querer que se cayera y el borracho no caía, no caía; un hombre calvo se refregaba los ojos: gritaba que le habían arrojado harina y limón, el asfalto olía a orines, a estiércol, se abrió paso y ganó el margen de la avenida y se asomó: una comparsa de ancianos bailaba un vals: eran siete o nueve filas de ancianos que resistían el sol de la mañana bailando leves el vals que les tocaba la banda de San Pablo, de músicos más viejos que los mismos que bailaban. Los cuerpos, sus envolturas —pensó padeciéndolos— hicieron lo que pudieron por nosotros, lo que pudieron, ¿me debo emborrachar? Eran ancianos de por lo menos 90 años, calculó, del *Ancianato de don Ezequiel* —según rezaba el cartel—, y algunos bastante seniles, más del otro mundo que de aquí, pensó, bien vale la pena morir bailando sin saber que ya acabamos de morir. Obligada por el gentío una muchacha aplastaba su cara contra el pecho peludo del orangután, y manoteaba angustiada; el simio la abrazó y la soltó como si se apiadara, con tiernos golpecitos en las mejillas: los más próximos reían; el extraño vals de los ancianos empezó a girar ante él; oyó que alguien preguntaba: «¿Son viejitos de verdad, o llevan máscaras de cadáveres?», y le respondían: «Claro que son viejitos, pero bailan como niños, son unos duros», y otra voz de mujer: «También desfilan monjas de verdad, a tres cuadras de aquí, y locos de verdad, mucho más atrás, son los locos de San Rafael, legítimos», otra voz intervino: «Dicen que en la comparsa de presos los presos vestidos de presos son presos de verdad, y juraron volver a la cárcel cuando acabe el carnaval». «Yo, de preso, no regresaba», dijo alguien, y otro: «Yo sí, palabra es palabra, la palabra es sagrada».

A esa hora el doctor Justo Pastor Proceso López no sabía qué prefería, si encontrarse con la carroza de Bolívar o con Primavera Pinzón en la multitud. Con Primavera mejor, pensó, para asustarla: cubrir sus ojos con sus manazas y preguntarle, gutural: «¿Quién es?» Asustarla para besarla, o al revés, pensó.

Una de las parejas de ancianos que valseaban, ella y él exactos, hermanos en la decrepitud, la sonrisa de la beatitud en las bocas desdentadas, virando lentísimos, se detuvo intempestiva a su lado. La anciana tenía en los ojos los visos del desmayo. Oyó que dijo: «No puedo más», y su acompañante: «Descansemos», y ella: «No es con el baile que no puedo, es con la vida», y se apartaron de la comparsa, ambos de la mano, afligidos. Nadie los socorrió. Allí el doctor se despojó de la gran cabeza de simio: «Váyanse a respirar aire puro y no bailen» les ordenó como el médico que era. Alguien les ofreció una botella de aguardiente, que él rechazó: aferró del brazo a los ancianos y se los llevó a un toldo próximo, donde alternaban los diferentes solistas y tríos. Les buscó, encontró y batalló dos sillas. En ese momento saludaban desde la tarima los músicos gloriosos de Pasto: el maestro Nieto, al requinto, y el Chato Guerrero a la guitarra. Anunciaban el ya legendario *Viejo Dolor,* en ritmo de fox, que hizo languidecer de emoción a la anciana: «Que no me muera sin escucharlo». El público lanzaba vivas al maestro Nieto, célebre no sólo por su *Viejo Dolor* sino por la frase con que un día definió su arte musical: *«Yo no sé nota, pero no se nota».* El doctor escuchó durante un minuto de magia las primeras cadencias del fox y se alejó. Tenía la cabeza de simio en las manos, sin decidirse a ponérsela: sudaba empapado; resolvió hundirse en la gruesa corriente de la muchedumbre y avanzar en sentido contrario al desfile para encontrar por fin las carrozas, una por una. Ahí oyó maravillado un grito de mujer que lo llamaba por su nombre. Se estatizó. El grito se repitió: era desde un balcón próximo. Avanzó hasta ponerse debajo, a la orilla de una casa desconocida: su puerta bullía de cuerpos que entraban y salían a duras penas. En medio del balcón repleto de mujeres reía la devota Alcira Sarasti y extendía hacia él sus brazos desnudos, «Suba, doctor, ¿qué hace con esa cabeza de simio? Suba y desde aquí miramos las carrozas».

«No creo que pueda subir» gritaba el doctor, «hay gente como un bosque.»

Y se puso otra vez la gran cabeza de simio, me reconocieron, pensó, ¿y si me encuentra la viuda?, ¿qué hago con dos amores a la vez?

«Entonces bajo yo» había gritado la devota, y desapareció del balcón.

La esperó un buen rato, bajo un sol que aplastaba, pero no aparecía. En algún momento creyó distinguir su cabeza flotando en un mar de cabezas, hundiéndose y reapareciendo, y después ya no la vio: era como si se la hubiera tragado la muchedumbre. El mar de cabezas se agolpaba a la orilla de la avenida: al fin se veía venir la primera carroza. No necesitó moverse: la masa entera de festejantes lo arrastró como un río hasta los pies de la carroza. Y, sin embargo, no lograba distinguir el tema, el alma de la carroza; se encontraba a sus pies, pero no adivinaba de qué se trataba, así de inmensa se presentaba a sus ojos, un edificio: para abarcarla en su enormidad debía hallarse en el balcón donde gritaba la Sarasti. Y leyó el rótulo de la carroza, una cinta que flotaba entre las patas de un animal indefinible: CUANDO FLOREZCAN LAS AMAPOLAS. No era su carroza de Bolívar. Vio, en una especie de palco real, incrustado a media altura de la carroza, cuatro muchachas que bailaban; las lentejuelas de sus trajes minúsculos relampagueaban al sol; nubes de talco se arremolinaban debajo de sus tobillos, las serpentinas subían, «Es la Casa del Sol», adivinaba la muchedumbre, y el ciclópeo animal parecía asentir, mitad pez mitad león; descomunales caballitos de mar flotaban alrededor, una sonora burla se oyó por todas partes, el doctor se preguntó de quién reía la multitud, ¿de mí?, y se miró de pies a cabeza: era un simio blanco de talco, pero nadie parecía determinarlo; siguió oyendo voces disparatadas: «Mi perra y mi abuela van allí», «Son los canarios del gobernador», y levantó más los ojos, mientras la orquesta explosionaba encima de su cabeza: entonces descubrió a la reina del carnaval, la bella entre las bellas, casi desnuda, bullendo en lo más alto de la carroza, zarandeándose encima de un estrecho tablón; sostenía un pequeño cartel contra el triángulo de su entrepierna que decía: AQUÍ FUE TROYA.

El simio permitió que lo arrastrara el destino de la muchedumbre. Pensaba que tarde o temprano, al azar del tumulto, encontraría a Primavera o la carroza de Bolívar, la que primero asomara. Las recibiría agradecido, como se recibe un descanso infinito, pero la carroza de Bolívar la abandonaría a merced del mundo, y a Primavera se la llevaría a su casa, a la cama y al abrazo, pensó. Y, sin embargo, después de una hora a la deriva perdió las esperanzas: las esquinas se sucedían sin noticia, pronto el carnaval lo sofocó: no había Primavera por ninguna parte, mejor regresar a la casa cuanto antes y esperarla —como parecía aconsejar el mundo. Pero inmediatamente después de su resolución le fue imposible avanzar con otro destino ajeno al de la muchedumbre. Distinguió un asno de carnaval a la otra orilla de la avenida, un asno aparte de la comparsa de *Tejedoras* que desfilaba: el asno daba trompos veloces por entre los jugadores, «Ese asno y yo somos aquí los únicos animales», y se examinó otra vez, metido en su disfraz de simio, ¿a razón de qué?, ¿no sería preferible emborracharse hasta el olvido, convertirse en humo que arrastra el viento? Entonces la muchedumbre pareció empujarlo contra el asno que giraba, y, cosa extraordinaria, también desde la otra orilla la muchedumbre pareció empujar al asno sobre él. La muchedumbre los arropaba como agua oscura que se abre, hasta engullirlos —igual que otro juego de carnaval.

A escasos metros lo contemplaron por última vez el general Lorenzo Aipe y Primavera Pinzón. Lo habían descubierto mucho antes, desde que se quitó la cabeza de simio para hablar a los ancianos, y debajo del balcón donde gritaba a la Sarasti: «Hay gente como un bosque», allí acabaron de reconocerlo, y fue allí cuando Primavera no supo qué hacer: no supo de ella misma, de su vida y de sus hijas, no supo si correr a él, abrazarlo o perdérsele otra vez —pensó— para toda la eternidad. Cuando entendió que no lo amaba, sintió una gran tristeza por él, hasta las lágrimas, pero se recompuso a tiempo: el general Lorenzo Aipe no advirtió su emoción. El general sudaba disfrazado de Bolívar: no concibió un disfraz mejor para escarnecer al doctor Proceso, un Simón Bolívar de paisano: sombrero alto de jipijapa, con bayetón rojo y azul, chaqueta y pantalón de paño, botines de cordobán.

Esa mañana el general Lorenzo Aipe en persona se había hecho cargo de la carroza de Bolívar. Localizaron la carroza un día antes, pero eligió el amanecer del 6 para sorprender a los artesanos y confiscarla. Ninguno opuso resistencia: unos se encontraban en piyama, otros en calzoncillos; eran hombres y niños y mujeres asustados, de todas las edades. Habían escondido la carroza en un galpón de las afueras de Pasto, a una orilla de la fría carretera a la laguna de la Cocha, y ya la tenían descubierta: se encumbraba como un barco a plenitud, parecía tocar el cielo, era un monstruo el Bolívar arrastrado por muchachas, emperador de los Andes. Pero esa madrugada el escultor Arbeláez, Martín Umbría y el maestro Abril, artífices de la carroza, se descorazonaron: los soldados se repartían al interior del galpón, los encañonaban.

Habían resistido la noche del 5 a un intento de dinamitar la carroza por parte de encapuchados que los asediaron sin orden ni concierto, y que —luego de su rara escaramuza— se dieron a la fuga, bajo la lluvia. Sólo amenazaron con volar la carroza en el desfile, «Y ustedes son responsables del riesgo que los pastusos corran», pero nada más, huyeron, sólo palabras: a uno se le estalló el arma en la mano, lo que provocó la risa de las mujeres. Dos más dispararon sin resultado: uno le dio al techo, encima de su misma cabeza, y una cascada de yeso lo dejó blanco, y el otro le dio a *Guarapo,* el perro del maestro Abril, y ni siquiera lo hirió, lo rozó, pero lo oyeron chillar, lo que enardeció a los niños: «El perro no tiene la culpa» gritaron, y empezó la lucha. Con facilidad los artesanos más jóvenes se hicieron cargo de los encapuchados, que eran más. Cuando los artífices se metieron a la refriega, realmente decididos a defender la carroza de los destructores, ya los encapuchados «corrían como cuyes» —según el maestro Abril. Y, sin embargo, los vientos de la victoria no permanecieron: ahora no se trataba de encapuchados —más graciosos que peligrosos— sino del mismo ejército, jueputa —dijeron, esto va en serio: las armas apuntaban a sus pechos, estaban rodeados.

Decomisaron la carroza con todo y camión que la transportaba: el camión del Martín Umbría.

El general Lorenzo Aipe dio por terminada la misión. Lamentaba el despliegue militar, y era eso lo que más le dolía; ordenó que los soldados regresaran a la base, «Sin ruido», y subió al campero que lo aguardaba: fácil, lo único espinoso fue dar con el lugar donde escondían la carroza. Ahora sólo pensaba en su disfraz de Simón Bolívar de paisano, y en la rubia Primavera Pinzón, desnuda. Se retiró, dejando a cargo un oficial y siete soldados para el traslado de la carroza: ni siquiera quiso apreciarla en detalle, pero sí ordenó que la cubrieran cuanto antes: «Que nadie la vea», dijo, «de eso se trata».

De inmediato los soldados procedieron a cubrirla, aunque era temprano y Pasto entero dormía. Ya cubierta, la carroza parecía quién sabe qué disparate-sorpresa avanzando por las calles de Pasto, la madrugada del 6.

La llevaban a descuartizarla en el cuartel.

Iban siete soldados y un oficial —luego se diría que veinte, que cincuenta y cien y muchos más. Faltaba poco para arribar al cuartel cuando fueron alcanzados por Martín Umbría, Tulio Abril, el Cangrejito Arbeláez y los demás artesanos —todos respaldados por sus hijos y mujeres. No sospechaban los soldados el ataque. Pensaban que se trataba de una comparsa de pueblo que llegaba a Pasto a participar en los Blancos: bailaban, arrojaban serpentinas y bebían. Tal vez lo único extraordinario era la hora: demasiado temprano para el jolgorio. Pero todo era posible en el carnaval.

Era la misma hora temprana que en otro sitio de la ciudad el poeta oculto Rodolfo Puelles confundió con atardecer.

Ahora sí atardecía, pero el carnaval gritaba todavía, y bailaba ante la *Tienda La Pirinola,* en esa calle de Pasto donde Rodolfo Puelles seguía tendido, sin moverse.

—Bueno, Puelles, despiértate —le dijo una voz—. Te andábamos buscando.

Y otra voz:

—Ha llegado la hora de la verdad, Puelles. Levántate. Están aquí, y quieren conocerte, a caminar, Puelles. Ha llegado la hora de caminar.

Abrió los ojos. De pronto vio a Quiroz: la cabeza de Quiroz. Quiroz se hizo a un lado, para permitir que la cabeza de Ilich apareciera.

Ambos se habían rapado la cabeza.

El Plato Ilich reía, la boca muy abierta:

—Quieren conocer a los elegidos, y tú eres un elegido, cómo no.

Se inclinó y puso una mano como una garra de pájaro en el hombro de Puelles:

—Vamos. Se hace tarde.

Quiroz miraba su reloj:

—No están lejos.

Puelles empezó a incorporarse: la garra de pájaro pesaba en su hombro, más que ayudarlo. Debían ser las cinco, atardecía. Puelles resopló, tragó aire. Se sentía exultante, aún:

—¿Y en dónde dejaron al asno?

Quiroz no se resquebrajó:

—El asno lo montamos esta mañana —dijo—. Un mico nos entretuvo.

Fue la única vez que rieron, todos. No imaginaba el poeta oculto, en su delirio, a qué mico se referían: Rodolfo Puelles no imaginaba nada en absoluto.

El carnaval se prendió más, a lo ancho de la calle. Creció la música que deambulaba: un grupo de festejantes bailaba a un paso de ellos. De súbito, como obedeciendo al impulso de una última alegría, o porque por primera vez sospechaba el sacrificio y quería huir, Rodolfo Puelles se arrojó al centro de la rueda humana y empezó a bailar transfigurado, los ojos desorbitados, lanzando vivas.

Quiroz y el Plato se quedaron a la orilla, contemplándolo asombrados: eso no se lo esperaban. El Plato adelantó un paso, para atrapar a Puelles.

—Déjalo —dijo Quiroz—. Que termine de bailar.

La pequeña orquesta carnavalesca tocaba *La Danza de la Chiva*: acabó con un estruendo de platillos, se despidió la trompeta y un mar de aplausos se derrumbó. Los que bailaban ofrecieron a Puelles una botella, y Puelles bebió, bebía y seguía, hasta lo último.

—Así así —le dijo el Plato—, bébete el del estribo, que ya te llevamos al paraíso.

—Síguenos —dijo Quiroz.

Y Puelles siguió con ellos.

Pensó que le daba lo mismo.

La luz del sol se puso rojiza, era una luz fría, rara a

esa hora de estallidos. Las calles se hicieron rápidas, a pesar del gentío.

Salían del carnaval, que era igual que salir de Pasto.

Había sido Zulia Iscuandé quien convocó a guerrear a los artífices —que ya daban por perdida la carroza. «No le podemos quedar mal al doctor», dijo, «y no es por su plata sino porque la carroza la hicimos nosotros y esos desalmados la van a desgraciar.» El Cangrejito Arbeláez no se ilusionaba: aunque recuperaran la carroza sería difícil exhibirla con el ejército de por medio y los encapuchados; los rodearían, aparecieran donde aparecieran; la única esperanza eran los pastusos, pensó: que los pastusos defendieran la carroza, ¿y cómo?, contar con esa defensa era improbable: se trataba de una fiesta, la gente salía a bailar, ¿cómo armar una batalla de la noche a la mañana por una carroza de carnaval?, ¿una carroza que de entrada sólo parecía una chanza? Urgía esconder la carroza del exterminio, habría que esperar su tiempo para que Pasto entero la defendiera.

Oyó que los artífices lanzaban vivas al doctor. «Gracias a él de parte de los carroceros» oyó. «No lo vamos a dejar solo, carajo», «Arranquemos», «Aquí vamos». El escultor observaba las manos de los artífices, grandes y cuarteadas, como talladas en piedra; se habían pintado las caras, sacaban botellas de aguardiente y fingían empezar la juerga del 6 de enero: pero iban nada menos que a recuperar la carroza de manos del ejército. Y echaron a correr por las calles dormidas, en pos de la carroza robada.

También fue Zulia Iscuandé quien inició la batalla. Ofreció un trago de aguardiente al soldado más cercano, trepado en la carroza cubierta, alargando la botella, y cuando el soldado la fue a recibir recibió en su lugar un botellazo en plena cara. En minutos los soldados resultaron desarmados y arrojados de la carroza como por una tromba irrebatible —con la misma rabia y coraje de los tiempos de Agustín Agualongo, pensó el Cangrejito mientras luchaba. Fue una batalla muda y veloz. Sólo hubo un disparo, que se confundió con los vivas de los atacantes: disparó el oficial; conducía el camión donde iba empotrada la carroza, y su disparo dio en el brazo al maestro Umbría, encaramado a su lado: a pesar del balazo quemando, el maestro estiró el otro brazo y agarró por el cuello al oficial y lo sacó a pulso por la ventanilla. Los pocos curiosos que se asomaron no comprendieron de qué se trataba, sólo una carroza «vestida», como dijeron, y varios soldados que departían con madrugadores. No departían: agradecían seguir vivos: los asaltantes ocuparon la cabina del camión, los diferentes nichos de la carroza, y huyeron.

En el barrio apartado, que Puelles se esforzaba en reconocer, ¿no fue aquí donde jugué trompo, de niño, y gané?, las sucias calles estrechas, de casas inconclusas, en cemento, como negros esqueletos volcados al atardecer, empezaron a apabullarlo, pero lo aplastó definitivamente el asombro de la última esquina, en el atardecer, cuando ya el barrio se deshacía: tres o cuatro niños jugaban a la guerra, caían y morían, revivían, volvían a matar.

Ahora Puelles veía los trigales, no lejos, detrás de la última casa.

—Y qué llevas en el bolsillo, Puelles, ¿una piedra?

El Plato le había deslizado la mano en su pantalón y se maravillaba:

—Sí es una piedra, carajo. ¿Para matar torcazas? ¿Defensa personal?

—¿Y ese crucifijo? —dijo Puelles al Plato, señalando el crucifijo dorado que colgaba de su cuello—, ¿te lo regaló el padre Bunch?

El Plato dejó de caminar.

—Cristo fue el primero de nosotros —dijo Quiroz—. No ironices, Puelles. También nosotros tenemos una religión.

Hizo una seña al Plato para que siguiera con ellos.

—Ah la religión —dijo Puelles, y otra vez el poeta oculto asomaba—: la peor y más perfecta intolerancia de los hombres.

—Ya —dijo el Plato—. Ahora te dio por hablar como el loco de Chivo, so filósofo pendejo, qué te crees, ¿quieres vértelas conmigo? —Y se desmandó en insultos veloces, que Puelles ignoró; pero no evitó reír al escuchar el último: *revisionista asqueroso*.

«Puedo reírme —pensaba Puelles—: todavía es posible».

—Tranquilo, Ilich —dijo Quiroz—. Hay tiempo.

Ya habían dejado atrás el barrio de casas grises. Todo era verde en el atardecer. Ahora pisaban la hierba blanda y abundante, su húmedo terreno. Alrededor Puelles veía las breves colinas que se enlazaban, el cielo rojizo. Seguían avanzando a los trigales, altos y amarillos, que ondulaban poco más allá, rizados por el viento. Puelles ya no sintió deseos de hablar, de preguntar algo. Mucho menos de huir. Era como si una gran pereza de todo y de todos, de sí mismo, se almacenara en sus miembros, en su inteligencia. Recordaba otra vez al policía muerto, otra vez como tantas, y ya no podía, ya no podía. Ya no podía. Y sonrió estupefacto: se preguntaba si, al morir, como le ocurrió cuando mataba, iba a orinarse del susto. Ni el Plato ni Vladimir se percataron.

Ahora ya atravesaban el campo sembrado de trigo. Las espigas eran altas, rozaban el pecho de Puelles.

—Ay Puelles —decía Quiroz—, ¿por qué tenías que hablar tanto?

Puelles no respondió.

—Sosiégate, Puelles, no te vamos a hacer nada —siguió Quiroz. Su voz había enronquecido; parecía quedarse sin aire—: sólo vamos a ajusticiarte.

El cansancio de Puelles era inmenso: al morir pensaré en el abuelo, ¿o en la vagina encantada de Toña Noria, encantada porque nunca se me dio?

La tremenda fatiga lo aturdía por dentro. Pensaba que no sólo era una fatiga de sus huesos, sino de mucho más allá de él mismo: del universo entero.

—Aquí, aquí —les dijo.

Quería descansar en ese sitio, oculto en mitad del trigal amarillo, al atardecer, mirando al cielo. Sentía el cuerpo rendido, y, sin embargo, sorprendiéndose a sí mismo, recordó que muchas veces había corrido y ganado la maratón del colegio, incluso los cien metros planos, una liebre, y, como si soñara, echó a correr, y creía correr más que una liebre, volteó a mirar, iban cerca, las caras desquiciadas extendían los brazos, podían tocarlo, pero él llegaría a su casa y seguiría a Bogotá y después a Singapur, pensó, y pensó todavía, tuvo tiempo de alcanzar a pensarlo: «Dirán que Puelles se les escapó».

Retumbó el disparo y una multitud de torcazas saltó a volar por los trigales.

Huyeron con la carroza, huyeron.

Cuando el general Lorenzo Aipe se enteró no ordenó la represalia que sus hombres esperaban: esta vez no jugaría al gato y al ratón; aguardaría a que saliera la carroza y la incautaría de inmediato, «Tendrán que aparecer tarde o temprano», dijo, y ordenó vigilar el sitio oficial de salida de las carrozas, y también su recorrido, por si tenían que interceptarla. Se preocupaba en vano, porque desde esa mañana desapareció la carroza de Bolívar: nunca más volvió a saberse: pocos madrugadores la vieron cruzar Pasto, envuelta en lonas, y subir por la carretera a la laguna de la Cocha. Y en ese abismo de selva, en la soledad de los páramos, los artífices la escondieron ¿en una cueva?, debajo de la tierra —dicen, a la espera del carnaval del año que viene.

Julio de 2011